LES EXERCICES QUI VOUS SOIGNENT

Design graphique : Josée Amyotte
Traitement des images : Madeleine Charette
Correction : Brigitte Lépine
Infographie : Marie-Josée Lalonde
Photos des exercices : Tango

Suivez-nous sur le Web

Consultez nos sites Internet et inscrivez-vous à l'infolettre pour rester informé en tout temps de nos publications et de nos concours en ligne. Et croisez aussi vos auteurs préférés et notre équipe sur nos blogues !

EDITIONS-HOMME.COM
EDITIONS-JOUR.COM
EDITIONS-LAGRIFFE.COM
EDITIONS-PETITHOMME.COM

03-14

Dépôt légal : 2011
Bibliothèque et Archives nationales du Québec

ISBN 978-2-7619-3079-6

DISTRIBUTEURS EXCLUSIFS :

Pour le Canada et les États-Unis :
MESSAGERIES ADP*
2315, rue de la Province
Longueuil, Québec J4G 1G4
Téléphone : 450 640-1237
Télécopieur : 450 674-6237
Internet : www.messageries-adp.com
* filiale du Groupe Sogides inc.,
filiale de Québecor Média inc.

Pour la France et les autres pays :
INTERFORUM editis
Immeuble Paryseine, 3, Allée de la Seine
94854 Ivry CEDEX
Téléphone : 33 (0) 1 49 59 11 56/91
Télécopieur : 33 (0) 1 49 59 11 33
Service commandes France Métropolitaine
Téléphone : 33 (0) 2 38 32 71 00
Télécopieur : 33 (0) 2 38 32 71 28
Internet : www.interforum.fr
Service commandes Export – DOM-TOM
Télécopieur : 33 (0) 2 38 32 78 86
Internet : www.interforum.fr
Courriel : cdes-export@interforum.fr

Pour la Suisse :
INTERFORUM editis SUISSE
Case postale 69 – CH 1701 Fribourg – Suisse
Téléphone : 41 (0) 26 460 80 60
Télécopieur : 41 (0) 26 460 80 68
Internet : www.interforumsuisse.ch
Courriel : office@interforumsuisse.ch
Distributeur : OLF S.A.
ZI. 3, Corminboeuf
Case postale 1061 – CH 1701 Fribourg – Suisse
Commandes :
Téléphone : 41 (0) 26 467 53 33
Télécopieur : 41 (0) 26 467 54 66
Internet : www.olf.ch
Courriel : information@olf.ch

Pour la Belgique et le Luxembourg :
INTERFORUM BENELUX S.A.
Fond Jean-Pâques, 6
B-1348 Louvain-La-Neuve
Téléphone : 32 (0) 10 42 03 20
Télécopieur : 32 (0) 10 41 20 24
Internet : www.interforum.be
Courriel : info@interforum.be

Gouvernement du Québec – Programme de crédit d'impôt pour l'édition de livres – Gestion SODEC – www.sodec.gouv.qc.ca

L'Éditeur bénéficie du soutien de la Société de développement des entreprises culturelles du Québec pour son programme d'édition.

Conseil des Arts du Canada **Canada Council for the Arts**

Nous remercions le Conseil des Arts du Canada de l'aide accordée à notre programme de publication.

Nous reconnaissons l'aide financière du gouvernement du Canada par l'entremise du Fonds du livre du Canada pour nos activités d'édition.

Dr Jean Drouin
Denis Pedneault
Roberto Poirier

LES EXERCICES QUI VOUS SOIGNENT

TOME 1

arthrose
bursite
entorse
maux de dos
ostéoporose
tendinite...

Une compagnie de Quebecor Media

Préfaces

Montréal, mai 2006, huit heures du matin.

Magnifique matin de mai. Je quitte mon hôtel et me dirige d'un pas pressé vers le Centre des congrès pour une réunion. Je ne suis pas en retard, loin de là, mais c'est une période de ma vie où je suis toujours pressé.

En m'approchant d'un petit square, j'entends une musique apaisante, comme une mélopée. Je m'arrête et je cherche l'origine de cette mélodie. À ce moment, je vois par terre un petit lecteur de cassettes rose. Autour de cet appareil, une dizaine de personnes âgées, la majorité d'origine asiatique, exécutent de façon très lente des mouvements amples et des déplacements. J'observe pendant quelques minutes ces gens qui semblent hors de notre temps, mais excessivement sereins. Je ne suis d'ailleurs pas le seul qui s'est arrêté pour les observer.

Mon œil d'orthopédiste remarque que, en faisant leurs mouvements, ils mobilisent et étirent leurs articulations. De plus, il est évident qu'ils agissent avec contrôle sur leur tonus musculaire. Je constate aussi que ces mouvements harmonieux, accomplis sans effort, leur permettent de travailler sur leur proprioception et leur équilibre. Pourtant, aux yeux de monsieur Tout-le-monde, ils ne font que bouger.

C'était ma première exposition directe au taï-chi, une gymnastique basée sur le mouvement, dont les origines remontent à plus de 500 ans av. J-C.

À notre époque d'informatique, de domotique et de médecine en comprimés, on semble avoir oublié que le mouvement est non seulement la meilleure modalité pour maintenir les articulations en santé, mais aussi une forme de traitement des articulations. Or, selon certaines publicités, on pourrait presque en arriver à croire que la mobilité est préjudiciable aux articulations ! Pourtant, aucun supplément alimentaire ou médical ne remplacera jamais la mobilité pour favoriser la santé articulaire et le maintien du cartilage.

Les auteurs du présent ouvrage doivent être félicités pour leur initiative. De façon simple et accessible, ils nous présentent des programmes d'exercices qui permettront de maintenir la santé articulaire, voire de la rétablir. Ces programmes, qui ne nécessitent pas d'équipements ni de vêtements sophistiqués, peuvent être faits à domicile et peuvent s'intégrer facilement à la routine journalière. Plusieurs de ces exercices pourront avoir un rôle préventif pour empêcher l'apparition de lésions articulaires.

J'ai aussi beaucoup apprécié le chapitre final où l'on rétablit la noblesse de la marche.

Encore une fois, bravo !

PATRICE MONTMINY, M. D., FRCSC
Chirurgien orthopédiste

Le livre *Les exercices qui vous soignent* s'inscrit dans l'évolution de la médecine des années 2010, une médecine axée sur la prévention avant tout.

L'équipe de rédaction multidisciplinaire a élaboré un menu d'exercices préventifs et thérapeutiques qui collent à la vie de tous les jours et nécessitent un minimum d'équipement.

Ces exercices peuvent être mis en place une fois le diagnostic posé. Ils s'inscrivent dans une perspective antiâge lorsqu'il s'agit de combattre une douleur passagère.

D'ailleurs, la section sur la douleur vous permettra de mieux comprendre toutes les solutions qui s'offrent à la personne souffrante.

Bonne lecture.

AUGUSTIN ROY, M. D.

Souvent, les professionnels pèchent moins par manque de connaissances que par incapacité à en faire une synthèse. Les patients, eux, éprouvent souvent une frustration due à la méconnaissance de leur pathologie et de la logique thérapeutique…

C'est donc avec plaisir qu'on salue l'initiative de trois spécialistes : le Dr Jean Drouin et MM. Roberto Poirier et Denis Pedneault. Voilà un livre attrayant, simple, qui répond aux besoins du professionnel et du patient. Le lecteur y trouvera le lien entre les causes et les manifestations pathologiques, d'une part, et la façon de les traiter et d'en tirer une hygiène de vie, d'autre part.

La présentation visuelle et codifiée de l'ouvrage nous permet d'en parcourir intelligemment et rapidement les pages. De ce fait, la compréhension et la mémorisation en sont facilitées. On ne peut souhaiter qu'un succès mérité à pareille entreprise.

MICHEL DUFOUR
Kinésithérapeute cadre, enseignant d'anatomie, biomécanique et technologie appliquée,
et auteur de nombreux ouvrages sur l'anatomie et la biomécanique

Introduction

Des exercices qui soignent, comment cela est-il possible ? En réalité, nous avons tous la capacité de nous autoguérir... Il est vrai qu'il est parfois nécessaire d'avoir recours à la médication (ex. : pathologies inflammatoires) ou à la chirurgie (ex. : pathologies du système locomoteur), cependant une bonne prescription d'exercices peut aussi faire la différence en incitant le corps à utiliser sa capacité d'adaptation, ce qui l'aide à participer de façon active à sa propre guérison.

Dans tous les cas, ces techniques aident le corps à passer au travers du processus de guérison, étape par étape. Il arrive cependant que des désordres métaboliques, par exemple des maladies auto-immunes, bloquent ce processus de guérison. C'est pourquoi il est important d'avoir un diagnostic sûr, posé par votre médecin traitant, avant d'entreprendre un traitement ou un programme d'exercices.

La prévention étant encore aujourd'hui à ses premiers pas, elle est malheureusement plus souvent un souhait qu'une pratique. Il serait pourtant sage d'aller de l'avant en prenant en charge sa propre condition physique afin d'éviter les conséquences potentielles d'un traumatisme, d'une maladie ou d'un désordre quelconque. En effet, selon la littérature, il est important de faire régulièrement de l'activité physique et d'adopter de saines habitudes de vie pour maintenir le corps en bonne santé. Même si personne n'est à l'abri des imprévus, il est tout de même important d'avoir des solutions lorsque la malchance frappe à la porte.

Cet ouvrage est donc un outil de référence accessible tant au grand public qu'aux intervenants du domaine de la santé. Il renferme des informations pertinentes quant aux pathologies et désordres du système locomoteur les plus fréquents et vous guidera vers un programme d'exercices adapté en prenant soin de souligner les principales contre-indications et les conseils pratiques selon le cas (habitudes de vie, aspects ergonomiques et posturaux, etc.).

Il est important de savoir que cet ouvrage n'est pas un substitut au diagnostic établi par votre médecin traitant, ni une méthode d'autodiagnostic, mais plutôt une aide pour savoir quoi faire une fois le diagnostic établi par le médecin. Le but des exercices est de favoriser l'autonomie du patient dans la prise en charge de sa récupération et non la dépendance à une forme de traitement. Il faut considérer ce processus comme une façon de prolonger à la maison les traitements que vous pouvez recevoir chez votre thérapeute.

Plusieurs ouvrages valables ont déjà été publiés sur les exercices à faire pour renforcer ou étirer le système musculaire. Cependant, peu d'ouvrages ont abordé les exercices à faire en fonction des pathologies, des déséquilibres ou des simples dysfonctions du système locomoteur. Or, le mauvais exercice prescrit à la mauvaise personne au mauvais moment pourrait avoir des conséquences désastreuses. C'est pourquoi il est important de ne pas confier votre corps et votre prescription d'exercices à n'importe qui. Pour votre propre sécurité, assurez-vous toujours de faire affaire avec un kinésiologue (de formation universitaire), le spécialiste du mouvement humain et de l'activité physique. Quant au kinésiologue-kinésithérapeute-orthothérapeute, le spécialiste du mouvement thérapeutique, c'est un intervenant de deuxième ligne à qui peut vous référer votre médecin traitant (l'intervenant de première ligne). Il devrait faire partie de l'arsenal thérapeutique du médecin traitant et faire partie du trio patient/médecin/thérapeute. Le meilleur juge des résultats étant le patient lui-même.

C'est avec plaisir et honneur que nous remercions l'Association professionnelle des kinésiologues-kinésithérapeutes et orthothérapeutes de la province de Québec (APKKOPQ) pour l'accréditation de cet ouvrage.

Comment aborder une problématique musculosquelettique chronique ?

Tout le monde a un petit quelque chose quelque part qui, sans être complètement incapacitant, reste omniprésent et quelque peu douloureux ou limitatif. Le rôle du kinésiologue étant de prescrire un programme d'exercices adapté à l'individu et à sa condition (ses capacités), il est primordial qu'il soit en mesure d'aborder efficacement ce genre de problématique. Malgré la nature complexe et diversifiée des troubles musculosquelettiques chroniques, il est tout de même possible d'établir une prescription adéquate en suivant une règle simple qui permet d'établir la situation actuelle de la personne. Cela permettra ensuite de prescrire les exercices appropriés qui aideront la personne à améliorer sa condition, réduisant ainsi les risques de récidive.

Avant tout, il est donc impératif de cibler à quelle étape du processus chronique se situe la condition pathologique de la personne. Ce processus de guérison peut être divisé en trois phases : inflammation, prolifération et réparation. On peut donc subdiviser le plan de traitement en trois étapes, en concordance avec chacune de ces phases.

DÉGAGER : le manque de mobilité
(Est-ce que ça bouge ?)

À ce stade, on remarque un manque évident d'amplitude de mouvement (ADM) qui empêche d'exécuter un ou plusieurs mouvements de façon fonctionnelle. Voilà pourquoi il est important d'avoir au départ une bonne base en anatomie fonctionnelle, car il faut cibler avec précision les muscles hypoextensibles qui maintiennent l'articulation dans un secteur restreint ou douloureux. La prescription est alors très simple : des exercices d'étirement ! Ceux-ci doivent être exécutés régulièrement, car nous nous trouvons dans une phase de développement de cette composante (flexibilité).

RÉÉDUQUER : le manque de proprioception
(Est-ce qu'on contrôle le mouvement ?)

À ce stade, l'amplitude de mouvement est fonctionnelle, mais la personne a de la difficulté à exécuter le mouvement correctement (avec précision). Cette situation est assez fréquente au niveau du bassin et du dos. Il faut alors prescrire des exercices de nature proprioceptive avec des composantes posturales plus précises (autograndissement, anté/rétroversion, etc.). Le placement segmentaire est capital dans l'exécution de tout type de mouvement, car une mauvaise mécanique entraînera nécessairement des contraintes et de l'irritation à long terme (troubles chroniques).

RENFORCER : le manque de stabilité
(Est-ce que ça tient le coup ?)

Une fois que la mobilité est fonctionnelle, et seulement à ce stade, il est temps de prescrire des exercices de renforcement pour stabiliser l'articulation. La personne a donc une mobilité fonctionnelle et est en mesure de positionner efficacement les segments pour exécuter le mouvement de façon fluide et sécuritaire, mais elle ne peut maintenir la position stable ou résister efficacement. Dans ce cas, les exercices dits de musculation seront appropriés (poids libres, câbles, machines, etc.).

On comprend mieux maintenant pourquoi tant de gens souffrent de troubles chroniques, et ce, très longtemps ! Trop souvent, on s'empresse de prescrire des exercices de renforcement en pensant, sans même le vérifier, que la personne est nécessairement en déficit à ce niveau. *Vous avez mal au dos ? Renforcez vos abdominaux ! Vous avez mal aux épaules ? Renforcez vos rotateurs !* Résultat, beaucoup de gens traînent de « petits bobos » aux épaules et au bas du dos, et, malheureusement, apprennent à « vivre » avec leur mal.

Si vous examinez les trois étapes décrites précédemment, vous remarquerez que les deux premières sont reliées à la mobilité fonctionnelle et que seule la dernière nécessite un renforcement spécifique (avec utilisation de charges progressives). Pensez à une automobile : avant d'en améliorer la performance en la munissant d'un moteur plus puissant, il faut d'abord s'assurer que les pièces sont en parfaite condition et que les engrenages s'enchaînent à la perfection, car pousser la machine à plein régime avec un défaut quelconque dans ses éléments ne ferait que multiplier les problèmes en accélérant l'usure de la mécanique… Il en va de même pour la biomécanique du corps humain !

Le kinésiologue a la responsabilité d'amener son client vers un développement de ses capacités physiques ou de sa performance, mais il doit aussi prendre en charge la santé et la condition physique de ce dernier sans « risquer » de les détériorer. C'est ce petit détail qui fait toute la différence et qui devrait guider toute prescription d'exercices faite par un professionnel de l'activité physique.

COMMENT SE SERVIR DU LIVRE

La prescription d'exercices thérapeutiques

Pour chaque pathologie, une prescription d'exercices spécifiques a été élaborée et présentée selon les trois étapes du processus de guérison. Chaque programme de rééducation comprend ainsi un choix d'exercices d'étirement, d'exercices proprioceptifs et de renforcement. Il est à noter que même si les programmes d'exercices proposés sont structurés et sécuritaires, ces derniers ne représentent pas la seule voie envisageable et ne remplacent pas une prescription d'exercices adaptée à la condition actuelle de l'individu par un professionnel compétent (ex. : kinésiologue).

Le programme

Le présent document ne présente qu'une certaine partie de tous les exercices qui pourraient être prescrits et il a comme objectif premier de sensibiliser et de guider l'individu dans le cheminement de sa réhabilitation. Les programmes décrits ne sont que des exemples de ce que pourrait être la véritable progression, car celle-ci doit normalement être adaptée en fonction des progrès et des efforts de l'individu lui-même. Normalement, la personne ne recevrait pas nécessairement la totalité des exercices inscrits. Nous voulons insister par ailleurs sur l'importance de l'apprentissage et de la responsabilisation de l'individu dans la prise en charge de sa condition. En effet, la prescription sera toujours tributaire de la capacité du patient, des paramètres spécifiques à sa pathologie et à sa condition actuelle, et de ses propres progrès.

D'abord, il importe de commencer chaque programme par une activité cardiovasculaire, d'intensité légère à modérée, pour élever la température corporelle et les pulsations cardiaques et pour stimuler la circulation sanguine (apport en sang, en nutriments, en oxygène).

Par la suite, choisissez de un à trois exercices seulement parmi la liste suggérée selon l'état actuel de la pathologie (phase). Variez progressivement la structure du programme en ajoutant ou en substituant des exercices selon la progression observée.

[Termes importants

Nous allons maintenant définir les termes techniques que vous retrouverez dans cet ouvrage. Même si des indications supplémentaires ont été ajoutées à la majorité des exercices dans le but d'aider à la compréhension, ce lexique favorisera votre maîtrise du langage propre à la kinésiologie.

Agoniste : Muscle qui fait l'action (ex. : biceps pour la flexion du coude).
Antagoniste : Muscle qui fait l'action contraire (ex. : triceps pour la flexion du coude).
Poutre composite : Groupe de muscles comprenant les abdominaux, les spinaux et le plancher pelvien, responsable du maintien du tronc.

LES PLANS ET LES MOUVEMENTS

Plan sagittal : Division axiale longitudinale gauche/droite
Extension : Éloignement de deux segments d'une articulation (augmentation de l'angle).
Flexion : Rapprochement de deux segments d'une articulation (diminution de l'angle).

Plan frontal : Division verticale antéropostérieure avant/arrière
Abduction : Éloignement latéral d'un membre ou d'un segment de la médiane du corps.
Adduction : Rapprochement latéral d'un membre ou d'un segment de la médiane du corps.
Inclinaison : Flexion latérale d'un segment dans le plan frontal.

Plan transversal : Division horizontale haut/bas
Abduction horizontale : Abduction dans le plan transversal vers l'extérieur.
Adduction horizontale : Adduction dans le plan transversal vers l'intérieur.
Pronation : Rotation vers l'intérieur de l'avant-bras ou de la plante du pied.
Rotation latérale : Rotation d'une articulation autour de son axe vers l'extérieur.
Rotation médiale : Rotation d'une articulation autour de son axe vers l'intérieur.
Supination : Rotation vers l'extérieur de l'avant-bras ou de la plante du pied.

Mouvements spécifiques du rachis (colonne vertébrale)
Délordose: Diminution de la courbure rachidienne (ex. : courber le dos).
Lordose: Augmentation de la courbure rachidienne (ex. : creuser le dos).

Mouvements spécifiques de la scapula (omoplate)
Abaissement: Mouvement descendant de la scapula.
Abduction: Éloignement de la scapula par rapport à la colonne vertébrale.
Adduction: Rapprochement de la scapula vers la colonne vertébrale.
Bascule: Soulèvement de la pointe de la scapula par rapport à la cage thoracique.
Élévation: Mouvement ascendant de la scapula.
Sonnette latérale: Rotation de la pointe de la scapula vers l'extérieur.
Sonnette médiale: Rotation de la pointe de la scapula vers l'intérieur.

Mouvements spécifiques du bassin
Antéprojection: Déportation du bassin vers l'avant.
Antéversion: Rotation des épines iliaques antérieures vers l'avant (lordose).
Rétroprojection: Déportation du bassin vers l'arrière.
Rétroversion: Rotation des épines iliaques antérieures vers l'arrière (délordose).

Mouvements spécifiques du pied
Éversion: Combinaison de flexion, abduction et pronation du pied.
Inversion: Combinaison d'extension, adduction et supination du pied.

Autograndissement
En position d'ouverture des membres supérieurs, action de chercher à réaliser une décompression vertébrale au moyen d'un étirement axial du tronc (effet d'allongement).

La douleur

Dans un ouvrage comme celui-ci la compréhension des mécanismes de la douleur s'avère essentielle.

Depuis la nuit des temps, l'être humain s'est intéressé à la souffrance, à la douleur autant physique que morale. Pour mieux saisir la douleur, il est important d'intégrer le **concept de santé globale** (voir le tableau 1).

L'individu doit apprendre à composer avec la connaissance de soi et de son seuil de douleur.

DÉFINITION: Selon l'International Association for the Study of Pain (IASP), la douleur est une sensation désagréable et une expérience émotionnelle en réponse à une atteinte tissulaire réelle ou décrite dans les termes scientifiques de la lésion. Il s'agit bien sûr d'une définition théorique, mais essayons de mieux la comprendre.

DURÉE DE LA DOULEUR

En termes de durée, la douleur est identifiée selon trois qualificatifs.

AIGUË: Durée de 0 à 7 jours à la suite d'un traumatisme, d'une maladie ou d'une intervention chirurgicale. La cause est généralement connue.

SUBAIGUË: Entre le 7e jour et 3 mois.

CHRONIQUE: Présente au-delà du temps habituel de guérison d'une maladie. S'accompagne d'une maladie dégénérative ou inflammatoire et persiste plus de 3 mois.

LES TYPES DE DOULEURS

Pour orienter le choix du traitement, il est important de déterminer le type de douleur, selon son étiologie.

1. LA DOULEUR NOCICEPTIVE résulte de la stimulation des nocicepteurs (nerfs qui conduisent la douleur) périphériques et de la transmission de l'influx douloureux par un système nerveux central et un système nerveux périphérique intact. Cette douleur nociceptive est elle-même divisée en deux catégories.

Douleur somatique: Provient de la peau, des muscles, des ligaments, des os et des articulations et est généralement localisée et augmentée à la mobilisation.

Douleur viscérale: Provient d'un organe interne. C'est une douleur sourde et diffuse qui provient d'un organe plein ou encore d'une colique. Un individu qui ressent une douleur dorsale droite peut avoir un désordre au foie. On parle alors de douleur référée.

2. LA DOULEUR NEUROPATHIQUE est causée par une lésion ou une dysfonction du système nerveux central ou du système nerveux périphérique. Elle peut se manifester sous forme de chocs électriques, de brûlures, et elle est souvent accompagnée de paresthésie (fourmillements ou engourdissements). Cette douleur est la plus complexe à comprendre en raison de ses diverses manifestations. C'est aussi la plus difficile à traiter.

L'ÉVALUATION INITIALE DE LA DOULEUR

La douleur chronique doit être évaluée à l'aide du concept de santé globale, car elle implique des aspects médicaux, psychologiques et sociaux. Cette évaluation nécessite parfois beaucoup de temps et peut être répartie sur plusieurs visites. Le traitement de cette douleur nécessite la participation d'une équipe multidisciplinaire: médecin, physiothérapeute, kinésithérapeute, orthothérapeute, ergothérapeute, ostéopathe, chiropraticien et acupuncteur. À cet effet, on peut consulter le document du Collège des médecins (réf. 6)[1] sur la douleur chronique et les opioïdes. Nous suggérons le mode d'évaluation suivant:

---

1. Pour les références, voir la bibliographie.

TABLEAU 1 — LE CONCEPT DE **SANTÉ GLOBALE ET LA DOULEUR**

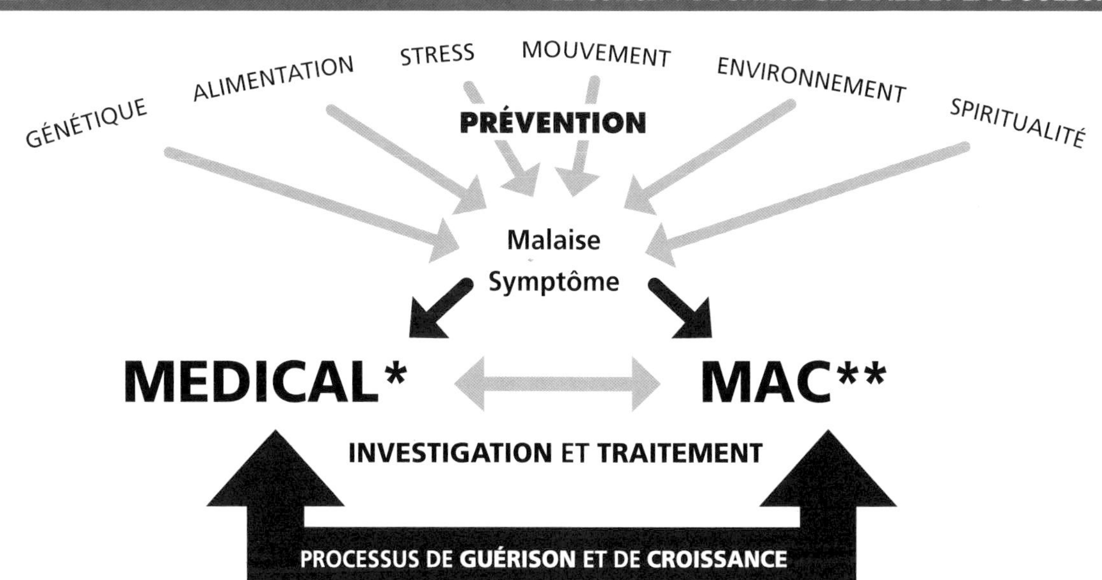

› Génétique
Toutes les familles ont une philosophie, une vision non écrite de leur perception de la douleur. Il suffit d'en prendre conscience et de l'intégrer.

› Alimentation
De mauvaises combinaisons alimentaires peuvent être associées à des douleurs viscérales.
Une alimentation orientée vers les antioxydants peut soutenir un traitement de la douleur chronique.

› Stress
En période de stress, toute douleur est exacerbée. Le contrôle du stress et de bonnes méthodes de relaxation sont donc essentiels au contrôle de la douleur chronique.

› Mouvement
Augmentée par l'exercice adapté à chaque type de douleur, l'oxygénation des tissus favorise grandement le processus de guérison.

› Environnement
Un environnement calme et bien organisé et une habitation saine sont des alliés précieux dans la recherche du contrôle de la douleur.

› Spiritualité
Le sens de la vie prend toute sa signification dans le contrôle de la douleur chronique. En soins palliatifs, le sens de la vie et de la mort sont des thèmes précieux qui permettent de soigner l'âme et la douleur physique.

* Médecine médicale.

** Médecines alternatives et complémentaires.

Le mode d'apparition : Préciser dans quelles circonstances est apparue la douleur. Une apparition peut être progressive ou subite. Quel est le déclencheur ? Y a-t-il de l'arthrose ou un mouvement excessif ? Un événement déclencheur précis ? Il faut préciser le mieux possible l'origine de la douleur.

La durée : Il est important de préciser l'évolution de la douleur dans le temps, surtout sa durée et les facteurs qui peuvent l'augmenter ou la diminuer.

La localisation et l'irradiation : Il faut demander au patient de localiser le site de la douleur (« là où ça fait mal ») et les zones référées. Une distribution suivant les dermatomes (circuits nerveux parcourant le corps humain) est aussi importante et permettra de préciser l'origine de cette douleur.

Le type de douleur : S'agit-il d'une douleur sourde, diffuse, sous forme de pesanteur, de brûlure, de choc électrique ?

L'intensité de la douleur : Il faut demander à la personne souffrante de décrire sa douleur subjective. Évidemment, des gens vont ressentir une douleur avec une intensité toujours maximale, qui dépend de leur sensibilité, de leur seuil de la douleur (qui varie chez chaque être humain). Une échelle graduée de 0 à 10 (voir le tableau 2) permettra de bien évaluer cette douleur. Cette échelle est aussi utilisée en recherche. Pour mieux cibler la douleur, il faut aussi être capable de quantifier autant que possible l'état émotionnel. Si vous êtes en période de dépression ou en deuil, votre douleur à l'épaule, par exemple, vous paraîtra toujours plus importante que si vous vivez une période heureuse. Pensez par exemple au concept de « grippe d'homme », où la différence entre le subjectif et l'objectif est significative.

Les facteurs aggravants et de soulagement : Qu'est-ce qui soulage la douleur ? De la glace ? De la chaleur ? Une pression ? Un froid intense ? Une mobilisation ? La polémique persiste toujours au sujet de l'application de glace ou de chaleur pour soulager la douleur localement. La tendance scientifique suggère l'application de glace en phase aiguë et de chaleur par la suite. Il faut également revenir à soi : si la chaleur vous convient mieux en phase aiguë, allez-y !

Les fluctuations dans le temps : Il est important de noter les cycles de ces douleurs. Parfois, des douleurs apparaissent la nuit. Or, la douleur qui apparaît la nuit, osseuse par exemple, pourra tout de suite évoquer une maladie plus grave. Alors qu'une douleur qui apparaît avec le mouvement est souvent associée à une douleur d'origine musculosquelettique. La raideur due à l'arthrose, par exemple, est généralement pire le matin, alors que la douleur neuropathique est plus intense le soir.

TABLEAU 2 — **ÉCHELLE** VISUELLE

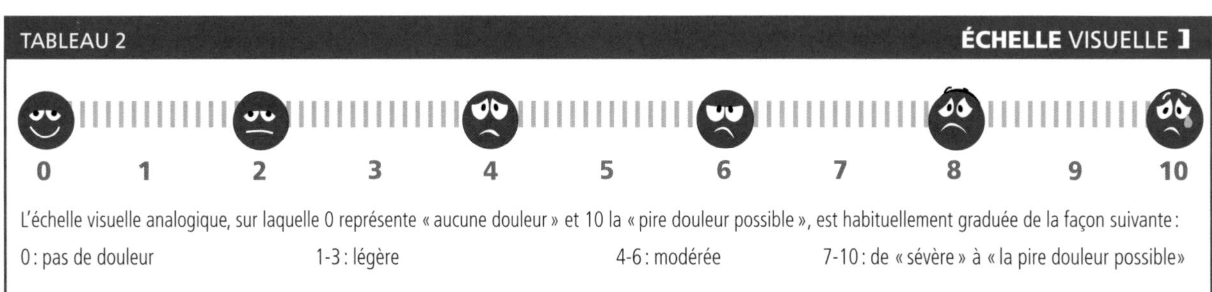

L'échelle visuelle analogique, sur laquelle 0 représente « aucune douleur » et 10 la « pire douleur possible », est habituellement graduée de la façon suivante :

0 : pas de douleur 1-3 : légère 4-6 : modérée 7-10 : de « sévère » à « la pire douleur possible »

TABLEAU 3	***DSM IV*** (5 SYMPTÔMES*/2 SEMAINES)]
[ ]	1. Humeur dépressive
[ ]	2. Diminution de l'intérêt et du plaisir
[ ]	3. Perte d'appétit et de poids d'au moins 5 % par mois
[ ]	4. Insomnie ou hypersomnie (plus rare)
[ ]	5. Agitation ou retard au niveau psychomoteur
[ ]	6. Fatigue et perte d'énergie
[ ]	7. Sentiment de culpabilité ou manque de valorisation de soi
[ ]	8. Trouble de concentration
[ ]	9. Pensée de mort et de suicide

* Ces symptômes provoquent une détresse chez la personne ou une diminution du fonctionnement au niveau social ou au travail.

Les migraines sont souvent associées à une douleur qui peut être liée au cycle menstruel. L'évaluation de l'intensité de la douleur sur une période de 24 heures, d'une semaine, voire d'un mois, peut permettre de mieux la comprendre.

L'impact de la douleur : Il faut aussi évaluer l'impact de cette douleur sur les activités quotidiennes : travail, loisirs, fonctionnement global.

Les symptômes associés : Il peut s'agir par exemple de l'anxiété, d'une perte d'appétit, de troubles de concentration, de sommeil et de dépression. La globalité s'impose.

À cet effet, l'évaluation de l'état mental du patient doit être mesurée. Le questionnaire du *DSM-IV*[2] est très simple et permet d'évaluer l'état dépressif (voir le tableau 3). Après que l'individu a fait une analyse personnelle de son type de douleur, au terme de la courte démarche que nous venons de décrire, il discutera avec un professionnel de la santé. Ce dernier évaluera les habitudes de vie, les antécédents, les problèmes de santé mentale, les allergies, les traitements antérieurs, les médicaments en vente libre que le patient aura déjà consommés, et les médecines complémentaires utilisées.

2. Quatrième édition du *Diagnostic and Statistical Manual of mental Disorders.*

LE PLAN DE SOINS

Pour élaborer un plan de soins, il faut considérer plusieurs points :

Clarifier les attentes du patient. Une diminution, par exemple, de 50 % de la douleur chronique est considérée comme une bonne réponse au traitement. Le patient qui s'attend à une amélioration de 100 % doit absolument connaître ce fait. Cela permettra d'éviter tout désagrément dans la relation thérapeutique.

Il faut recourir à une analgésie multimodale qui comprend la physiothérapie, la chiropractie, la kinésithérapie, l'orthothérapie, l'ostéopathie, la massothérapie, la pharmacologie et des exercices de santé. Des combinaisons de médicaments (anti-inflammatoires, antidouleurs, opioïdes, coanalgésiques) peuvent être associées avec des MAC (médecines alternatives et complémentaires). L'hypnose complète bien ce plan multimodal. En général, associer plusieurs méthodes dans le traitement de la douleur nous permet d'éviter des effets indésirables qu'on pourrait avoir avec l'utilisation d'un seul médicament à dose élevée.

Augmenter progressivement les doses si on choisit le mode médicamenteux, et ce, pour éviter les effets secondaires.

Individualiser la posologie. Le type de médicament doit aussi être individualisé. Les individus ont parfois des variations importantes quant aux réactions et aux doses thérapeutiques.

Évaluer les effets de la thérapie. Se servir de l'échelle de douleur (voir le tableau 2) pour évaluer la réaction et le confort du patient. Cette étape est souvent le maillon faible du traitement.

Prévenir et traiter les effets indésirables. Sans un suivi régulier, les effets indésirables causés par les analgésies peuvent devenir aussi problématiques que la douleur elle-même. Pensons à la constipation occasionnée par l'utilisation excessive de codéine. Un conseil alimentaire (fibres et eau), plus un programme d'exercices (la marche) si la condition le permet, doivent être suggérés à ce type de patient.

LES MÉDICAMENTS

Les analgésiques

Les analgésiques mineurs comme l'acétaminophène sont couramment utilisés. Ces médicaments sont sécuritaires, mais une association multimodale permet de mieux gérer leur consommation.

Les anti-inflammatoires non stéroïdiens (AINS)

Généralement utilisés dans le traitement de la douleur légère d'origine somatique et musculosquelettique, en première ligne, tel que proposé par l'échelle de graduation de la douleur de l'Organisation mondiale de la santé (OMS). Ils apportent habituellement peu de soulagement au patient souffrant de douleurs neuropathiques (voir le tableau 4).

Les coanalgésiques

Les coanalgésiques sont utilisés pour compléter le traitement de la douleur. Il ne s'agit pas vraiment d'antidouleurs, ils soutiennent surtout le moral. Par exemple,

TABLEAU 4 — **AINS**

COÛTS MENSUELS APPROXIMATIFS DES AINS DE FORME ORALE EN FONCTION DE LA DOSE USUELLE

Dénomination commune (Nom commercial*)	Dose-inflammatoire quotidienne usuelle[†]	Coûts mensuels approximatifs RAMQ*
AINS non sélectifs		
Acétylsalicylique (acide)		
Aspirine[MC] générique	3,9 g à 5,8 g	10 $ à 15 $
Diclofénac (potassique ou sodique)		
Voltaren[MC], Voltaren Rapide[MC] ou S.R.[MC]	150 mg à 200 mg	59 $ à 84 $
Versions génériques		28 $ à 38 $
Diclofénac sodique - Misoprostol		
Arthrotec[MC]	50 mg-200 mcg à 150 mg-600 mcg	17 $ à 52 $
Diflunisal		
Dolobid[MC] générique	500 mg à 1000 mg	16 $ à 32 $
Étodolac		
Ultradol[MC] générique	400 mg à 600 mg	37 $
Flurbiprofène		
Ansaid[MC], Froben[MC]	200 mg	12 $ à 19 $
Versions génériques		9 $
Ibuprofène		
Motrin[MC] générique	1200 mg à 2400 mg	3 $ à 6 $
Indométhacine		
Indocid[MC] générique	100 mg à 200 mg	9 $ à 18 $
Kétoprofène		
Orudis[MC] générique	100 mg à 200 mg	10 $ à 19 $
Méloxicam		
Mobicox[MC]	7,5 mg à 15 mg	24 $ à 28 $
Versions génériques		12 $ à 14 $
Nabumétone		
Relafen[MC]	1000 mg à 2000 mg	42 $ à 83 $
Versions génériques		22 $ à 44 $
Naproxène		
Naprosym E[MC]	500 mg à 1000 mg	24 $ à 57 $
Versions génériques		6 $ à 13 $
Piroxicam		
Feldene[MC] générique	20 mg	21 $
Sulindac		
Clinoril[MC] générique	300 mg à 400 mg	23 $ à 24 $
Tenoxicam		
Mobiflex[MC] générique	20 mg	28 $
Tiaprofénique (acide)		
Surgam[MC] générique	600 mg	20 $ à 31 $
AINS sélectifs de la cyclooxigénase-2		
Célécoxib		
Celebrex[MC]	200 mg à 400 mg	39 $ à 78 $

* Un nombre restreint de marques de commerce ont été inscrites, bien que plusieurs fabricants puissent offrir les produits sous d'autres noms commerciaux. Veuillez vous référer à la *Liste de médicaments* pour les coûts en vigueur. Le coût mensuel a été calculé pour 30 jours en fonction de la dose anti-inflammatoire quotidienne usuelle, excluant les honoraires du pharmacien et la marge bénéficiaire du grossiste.

† Les doses quotidiennes usuelles ont été tirées du *Compendium des produits et spécialités pharmaceutiques* (e-CPS), édition 2010-Monographies de produits.

TABLEAU 5	OPIOÏDES]

Les opioïdes couramment utilisés :
la **morphine** ;
l'**oxycodone** ;
l'**hydromorphone** ;
la **méthadone** ;
le **fentanyl** ;
le **sufentanil** ;
la **codéine**.

dans le contrôle de la dépression, ces médicaments sont souvent dans la classe des antidépresseurs.

Les anticonvulsivants, eux, sont utilisés pour les douleurs paroxystiques, c'est-à-dire les douleurs aiguës de type névralgique importantes. Quand on décide d'employer un coanalgésique, comme un antidépresseur ou un anticonvulsivant, il est recommandé d'en introduire un seul à la fois. On recommande au départ une faible dose. L'Elavil, par exemple, un antidépresseur bien connu, a, à petites doses, un effet neuropathique, un effet sur le sommeil. Il pourra être utilisé avantageusement dans les traitements de la fibromyalgie ou d'autres pathologies plus chroniques.

Avant de conclure à l'échec d'un coanalgésique, il faut s'assurer d'avoir atteint une dose efficace pendant 2 à 3 semaines. La relation d'aide devient primordiale et on n'insistera jamais assez sur la relation entre l'intervenant (la personne qui soigne la douleur) et l'individu qui subit cette douleur. L'effet placebo prend alors tout son sens. Le patient devra être vu fréquemment dans le suivi de ses douleurs, surtout si elles sont chroniques.

Pour plus d'informations, on peut consulter l'ouvrage du Dr Aline Boulanger et de ses collaborateurs (réf. 2). Pour ceux qui s'intéressent à la douleur en soins palliatifs, l'Association des pharmaciens des établissements de santé du Québec a produit un guide de soins palliatifs (réf. 1).

Les opioïdes

Ils représentent (voir le tableau 5) une partie importante du traitement des douleurs aiguës et chroniques associées au cancer. Les opioïdes ont longtemps été mal perçus pour le traitement de la douleur chronique et les médecins ont souvent été très réticents à les utiliser. L'usage a toutefois permis d'observer que les opioïdes peuvent être une option thérapeutique sécuritaire pour les patients présentant une douleur chronique modérée à sévère, d'où l'importance d'évaluer l'intensité de la douleur (voir p. 16). Il est généralement admis que les opioïdes doivent être introduits en seconde ligne, après l'acétaminophène, les anti-inflammatoires et les anticonvulsivants. La relation d'aide devient encore ici la pierre angulaire de toute cette stratégie d'utilisation des opioïdes.

L'utilisation des opioïdes requiert des visites médicales régulières, surtout en début de traitement. L'utilisation de la méthadone, opioïde synthétique utilisé depuis plusieurs années pour le sevrage des patients dépendants des opioïdes comme l'héroïne, est de plus en plus fréquente dans le traitement de la douleur, mais elle doit avoir des considérations particulières de bioéquivalence, de pharmacocinétique. Plusieurs protocoles sont disponibles pour le corps médical. La méthadone n'est cependant pas un médicament de première ligne dans le traitement de la douleur chronique.

Dans son document sur la douleur, le Collège des médecins reproduit un diagramme fort intéressant pour permettre à l'individu de mieux cibler les zones de douleur (réf. 6, figure 1).

Les effets secondaires des opioïdes communs sont la constipation, les nausées et les vomissements. Les effets moins communs sont la bouche sèche, la rétention urinaire et l'hypertension posturale. Les effets plus rares sont le délire, la dépression et la détresse respiratoire.

Le risque d'accoutumance aux opioïdes est plutôt faible si la douleur est présente. Par contre, si l'opioïde est donné dans un cas de douleur légère et de dépendance, le risque est grand pour le patient de demeurer « accro ». Bien que les opioïdes produisent plusieurs effets indésirables, ceux-ci peuvent généralement être contrôlés.

FIGURE 1 **ÉCHELLE** VISUELLE

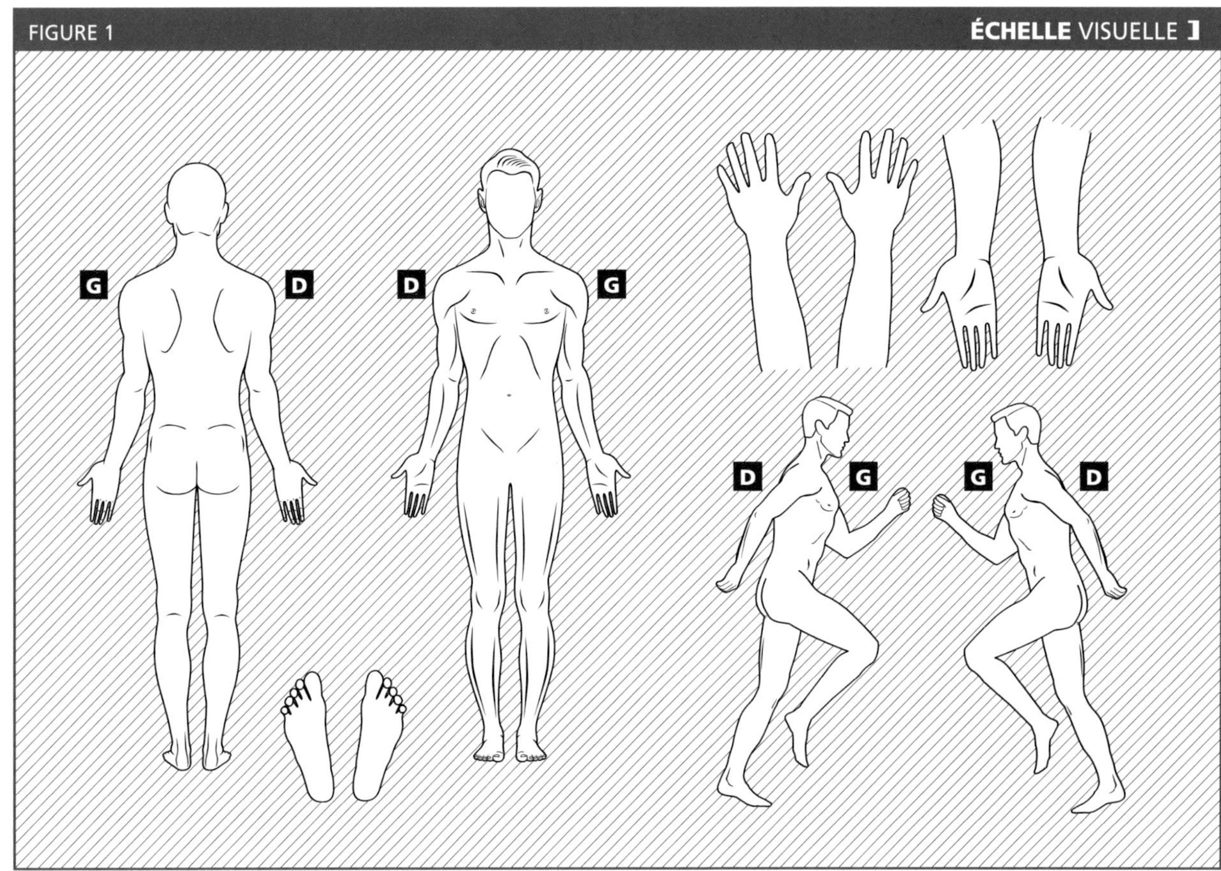

Les antidépresseurs

Les antidépresseurs tricycliques : Amitriptyline (Elavil).

Les ISRS[3] : Paroxétine (Paxil) ; fluoxétine (Prozac) ; duloxétine (Cymbalta) ; fluvoxamine (Luvox) ; citalopram (Celexa).

Les IRSN[4] : Venlafaxine (Effexor).

Les analgésiques à action centrale

Le tramadol : Tramacet, Ultram.

Les anti-inflammatoires stéroïdiens

La cortisone : Prednisone.

Les anti-inflammatoires topiques

Les anti-inflammatoires non stéroïdiens (AINS) topiques sont disponibles en Europe depuis des dizaines d'années et en Amérique du Nord depuis 2007.

Le diclofénac (Voltaren en gel et Pennsaid sous forme liquide) peut être appliqué sur la zone douloureuse. Il agit « là où ça fait mal » sans les effets gastro-intestinaux des AINS oraux, et constitue un atout majeur dans le contrôle de la douleur.

D'autres agents locaux qui induisent de la chaleur sont utilisés avec une certaine efficacité, dont l'antiphlogistine, le Baume du tigre et le Tei-Fu. Ces produits sont souvent à base de capsaïcine (cayenne), qui produit un effet de chaleur au massage.

3. Inhibiteurs sélectifs de la recapture de la sérotonine.
4. Inhibiteurs de la recapture de la sérotonine et de la noradrénaline.

ALGORITHME DE L'UTILISATION DES AINS

Dans le guide d'utilisation des anti-inflammatoires non stéroïdiens publié par le Conseil du médicament du Québec (réf. 7, tableau 4), on peut lire les recommandations suivantes :

Traitement de l'arthrose :

- Dans l'utilisation des AINS, il est important de s'assurer que le patient prenne la dose prescrite.
- Dans la prescription d'acétaminophène (Tylenol), également prendre la dose prescrite.
- Il est important de prendre des AINS sur la plus courte période possible.
- Il est aussi recommandé de bien évaluer les risques de problèmes gastro-intestinaux, cardiovasculaires et rénaux (surtout chez les plus de 70 ans) liés à la prise prolongée des AINS.
- Pour aider à diminuer ou pour cesser la prise d'AINS, les médecines alternatives et complémentaires peuvent être utiles.

MÉDECINE INTÉGRÉE ET MAC

(médecines alternatives et complémentaires) dans le traitement de la douleur

Plusieurs personnes vont consulter dans le domaine des MAC ou de la médecine intégrée pour ajouter ou compléter le traitement de la douleur déjà en cours.

Les principales MAC sont :

L'acupuncture

Depuis des millénaires, l'acupuncture aide à contrôler la douleur selon la théorie des méridiens et des cycles de la douleur. Plusieurs études ont été menées sur les mécanismes d'action de l'acupuncture. Les chercheurs ont mis en évidence l'effet sur nos propres morphines — effet de stimulation des endorphines chez certains individus. Nous renvoyons le lecteur curieux à la thèse de Richard Shing Sou Cheng publiée par l'Université de Toronto (réf. 5).

Dans un autre ouvrage sur la médecine chinoise, *Gynécologie-obstétrique. Thérapeutique par acupuncture* (réf. 12), les auteurs proposent l'analyse d'une biopsie d'un point d'acupuncture à l'aide d'un microscope électronique. Cela nous permet d'observer un nombre considérable de microvésicules situées dans l'espace vasculaire au niveau des zones de contact, terminaisons nerveuses sympathiques. Cela pourrait peut-être expliquer l'effet de l'acupuncture sur le système nerveux autonome et l'intérêt de cette technique dans le contrôle des douleurs aiguës et chroniques.

L'aromathérapie

Pour combattre la douleur, l'utilisation de formules d'huiles essentielles en application locale est fort répandue en Europe. Ces huiles sont surtout employées pour le contrôle des douleurs musculosquelettiques.

L'**huile essentielle de menthe poivrée** agit comme antidouleur froid — elle a un effet de glace. Elle est surtout utilisée pour les tendinites et entorses en douleur aiguë.

L'**huile essentielle de laurier noble** a un effet antispasmodique et peut soulager par massage un torticolis.

L'**huile essentielle d'eucalyptus** a des propriétés anti-inflammatoires.

Pour un résultat optimal, pourquoi ne pas vous préparer une solution de plusieurs huiles essentielles pour le massage de la zone douloureuse ?

RECETTE

Huile végétale **10 ml**
Huile d'eucalyptus **2 ml**
Huile de laurier noble **2 ml**
Huile de menthe poivrée **2 ml**

Vous bénéficierez ainsi de toutes les potentialités de ces huiles et de la puissance du toucher…

Les traitements de TENS

La neurostimulation électrique transcutanée (TENS) est aussi utilisée en physiothérapie pour le contrôle de la douleur. Il s'agit de petites électrodes apposées sur les points de douleur (*trigger points*), sur les points d'acupuncture ou sur des muscles tendus.

La *neurostimulation électrique transcutanée* peut être employée pour le traitement en physiothérapie, sur recommandation, et à la maison pour la douleur chronique. D'autres appareils induisant des champs électromagnétiques sont aussi utilisés avec des résultats étonnants. La recherche dans ce domaine en est encore à ses débuts.

L'hypnose

L'hypnose est une autre méthode fort intéressante pour contrôler la douleur chronique, où l'émotion est parfois la composante majeure. L'hypnose peut être pratiquée par des médecins, des psychologues, ou par tout thérapeute membre d'une société crédible, comme la Société québécoise d'hypnose.

Par ailleurs, des chercheurs de l'Université de Liège ont évalué l'hypnose en anesthésie pour des chirurgies et pour divers traitements. On a aussi constaté que l'hypnose serait efficace pour les traitements de la douleur du « membre fantôme » (douleur persistante après une amputation ou une chirurgie majeure).

Les traitements de médecine physique

Kinésithérapie, ostéopathie, chiropractie, physiothérapie, orthothérapie et massothérapie sont aussi utilisées dans le concept multimodal. Ces approches contribuent à diminuer le processus inflammatoire en favorisant l'apport sanguin au site de l'inflammation. À ce sujet, mentionnons un principe qui était cher au fondateur de l'ostéopathie, le Dr Andrew Still (1828-1917), selon lequel le rôle de l'artère est absolu : les éléments du sang doivent atteindre la cible malade pour réduire l'inflammation.

En ce qui concerne la kinésithérapie, nous renvoyons le lecteur à une étude publiée dans *L'actualité médicale* sur les traitements d'orthothérapie : *L'efficacité des traitements d'orthothérapie et de kinésithérapie dans la lombalgie chronique* (réf. 4).

La phytothérapie

La phytothérapie reconnaît plusieurs plantes aux propriétés anti-inflammatoires, dont la griffe du diable, le cassis, le saule, la reine-des-prés et la boswellia. Ces plantes n'ont pas fait l'objet d'études médicales reconnues, mais leur usage appartient à la tradition populaire, tout comme la glucosamine et la chondroïtine contre l'arthrose. Par ailleurs, le curcuma commence à faire ses preuves dans le contrôle de l'inflammation.

Les méthodes de relaxation

Comme nous l'avons dit dans le concept de santé globale, les méthodes de relaxation peuvent favoriser le contrôle du stress associé à la douleur.

Cohérence cardiaque

- Inspiration profonde maintenue pendant dix secondes.
- Expiration exagérée avec pression des deux mains sur le bas-ventre.
- Répéter trois fois.

Training autogène

- Le training autogène favorise le sommeil. Cette méthode inventée par deux psychiatres (Schultz et Luthe) bénéficie d'une solide expertise de recherche.
- Pour la pratique, installez-vous confortablement, couché ou en position assise, et répétez mentalement trois fois les instructions du tableau 6, à la page suivante.

D'autres méthodes, comme la relaxation de Jacobson, le yoga, le taï-chi, l'eutonie, la méthode Feldenkrais, le do-in et la musicothérapie peuvent mettre du baume sur l'âme du souffrant.

TABLEAU 6

1. Mon bras droit est lourd.
   Mon bras gauche est lourd.
   Ma jambe droite est lourde.
   Ma jambe gauche est lourde.
2. Mon bras droit est chaud.
   Mon bras gauche est chaud.
   Ma jambe droite est chaude.
   Ma jambe gauche est chaude.
3. Mon cœur va.
   Calme et bien.
4. Ça me respire.
   Calme et bien.
5. Mon plexus est chaud.
6. Mon front est calme et frais.

Répéter mentalement chaque phrase trois fois.

LA CHIRURGIE DE LA DOULEUR

De ce côté, nous avons observé de grands progrès ces dernières années. Quand tout a été essayé, la chirurgie devient non seulement envisageable, mais incontournable, puisqu'un individu qui souffre sans espoir peut devenir suicidaire.

Plusieurs techniques sont utilisées dans les cliniques de la douleur :

- infiltrations (corticoïdes) ;
- alcoolisation du nerf (destruction) ;
- section du nerf ;
- neurostimulation médullaire.

LA NEUROSTIMULATION MÉDULLAIRE

Il s'agit de l'implantation d'une électrode dans l'espace sous-dural, électrode reliée à une génératrice miniaturisée placée sous la peau. La neurostimulation cérébrale consiste à introduire l'électrode au contact de certaines structures cérébrales (thalamus). Ces techniques extrêmes s'adressent aux personnes souffrant de douleurs insupportables causées par une maladie grave (cancer, avant et après la chirurgie). La douleur du membre fantôme, parfois insupportable, qui peut se manifester après une amputation, pourrait aussi être traitée par la neurostimulation médullaire.

L'EFFET PLACEBO

Un chapitre sur la douleur serait incomplet sans un mot sur l'effet placebo, cette aide insoupçonnée. L'effet placebo, mis en évidence dans les années 1950, est la part psychologique du traitement de la douleur. La puissance de l'effet placebo naît de l'interaction entre le patient et la méthode choisie. Cet effet compte pour 30 à 60 % du succès de toutes les interventions sur la douleur. Tous les êtres humains sont sensibles à l'effet placebo.

CONSEILS PRATIQUES

Pour aider quelqu'un qui souffre, il faut recevoir ses plaintes de façon globale, sans jugement, écouter son vécu face à la douleur, et savoir aussi que certaines douleurs peuvent n'être qu'un bleu à l'âme.

« La douleur est une expérience subjective et personnelle qui varie d'un individu à l'autre », nous rappelle Jean-Paul Goulet, professeur à la faculté de médecine dentaire de l'Université Laval à Québec. Par ailleurs, les travaux du neurophysiologiste Yves De Koninck, du Centre de recherche Université Laval Robert-Giffard, montrent que la douleur chronique est un mauvais fonctionnement du cerveau, au même titre que l'épilepsie. On sait que le système nerveux se modifie au fil du temps, lorsqu'il est soumis à un épisode important de douleur.

Repérage anatomique*

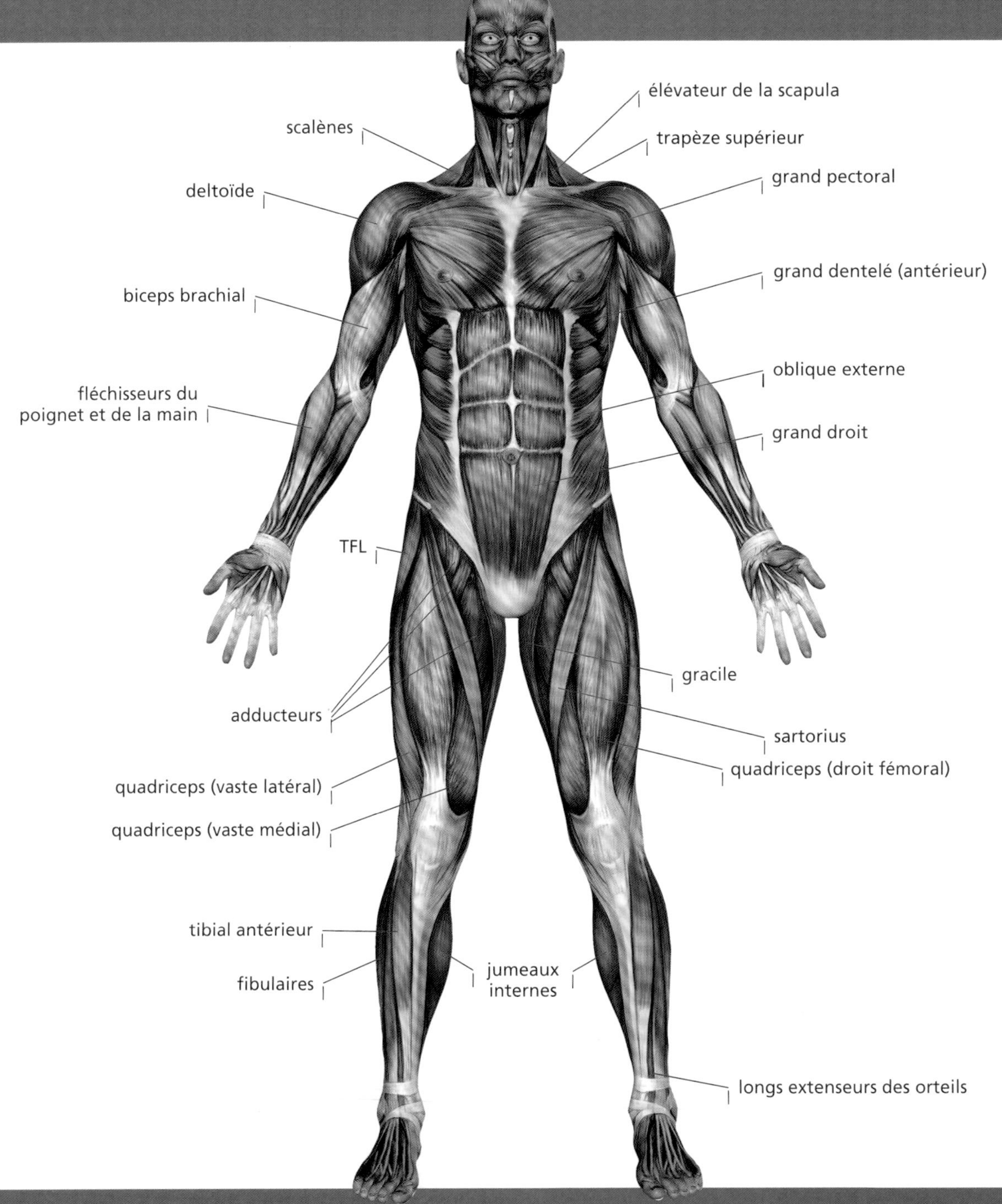

Ci-dessous on retrouve une charte anatomique présentant les principaux muscles superficiels du corps humain. Il est à noter que cette dernière a été simplifiée et adaptée principalement pour guider ceux et celles qui ont une connaissance limitée du système musculosquelettique.

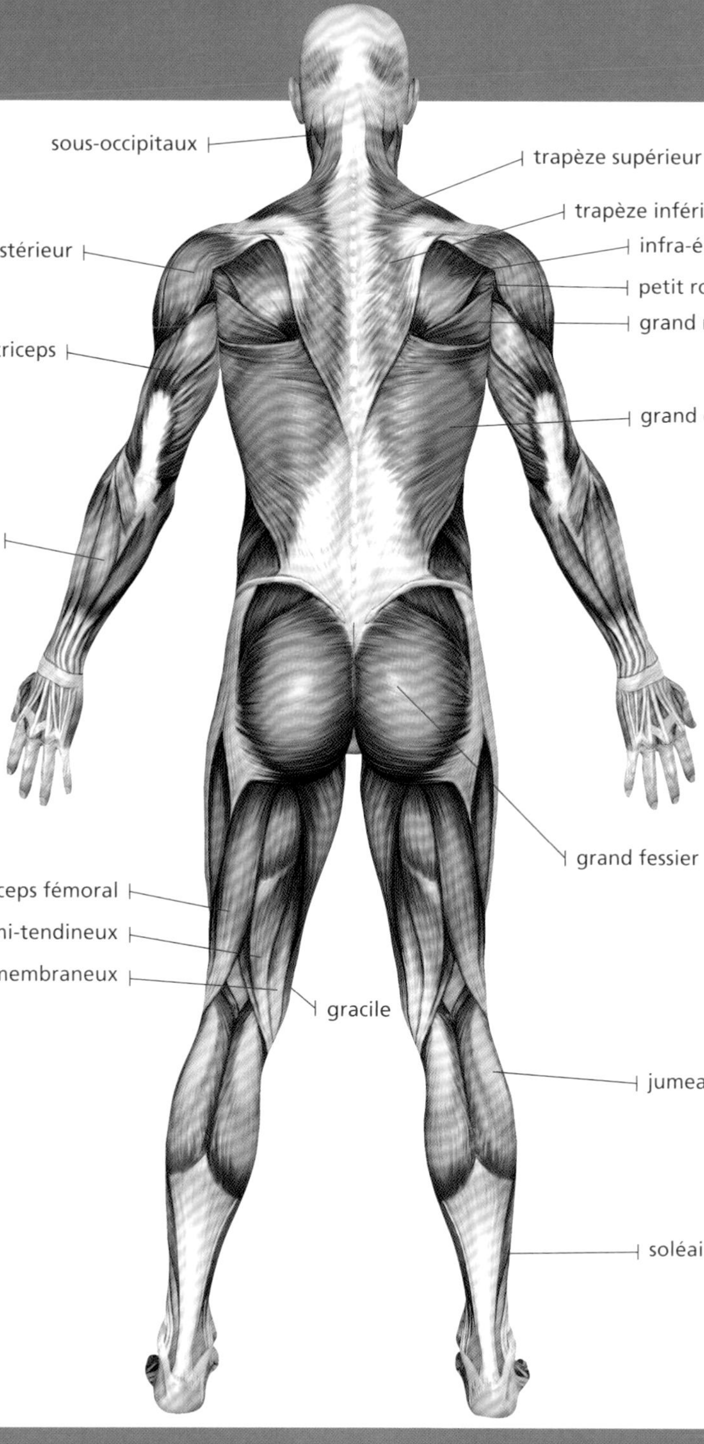

Les principaux syndromes musculosquelettiques

DÉFINITION : Les syndromes sont des dérèglements du système qui peuvent être causés par un mauvais positionnement des structures musculosquelettiques, par des compressions neurologiques, des rétractions aponévrotiques, etc.

On les appelle ainsi de par la variété des symptômes qu'ils causent, symptômes qui ne se limitent pas toujours à la région atteinte, mais qui peuvent aussi être « référés », c'est-à-dire éloignés de ce site. C'est l'analyse de ces différents symptômes qui nous permet d'identifier le syndrome. Il est donc important de noter nos différents symptômes pour aider notre médecin traitant dans l'établissement du diagnostic.

Il existe une catégorie qu'on appelle « syndromes canalaires », qui sont en fait des compressions sur des structures neurologiques (nerfs) au niveau de leurs voies de passage. Il y a alors distorsion du message normalement transmis par les nerfs, par exemple des engourdissements, des picotements ou des élancements, qui sont des « paresthésies ». Les pertes de sensibilité le long du trajet du nerf sont appelées « parésies », alors que les pertes de motricité sont des « paralysies ».

Certains autres syndromes peuvent être idiopathiques, ce qui veut dire qu'ils surviennent sans élément déclencheur externe précis (ex. : scoliose). Ces syndromes de développement peuvent apparaître à un moment donné de notre vie.

D'autres syndromes seront congénitaux ou de naissance, comme des fusions osseuses, l'absence de structures, des anomalies de développement embryonnaire, etc. La médecine essayera alors de régler ces problèmes par des interventions chirurgicales, médicamenteuses ou ergothérapeutiques.

Quant à la prescription d'exercices, elle conviendra mieux aux syndromes réversibles et sera axée sur la cause initiale, sans toutefois négliger l'effet des symptômes.

Les principaux troubles ostéoarticulaires

Le système locomoteur peut être divisé en trois parties:

- le système ostéoarticulaire;
- le système musculo-tendineux;
- le système neurologique.

Les désordres de ces systèmes causent divers types de pathologies ou d'affections qui touchent particulièrement les os et les articulations (cartilage, ligament, capsule, liquide synovial, etc.). Ces pathologies peuvent être d'ordre traumatique (ex.: entorses) ou métabolique (ex.: arthrite). Les champs de spécialité qui les traitent sont l'orthopédie, la rhumatologie, la physiatrie, etc.

Les os forment le squelette, qui fournit un support aux tissus mous, aux viscères, aux organes, et ils servent d'attaches aux différents muscles du corps. De plus, ils sont une source de calcium, de phosphore, de sodium et d'autres minéraux indispensables au maintien de leur santé. En outre, la moelle osseuse de certains os produit des cellules sanguines.

Le corps humain comporte plus d'une centaine d'articulations, points d'union entre deux ou plusieurs os. Le cartilage, qui se trouve généralement à l'extrémité de l'os, est un tissu conjonctif résistant mais élastique qui permet d'absorber les contraintes mécaniques causées par des mouvements ou des postures. Il est primordial de maintenir le cartilage en bon état, car il permet la fluidité des mouvements articulaires et protège les os de l'usure prématurée.

Les ligaments sont quant à eux responsables de la stabilité passive de l'articulation en limitant le jeu articulaire par leur longueur et leur positionnement. Lorsqu'un ligament est distendu ou déchiré après un traumatisme, on parle d'entorse. L'entorse désigne donc uniquement une blessure ligamentaire et ne s'applique pas aux muscles. Contrairement à ce que beaucoup de gens pensent, l'entorse musculaire n'existe pas. On parle plutôt d'un claquage ou d'une déchirure musculaire.

La capsule articulaire est l'enveloppe, liée aux ligaments, qui entoure la cavité articulaire et la protège tout en la lubrifiant grâce à la production du liquide synovial. Cette substance est indispensable à la conservation de l'articulation, car elle assure sa nutrition et son oxygénation. La contamination ou l'inflammation de ce liquide influencera automatiquement le jeu articulaire et déclenchera des douleurs. D'autres structures contiennent aussi du liquide synovial, comme les gaines tendineuses et les bourses, qui sont comme de petits coussins remplis de synovie. Leur rôle est de limiter la friction entre les structures qu'elles séparent lors des mouvements. On les retrouve entre les muscles et un os (à la hanche, par exemple) ou entre les muscles eux-mêmes (à l'aine). Les gaines tendineuses sont quant à elles des enveloppes de protection pour les tendons sujets aux blessures par leur proximité d'une articulation, par friction entre plusieurs tendons, ou par l'étroitesse d'une cavité où ils doivent passer.

Il existe dans la colonne vertébrale une structure articulaire particulière, le disque intervertébral, qui sert d'amortisseur entre les vertèbres tout en permettant à l'ensemble des corps vertébraux de bouger dans plusieurs plans. Les ménisques jouent le même rôle entre certains os (ex. : dans les genoux).

Le mauvais fonctionnement ou l'usure d'une ou de plusieurs de ces structures peut être identifié par diverses techniques d'imagerie médicale ou tests de laboratoire. Ces outils permettent au médecin traitant d'établir un diagnostic précis et documenté dans le but d'éviter une détérioration pathologique. En effet, les conséquences, souvent néfastes, peuvent handicaper à jamais ceux qui souffrent de ces troubles. C'est pourquoi la prévention par de saines habitudes de vie est primordiale pour réduire le plus possible les effets d'une affection pathologique. On doit alors envisager tant l'ergonomie (le fait d'être efficient dans une tâche donnée) que la rééducation gestuelle et posturale dans les activités quotidiennes. Un programme d'exercices adapté aura également pour but d'atténuer ces conséquences. Les exercices auront pour effet, selon le cas, de pallier un manque de :

- mobilité par des exercices d'étirement ;
- fluidité par des exercices proprioceptifs (coordination, agilité et équilibre) ;
- stabilité par des exercices de renforcement musculaire.

L'exercice cardiovasculaire favorisera le processus de guérison par un apport de sang richement oxygéné, apportant ainsi au site de la blessure un plus grand nombre d'éléments nutritifs nécessaires au rétablissement.

Les principaux troubles du système musculo-tendineux

DÉFINITION : Ce système est composé des muscles, des tendons et de l'appareil neurologique. C'est l'élément moteur du corps humain, car muscles, tendons et nerfs sont responsables de la mobilisation des os.

Les muscles, grâce à leur capacité de contraction, permettent au corps de se mouvoir par l'entremise du système articulaire. Pour ce faire, il faut cependant que les muscles soient bien ancrés au système osseux qui forme ces articulations, et c'est le tendon (l'extrémité du muscle) qui sert d'ancrage. Le tout est opérationnel grâce au signal transmis par le système neurologique (système électrique) et à l'énergie produite par le système métabolique. Pour bien comprendre ce fonctionnement, on peut penser à une voiture : la carrosserie (squelette) peut se mouvoir grâce au moteur (muscles) qui, lui, est actionné par le système électrique du démarreur (système neurologique) et nourri par le carburant (métabolisme énergétique).

Un muscle travaille toujours dans un seul sens, celui de la contraction – le fait de rapprocher ses points d'attache (insertions). Compte tenu de la multitude de mouvements que le corps peut produire, on comprend que, pour faire une action quelconque, certains muscles seront sollicités (les agonistes), et que pour faire l'action contraire, d'autres muscles (les antagonistes) entreront en jeu. Par exemple, pour fléchir le coude, le biceps doit se contracter, ce qui rapproche l'avant-bras du bras, mais lorsque j'étends le bras, ce n'est pas le biceps qui le repousse, mais le triceps, qui doit à son tour se contracter pour ramener l'avant-bras en extension. Par ailleurs, lorsqu'un agoniste est sollicité, le réflexe neurologique d'inhibition réciproque permet le relâchement automatique de l'antagoniste, ce qui permet au mouvement de se faire efficacement.

Ainsi, pendant que le triceps se contracte, le biceps se relâche de lui-même pour permettre à l'avant-bras de retourner en pleine extension sans problème. Ce réflexe peut être utile dans certains exercices, lorsqu'un relâchement est recherché, par exemple dans un exercice d'étirement actif.

Nous pouvons agir efficacement sur le système musculo-tendineux, car la capacité de contraction est toujours présente, peu importe notre âge. En effet, un muscle hypoextensible peut toujours retrouver son élasticité grâce à des étirements doux et graduels. Un muscle sous-utilisé, peu importe la raison, a tendance à perdre du tonus et à s'atrophier, mais cela est rarement irréversible, car grâce à des exercices de renforcement adaptés à la condition, à l'âge et à la capacité de la personne, il est possible de récupérer un tonus des plus acceptables. Il sera donc important d'avoir des objectifs atteignables et de se donner du temps pour y arriver.

Lorsqu'une des structures du système musculo-tendineux se dérègle, on observe la plupart du temps une augmentation ou une diminution de cette capacité de contraction, ce qui provoque une diminution d'élasticité ou de tonus. Les causes de ces dérèglements peuvent être d'ordre traumatique (comme les déchirures, les ruptures spontanées ou l'utilisation excessive) ou d'ordre métabolique (comme les dystrophies musculaires ou autres maladies). Par conséquent, il sera important, dans un contexte d'exercices, de redonner cette élasticité par des étirements, ou du tonus par du renforcement. Pour ce faire, il existe plusieurs techniques que nous vous expliquerons dans les prochaines sections.

Les principaux troubles de l'appareil musculaire

CRAMPE, CONTRACTURE

DÉFINITION : Positionnement involontaire passif (aucune activité électrique, contrairement à la crampe) où les fibres musculaires sont en position raccourcie à la suite d'un phénomène de compensation (protection) ou d'une posture prolongée. En résulte un tonus musculaire constant avec changement apparent, une amplitude de mouvement limitée et une palpation douloureuse.

PROGRAMME DE RÉÉDUCATION

PHASE 1
Éliminer la contracture, courbature ou crampe musculaire

- Mise au repos musculaire.
- Étirement myofascial (de l'enveloppe du muscle).
- Pour une crampe, placer le muscle en étirement, tout simplement (surtout ne pas le masser ni le frotter).

PHASE 2
Prévenir la contracture, courbature ou crampe musculaire

- Entraînement musculaire dans la phase excentrique (position d'allongement du muscle).
- Continuer les étirements musculo-aponévrotiques (*stretching*).
- S'assurer d'un équilibre entre les muscles agonistes et antagonistes. Éducation posturale et gestuelle.

PHASE 3
Réadapter le muscle à l'effort

- Entraînement musculaire concentrique en aérobique.
- Reprise des activités physiques habituelles.

CLAQUAGE, DÉCHIRURE, RUPTURE COMPLÈTE

DÉFINITION : La rupture complète ou partielle d'un muscle ou d'un groupe musculaire peut survenir à la suite d'un traumatisme. Des facteurs mécaniques (mauvaises postures), métaboliques (déficiences), ou encore des traumatismes répétés (impacts) placent le système musculaire dans une situation de vulnérabilité et le rendent plus sujet aux blessures.

Les structures étant fragilisées, la rupture sera d'autant plus facile et pourra même survenir à la suite d'un traumatisme léger ou d'un mouvement banal. La rupture de la coiffe des rotateurs est un exemple typique : la personne exécute des mouvements usuels, répétitifs ou dans des positions inconfortables au travail, par exemple. Des années d'usure continuelle ont fragilisé la coiffe des rotateurs.

PROGRAMME DE RÉÉDUCATION

PHASE 1
Limiter la mise en tension de la zone atteinte

- Positionnement de l'articulation dans une zone de repos musculaire.
- Bandage (élastique) musculaire mélangeant bandes élastiques et rigides et écharpe.
- Pour le claquage, effectuer une compression intermittente sur le muscle atteint pendant 15 secondes, au moins 3 à 5 fois.
- Dégager le muscle antagoniste qui pourrait présenter des contractures (compensation).

PHASE 2
Favoriser la cicatrisation du muscle

- Positionnement du muscle en course interne (rapprocher les fibres lésées).
- Pompage musculaire en isométrie (sans mouvement) concentrique (phase de raccourcissement) et excentrique (phase d'allongement).
- Contraction musculaire isométrique de l'antagoniste en course externe.

PHASE 3
Renforcer le muscle déchiré

- Renforcement musculaire statique et dynamique dans toutes les amplitudes.

Les maladies arthritiques et rhumatismales

DÉFINITION : Il existe plusieurs types d'arthrite mais, dans l'ensemble, on peut dire qu'il s'agit d'une maladie chronique caractérisée par une inflammation des articulations périphériques pouvant évoluer vers la destruction progressive des structures articulaires et périarticulaires (autour des articulations).

Le mot « rhumatisme », quant à lui, est un terme générique qui désigne des atteintes non spécifiques caractérisées par de la douleur, de la sensibilité, de la raideur aux articulations, aux muscles ou aux structures périarticulaires. Ces symptômes sont souvent secondaires à un traumatisme, à une infection, à un stress ou à une exposition au froid ou à l'humidité. Le rhumatisme doit donc être considéré davantage comme la conséquence de la douleur, et non pas comme la cause. Celle-ci est souvent une forme d'arthrite ou d'arthrose.

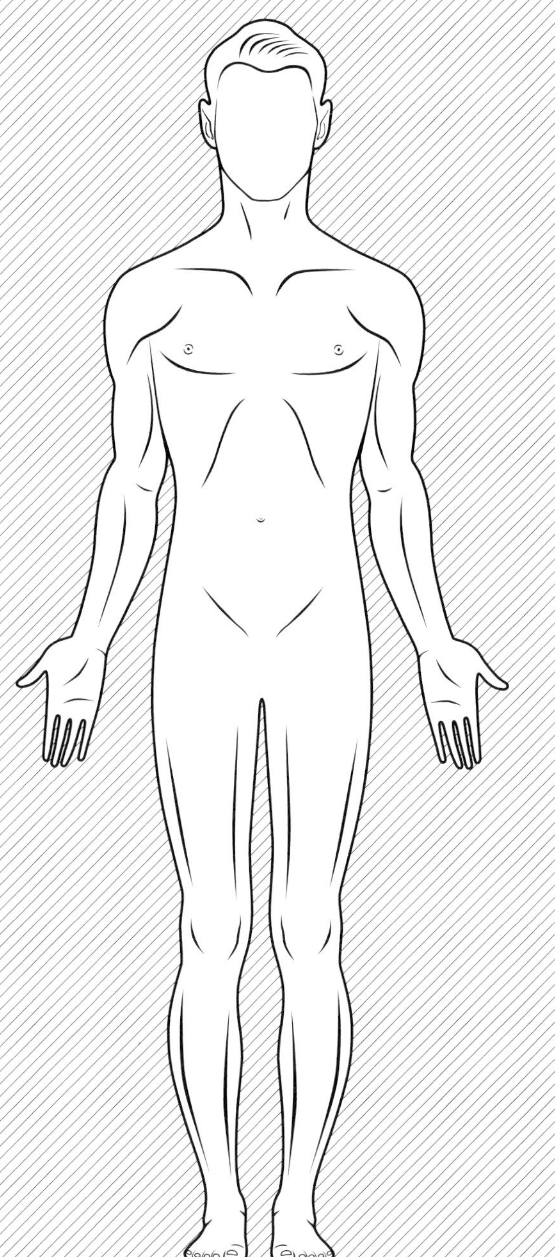

PROGRAMME DE RÉÉDUCATION

PHASE 1

Prévenir et atténuer les phénomènes inflammatoires

Quoique difficiles à prévenir, ces phénomènes sont souvent les répercussions d'un problème métabolique ou de l'utilisation mauvaise ou excessive d'une région. Les signes de l'inflammation sont le gonflement, la rougeur et la chaleur, ils sont tous consécutifs à un apport sanguin excessif au site atteint. L'utilisation du froid sur la région atteinte peut donc être utile, à raison de 12 à 15 minutes d'application aux 2 à 3 heures. Si l'inflammation persiste après 24 heures, consultez votre médecin.

PHASE 2

Diminuer la compression articulaire

Il s'agit ici de diminuer les contraintes de friction (frottement) articulaire en dégageant les muscles hypoextensibles (tendus). Les exercices d'étirement aideront à diminuer l'effet de compression en donnant plus de jeu articulaire.

PHASE 3

Entretenir les structures périarticulaires

Une bonne éducation posturale et gestuelle est indispensable pour contrer l'effet néfaste de la détérioration des articulations atteintes. Ainsi, il sera important de travailler la posture et de renforcer les muscles stabilisateurs de cette articulation.

La fibromyalgie

DÉFINITION : Affection rhumatismale non articulaire caractérisée par de la douleur, une hypersensibilité ou des raideurs musculaires associées à des zones d'insertion douloureuses. Aussi appelée « fibrosite» ou «fibromyosite», elle cause des douleurs multiples et une fatigue importante, son diagnostic est complexe et doit être fait par un médecin au fait de la méthodologie.

Les causes de la fibromyalgie sont encore mal connues mais aucune prédisposition héréditaire n'a été démontrée, il existe pourtant une prévalence chez les femmes. Plusieurs recherches sont en cours pour en déterminer les causes : on a entre autres émis l'hypothèse d'une déficience en sérotonine (un neurotransmetteur avec un rôle dans la régulation du sommeil profond et la perception de la douleur), ce qui pourrait expliquer les anomalies du sommeil et le seuil de douleur abaissé. Selon cette théorie, les troubles du sommeil seraient non pas un symptôme, mais plutôt une cause de la maladie.

Pour combattre cette affection, il est important de fixer des objectifs réalistes, une psychothérapie de support et d'éliminer les facteurs qui aggravent les symptômes :

- l'exposition au froid (air climatisé) ;
- le stress, le surmenage, la dépression ;
- les problèmes métaboliques (acidité) ;

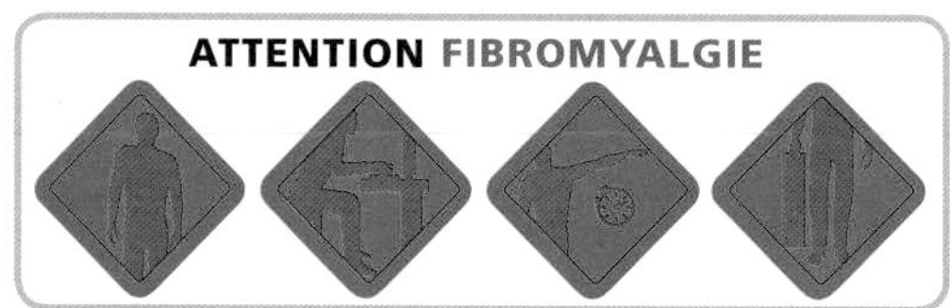

- les huiles végétales hydrogénées (comme certaines margarines qui restent solides à la température de la pièce) et les aliments dont la teneur en acides gras transgéniques est élevée (comme les fritures, les pâtisseries et les biscuits).

Il faut plutôt:

- augmenter son apport en acides gras oméga-3, essentiels au bon fonctionnement de l'organisme. Les graines de lin, l'huile de lin et les huiles de poisson (contenues dans les poissons gras sauvages comme le maquereau et le saumon) en sont des sources importantes;
- manger suffisamment de fruits et légumes (5 à 10 portions selon le Guide alimentaire canadien).

PROGRAMME DE RÉÉDUCATION

PHASE 1
Diminuer la peur du mouvement

- Instaurer un programme cardiovasculaire (10 à 15 min de vélo ou de marche).
- Faire des étirements légers (1 à 3 fois par semaine).
- S'exposer à la chaleur (massages, bains tourbillons).

PHASE 2
Développer le besoin de bouger

- Augmenter progressivement la durée des exercices cardiovasculaires (15 à 20 min).
- Faire des étirements actifs légers (3 à 5 fois par semaine).
- Faire des exercices de renforcement musculaire (1 série de 15 répétitions, 1 fois par semaine).
- S'exposer à la chaleur (massages, bains tourbillons).

PHASE 3
Créer une habitude quotidienne

- Augmenter progressivement la durée des exercices cardiovasculaires (20 à 30 min).
- Faire des étirements actifs (5 à 7 fois par semaine).
- Faire des exercices de renforcement musculaire (2 séries de 15 à 20 répétitions, 2 à 3 fois par semaine).
- S'exposer à la chaleur (massages, bains tourbillons).

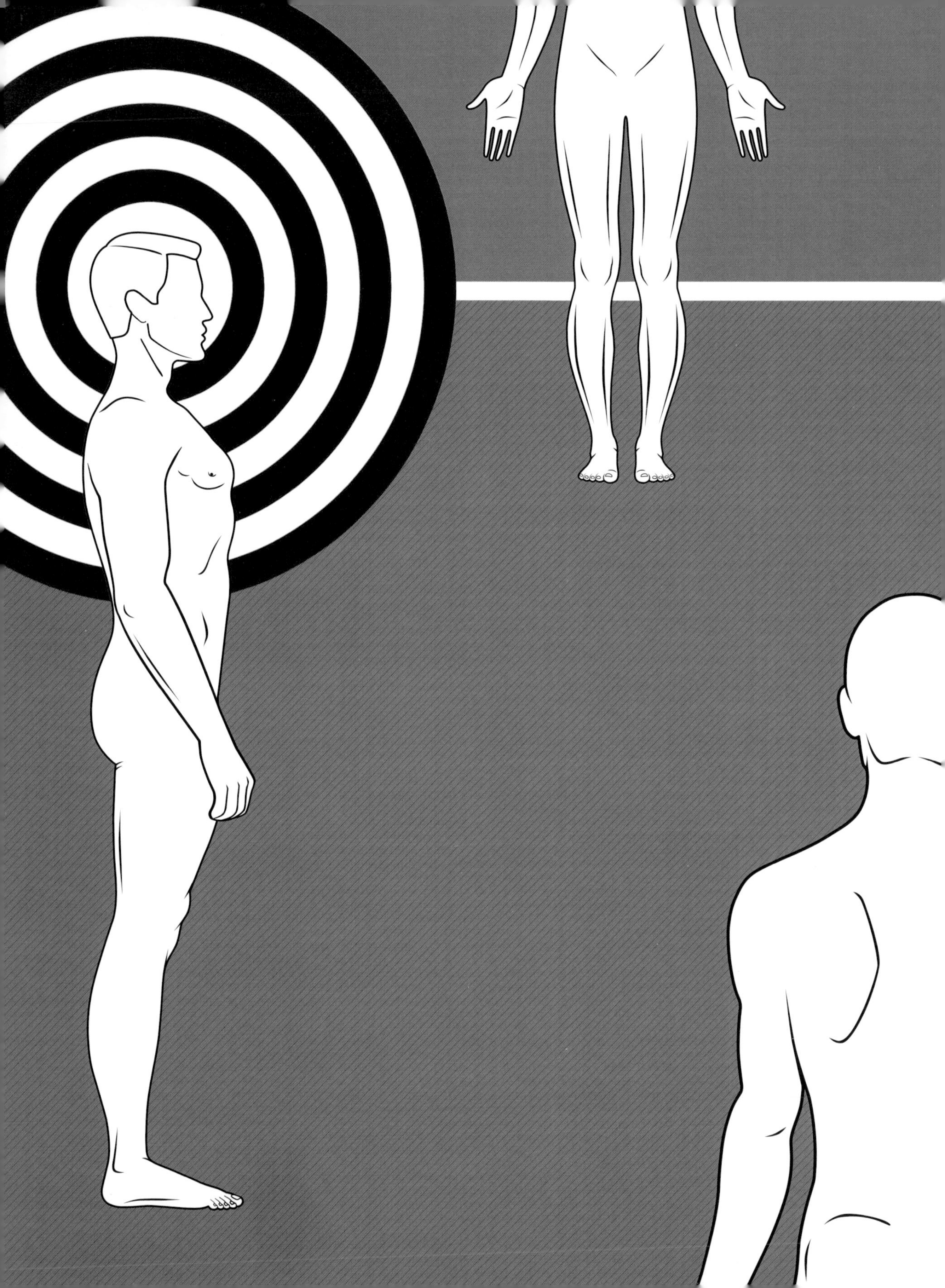

Programmes d'**exercices**

DÉFINITION : Maladie dégénérative articulaire à évolution lente touchant le cartilage, l'os sous-chondral (sous le cartilage) et tous les tissus situés autour de l'articulation. Elle expose ces structures à des changements qui se traduisent souvent par des nodules, ou petites bosses, qu'on retrouve autour des articulations atteintes. Cliniquement, on peut observer une hypertrophie osseuse, des craquements, de la douleur et des limitations articulaires.

Il s'agit en fait d'une sorte d'usure de l'articulation. Comme il est impossible de revenir en arrière (une fois que c'est usé, c'est usé), il faut travailler à entretenir ce qui reste et favoriser une bonne lubrification des structures articulaires. Les exercices d'étirement joueront alors un rôle crucial, car moins il y aura de résistance des tissus autour de l'articulation, plus les contraintes de friction (qui ne feraient qu'aggraver la dégénérescence articulaire) seront diminuées.

Les articulations les plus atteintes sont généralement les extrémités (pieds et mains), les vertèbres, les hanches et les genoux. Les traitements médicamenteux souvent utilisés sont les anti-inflammatoires, les antalgiques, les injections, etc. Il faut cependant comprendre que ces aides n'agissent que sur les symptômes de la pathologie et non sur la mécanique de la problématique elle-même, et que l'exercice physique reste la meilleure option si l'on veut s'attaquer à la cause de la douleur. Dans certains cas, on pourrait avoir recours à une attelle de support ou à la chirurgie. De nos jours, il est même possible d'avoir recours à la viscosuppléance (injection de liquide de type synovial à l'intérieur de l'articulation atteinte) ou aux suppléments alimentaires pour maintenir ou améliorer l'état de l'articulation.

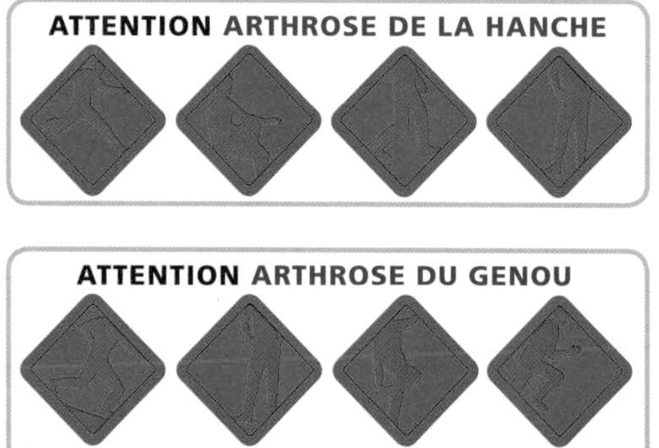

ATTENTION ARTHROSE VERTÉBRALE

Arthrose ou dégénérescence articulaire de type arthrosique

Arthrose de la **hanche**
Arthrose du **genou**
Arthrose **vertébrale**
Arthrose des **membres supérieurs**

PROGRAMME DE RÉÉDUCATION

PHASE 1
Limiter les contraintes mécaniques de pression et de frottement

La mise en décharge partielle de l'articulation (aides à la marche, tractions ou élongations) aura pour effet d'éviter l'usure prématurée, et les exercices d'étirement favoriseront la souplesse et la fluidité articulaire. Plus il y aura de jeu articulaire, moins il y aura de friction.

PHASE 2
Améliorer le métabolisme de l'os sous-chondral

Une fois l'amplitude articulaire améliorée, il sera temps d'intégrer des exercices d'étirement actifs ou avec une composante dynamique. Une activité aérobique en décharge, comme la natation ou le vélo (selon l'articulation atteinte), aura même un effet nutritif au site de la blessure et aidera le cartilage à maintenir une certaine lubrification, ce qui aura pour effet de ralentir le processus d'usure articulaire (le cartilage ne se nourrissant pas par le sang, mais par le liquide synovial).

PHASE 3
Maintenir l'économie articulaire

Il est important de ne pas utiliser excessivement l'articulation atteinte en choisissant judicieusement ses activités cardiovasculaires ou en intégrant des micro-pauses aussi souvent que possible lorsqu'une activité est soutenue (course) ou maintenue dans une position prolongée (assise). Doser ses efforts est sûrement l'aspect le plus difficile à maîtriser lorsqu'on décide de se prendre en main, mais le vieil adage « petit train va loin » est des plus appropriés. L'adoption de saines attitudes posturales et ergonomiques préventives sera également à conseiller. Des exercices à grande amplitude entraîneront le système musculaire à travailler en charge et lui apprendront à contrôler ses mouvements, ce qui aura pour effet d'optimiser le travail articulaire.

ARTHROSE DE LA **HANCHE**

ÉTIREMENT

A

Étirement des fléchisseurs de la hanche, genou au sol

OBJECTIF

Étirement combiné des muscles psoas-iliaque et droit fémoral.

INDICATIONS

› En position de fente basse, poser le genou du membre cible sur un coussin ou un tapis rembourré.

› Garder le poids sur la jambe opposée avec appui des mains au besoin (pour aider à se stabiliser).

› Amener le bassin en rétroversion (rentrer le ventre), puis en antéprojection (avancer le bassin), pour accentuer le mouvement.

› Maintenir l'alignement du corps (autograndissement).

ÉVITER de se pencher vers l'avant.

PRESCRIPTION

1-3 x **15-30** secondes

ÉTIREMENT

B

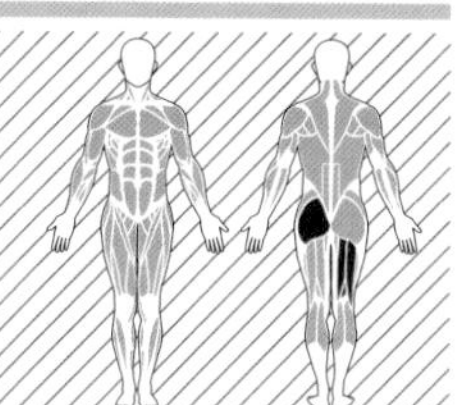

Étirement des extenseurs de la hanche en appui au mur

OBJECTIF

Étirement combiné du muscle grand fessier et des ischiojambiers.

INDICATIONS

› En position assise, le dos le plus près possible du mur.

› Faire passer la jambe cible de l'autre côté, le pied au sol.

› Saisir la jambe cible au niveau de la cuisse, près du genou, et l'amener en direction de l'épaule opposée jusqu'à ressentir une sensation d'étirement dans la région fessière.

› Exécuter et maintenir une composante d'autograndissement.

› Garder l'autre jambe tendue en ramenant les orteils vers soi.

ÉVITER de tourner le tronc.

PRESCRIPTION

1-3 x **15-30** secondes

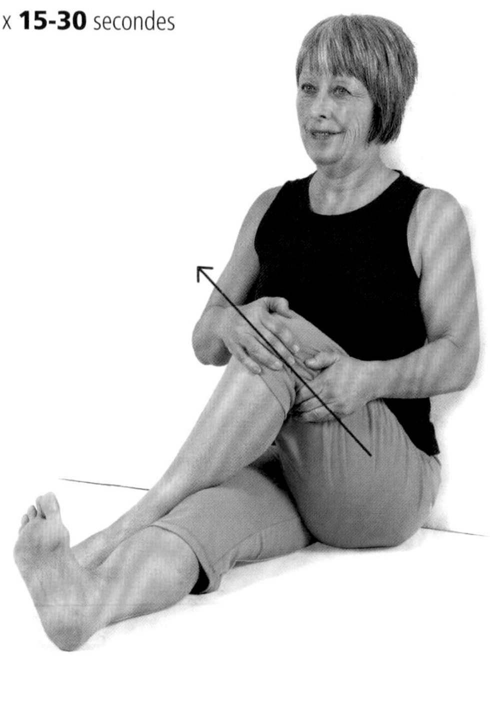

ÉTIREMENT

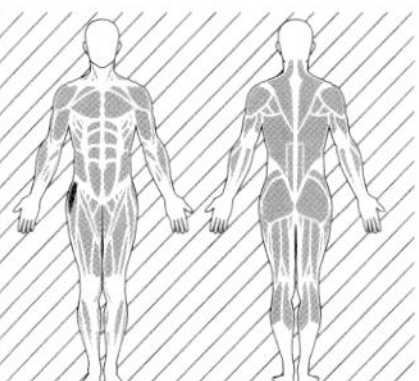

Étirement des abducteurs de la hanche en position couchée

OBJECTIF

Étirement des muscles petit et moyen fessiers et tenseur du fascia lata en situation de décharge.

INDICATIONS

› Allongé sur le dos, la main sur la hanche du côté opposé (pour stabiliser le bassin).
› Amener la jambe cible en adduction et passer la jambe opposée par-dessus.
› Forcer le mouvement d'adduction en se servant de l'appui du pied au bas de la cuisse et pousser avec la main sur le bassin pour accentuer l'étirement.
› Garder le bassin en rétroversion (bas du ventre rentré).

ÉVITER de compenser en inclinant le tronc.

PRESCRIPTION

1-3 x **15-30** secondes

ÉTIREMENT

Étirement des adducteurs de la hanche en position assise

OBJECTIF

Étirement des muscles pectiné, court et long adducteurs en situation de décharge.

INDICATIONS

› En position assise, jambes fléchies et pieds joints.
› Saisir les jambes aux tibias et laisser le poids des jambes produire l'abduction.
› Maintenir l'antéversion du bassin (sortir les fesses) et pousser doucement sur les cuisses pour accentuer l'étirement.

ÉVITER de pousser trop fort ou de se pencher vers l'avant.

PRESCRIPTION

1-3 x **15-30** secondes

PROPRIOCEPTION

B

Antéversion/rétroversion du bassin

OBJECTIF

Travail proprioceptif et spécifique de la région lombo-pelvienne.

INDICATIONS

› En position quadrupède, les mains à la largeur des épaules.
› Amener lentement le bassin en antéversion en inspirant (chercher à sortir les fesses, gonfler le thorax et creuser le dos).
› Ramener le bassin en rétroversion en expirant (chercher à rentrer le ventre, serrer les fesses et arrondir le dos).
› Mettre l'emphase sur le mouvement lombo-pelvien.

ÉVITER de bouger la région thoracique.

PRESCRIPTION

1-3 x **5-15** répétitions

PROPRIOCEPTION

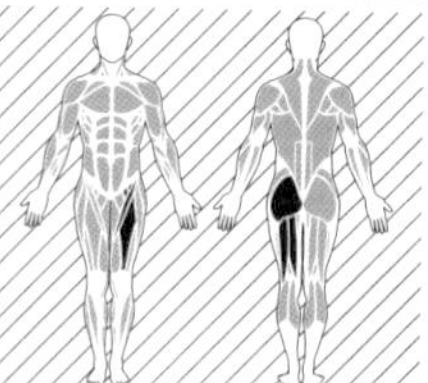

Balancement sagittal du membre inférieur avec appui

OBJECTIF

Étirement dynamique des muscles fléchisseurs de la hanche.

INDICATIONS

- En position debout avec appui au mur ou sur une chaise.
- Garder l'autre main sur la hanche pour stabiliser le bassin.
- Exécuter un balancement lent et contrôlé de la jambe cible, d'avant en arrière, tout en maintenant le bassin stable.
- Maintenir une composante d'autograndissement en tout temps.
- Limiter le mouvement lorsqu'il y a sensation d'étirement dans les deux sens.

ÉVITER de compenser avec le bas du dos.

PRESCRIPTION

1-3 x **5-15** répétitions

RENFORCEMENT

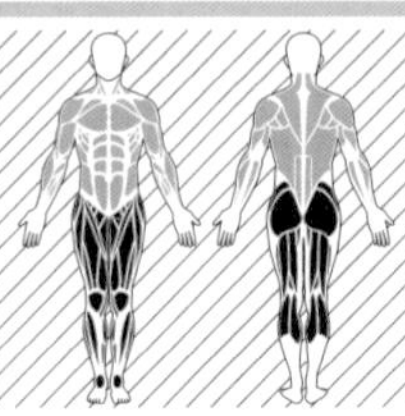

Squat profond avec une chaise

OBJECTIF

Renforcement général des membres inférieurs avec appui antérieur.

INDICATIONS

› En position debout, pieds à la largeur des hanches et mains sur le dossier (déposer un objet lourd sur la chaise si elle n'est pas assez stable).

› Descendre lentement en position accroupie, aussi bas que possible, tout en maintenant le poids sur les talons.

› Remonter jusqu'à l'extension complète des jambes, une fois le maximum d'amplitude atteint au bas du mouvement.

ÉVITER de se laisser tomber vers l'arrière lors de la descente.

PRESCRIPTION

1-3 x **5-15** répétitions

Fente avec appui sur une chaise

OBJECTIF

Renforcement général des membres inférieurs en situation d'instabilité latérale.

INDICATIONS

› En position de fente haute, avec appui sur le dossier de la chaise du côté opposé (poids sur le talon de la jambe avant).
› Fléchir aussi bas que possible sans que le genou arrière touche le sol (environ 90 degrés de flexion).
› Remonter jusqu'à l'extension complète de la jambe.
› Maintenir une composante d'autograndissement en tout temps.

ÉVITER de projeter le genou vers l'avant lors de la descente.

PRESCRIPTION

1-3 x **5-15** répétitions

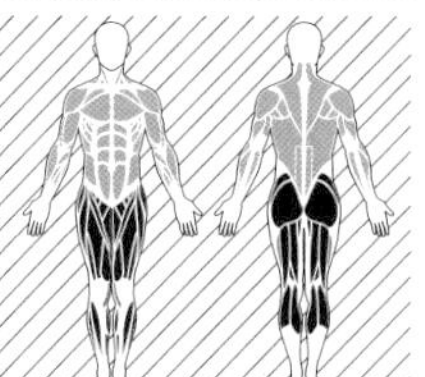

Fente avant (marche)

OBJECTIF

Renforcement dynamique des membres inférieurs en situation de charge.

INDICATIONS

› En position debout (avec appui au mur au besoin).
› Faire un pas en avant et descendre en position de fente.
› Fléchir aussi bas que possible sans que le genou arrière touche le sol (environ 90 degrés de flexion).
› Remonter jusqu'à l'extension complète en faisant un pas en avant et en alternant les jambes.
› Maintenir le poids sur le talon de la jambe avant en tout temps.

ÉVITER de se pencher vers l'avant.

PRESCRIPTION

1-3 x **5-15** répétitions

Étirement du psoas-iliaque en position debout

OBJECTIF

Étirement du muscle psoas-iliaque en situation de charge.

INDICATIONS

- En position de fente haute, poser le pied de la jambe cible derrière le corps (talons au sol).
- Garder le poids sur la jambe de devant avec les mains sur les hanches au besoin (pour aider à se stabiliser).
- Amener le bassin en rétroversion (rentrer le bas du ventre). puis en antéprojection (avancer légèrement le bassin) pour accentuer l'étirement.
- Maintenir l'alignement du corps (autograndissement).

ÉVITER de se pencher vers l'avant.

PRESCRIPTION

1-3 x **15-30** secondes

ÉTIREMENT

B

Étirement du droit fémoral en position debout avec ballon

OBJECTIF

Étirement dynamique et spécifique du muscle droit fémoral.

INDICATIONS

- En position de fente haute derrière une chaise, jambe cible en appui sur un ballon, genou fléchi.
- Exécuter une composante d'autograndissement accompagnée d'une rétroversion du bassin (rentrer le bas du ventre) jusqu'à ressentir une sensation d'étirement dans la région antérieure de la cuisse.
- Fléchir et descendre lentement le genou opposé pour accentuer l'étirement.

ÉVITER de compenser en creusant le bas du dos.

PRESCRIPTION

1-3 x **15-30** secondes

ÉTIREMENT

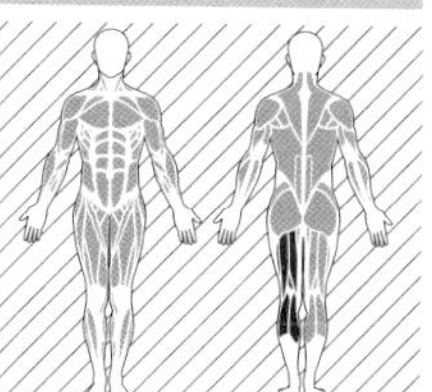

Étirement des ischiojambiers au mur

OBJECTIF

Étirement spécifique des muscles biceps fémoral, semi-tendineux et semi-membraneux avec appui.

INDICATIONS

› En position couchée avec appui de la jambe cible sur un mur ou dans un cadre de porte.

› Maintenir le genou en extension et la cheville en flexion jusqu'à ressentir une sensation d'étirement à l'arrière de la jambe.

› Tourner le pied vers l'intérieur pour accentuer l'étirement du biceps fémoral ou vers l'extérieur pour l'étirement des semi-membraneux et semi-tendineux.

ÉVITER de compenser avec le bassin.

PRESCRIPTION

1-3 x **15-30** secondes

PROPRIOCEPTION

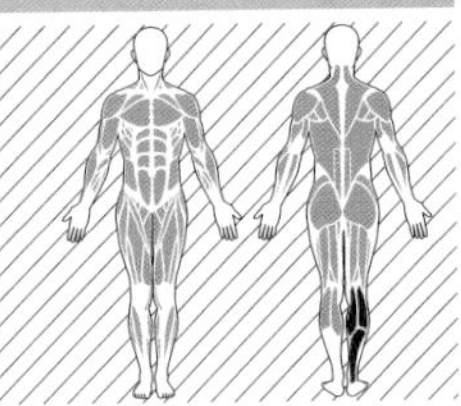

Étirement actif des jumeaux au mur

OBJECTIF

Étirement dynamique des muscles jumeaux et du soléaire.

INDICATIONS

› En position de fente avant en appui au mur (coudes fléchis).

› Projeter lentement le poids du corps sur la jambe avant tout en maintenant les talons au sol jusqu'à ressentir une sensation d'étirement dans la jambe arrière.

› Amener le genou davantage vers l'arrière pour accentuer l'étirement.

› Maintenir l'alignement du corps en tout temps.

ÉVITER de laisser les talons se soulever du sol.

PRESCRIPTION

1-3 x **15-30** secondes

PROPRIOCEPTION

B

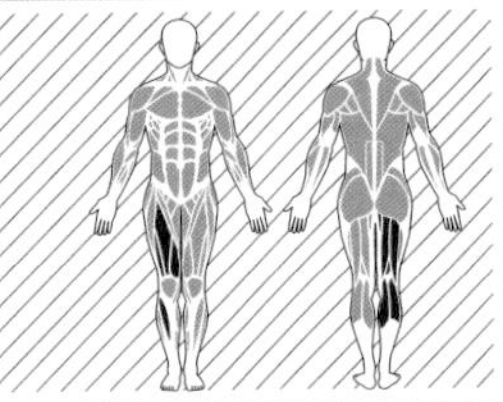

Extension active du genou avec un ballon

OBJECTIF

Travail proprioceptif combiné du genou et de la cheville sur surface instable en flexion/extension.

INDICATIONS

› En position assise (surélevée) avec le pied au centre du ballon.

› Exécuter une extension active du genou en enfonçant celui-ci vers le sol tout en exécutant une poussée du talon et une flexion du pied.

› Fléchir le genou en ramenant le talon le plus près possible, tout en maintenant la plante du pied en contact avec le ballon.

ÉVITER de perdre le contact avec le ballon lors de la flexion.

PRESCRIPTION

1-3 x **5-15** répétitions

RENFORCEMENT

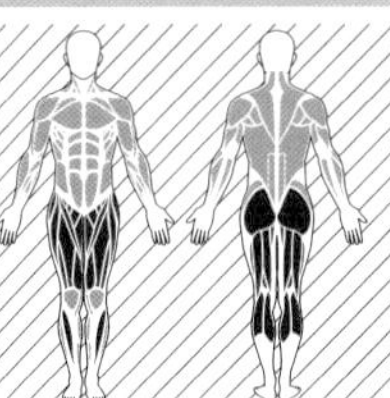

Squat au mur avec un ballon

OBJECTIF

Renforcement général des membres inférieurs en appui sur un ballon.

INDICATIONS

- En position debout, dos au mur avec le ballon au creux du bas du dos et les pieds légèrement avancés.
- Descendre en position accroupie, aussi bas que possible, avant de compenser avec le dos ou le bassin (rétroversion).
- Garder le poids sur les talons en tout temps.
- Remonter jusqu'à l'extension complète des jambes.

ÉVITER de projeter les genoux vers l'avant lors de la descente.

PRESCRIPTION

1-3 x **5-15** répétitions

PROPRIOCEPTION

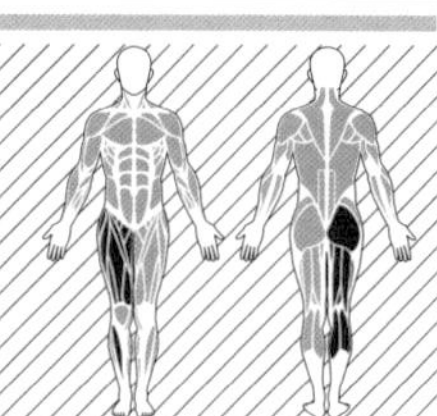

Fente avec appui au mur

OBJECTIF

Renforcement général des membres inférieurs en situation d'instabilité latérale.

INDICATIONS

- En position de fente haute, le long d'un mur, avec appui du côté opposé (poids sur le talon de la jambe avant).
- Fléchir aussi bas que possible sans que le genou arrière touche le sol (environ 90 degrés de flexion).
- Remonter jusqu'à l'extension complète de la jambe.
- Maintenir une composante d'autograndissement en tout temps.

ÉVITER de projeter le genou vers l'avant lors de la descente.

PRESCRIPTION

1-3 x **5-15** répétitions

Montée de banc avec appui au mur

OBJECTIF

Renforcement général des membres inférieurs en situation d'instabilité latérale à grande amplitude.

INDICATIONS

› En position debout, le membre cible sur une surface surélevée et stable (le membre opposé près de l'appui).

› Monter jusqu'à extension complète en poussant avec le talon de la jambe cible.

› Redescendre lentement en retenant toujours le mouvement avec la jambe cible.

› Maintenir une composante d'autograndissement en tout temps.

ÉVITER de projeter le corps vers l'avant lors du mouvement.

PRESCRIPTION

1-3 x **5-15** répétitions

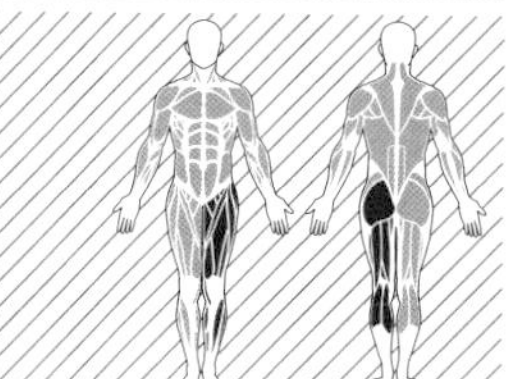

Fente sans appui

OBJECTIF

Renforcement dynamique et proprioceptif des membres inférieurs en situation de charge.

INDICATIONS

› En position de fente haute, mains sur les hanches (le poids sur le talon de la jambe avant).

› Fléchir aussi bas que possible sans que le genou arrière touche le sol (environ 90 degrés de flexion).

› Remonter jusqu'à l'extension complète de la jambe.

› Maintenir une composante d'autograndissement en tout temps.

ÉVITER de projeter le genou vers l'avant lors de la descente.

PRESCRIPTION

1-3 x **5-15** répétitions

ÉTIREMENT

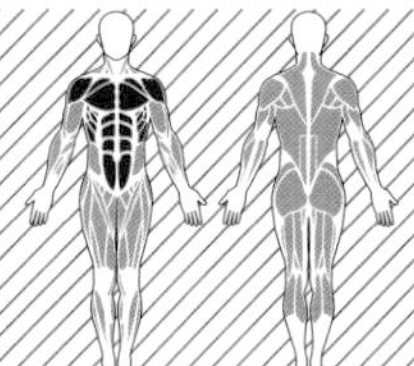

Étirement actif de la région antérieure du thorax sur ballon

OBJECTIF

Étirement prononcé des muscles de la région antérieure du thorax.

INDICATIONS

› Couché sur le dos (en appui complet sur le ballon).
› Bras en ouverture vers l'extérieur en rotation latérale.
› Prendre une grande inspiration et chercher à ouvrir la cage thoracique, puis relâcher tout en éloignant les mains vers les côtés jusqu'à ressentir une sensation d'étirement.
› Possibilité de varier les angles au-dessus de la tête.

ÉVITER de perdre le contact du bassin ou de la tête.

PRESCRIPTION

1-3 x **15-30** secondes

Étirement actif de la chaîne postérieure avec un ballon

OBJECTIF

Étirement général des muscles de la région postérieure.

INDICATIONS

› Couché sur le ballon, bras tendus et genoux fléchis, avec appui complet sur le ballon.
› Tenter d'allonger le corps en épousant la forme du ballon tout en éloignant les mains devant, sans perdre l'appui des genoux.
› Maintenir le menton rentré pendant l'exercice.

ÉVITER de perdre le contact avec le ballon.

PRESCRIPTION

1-3 x **15-30** secondes

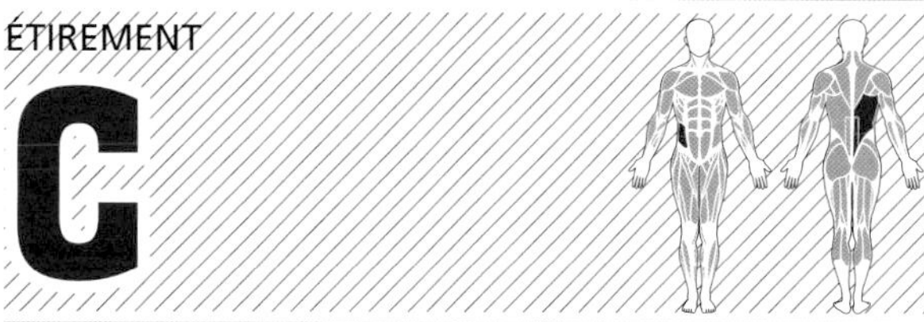

Étirement léger de la région latérale du tronc avec un ballon

OBJECTIF

Étirement général des muscles carré des lombes, obliques internes et externes, dentelé postérieur et grand dorsal sur ballon.

INDICATIONS

› En position couchée de côté sur le ballon, pieds et main du côté opposé en appui au sol (épouser la forme du ballon).
› Tenter d'éloigner le bras de la jambe du côté cible jusqu'à ressentir une sensation d'étirement.
› Accentuer la composante d'autograndissement pendant l'exercice.

ÉVITER de perdre le contact avec le ballon.

PRESCRIPTION

1-3 x **15-30** secondes

ARTHROSE **VERTÉBRALE**

ÉTIREMENT

A

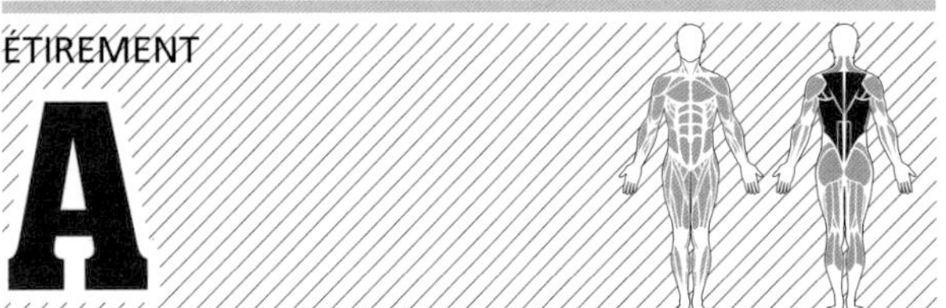

Étirement de la région lombaire au sol à genoux

OBJECTIF

Étirement général de la masse commune ainsi que des muscles dentelé postéro-inférieur, trapèze inférieur et grand dorsal.

INDICATIONS

› À genoux, bras allongés devant le corps et en appui au sol en supination (paumes vers le haut).

› Éloigner le bassin par rapport aux mains en cherchant à descendre et à allonger le corps.

ÉVITER de laisser le bassin remonter pendant l'étirement.

PRESCRIPTION

1-3 x **15-30** secondes

PROPRIOCEPTION

B

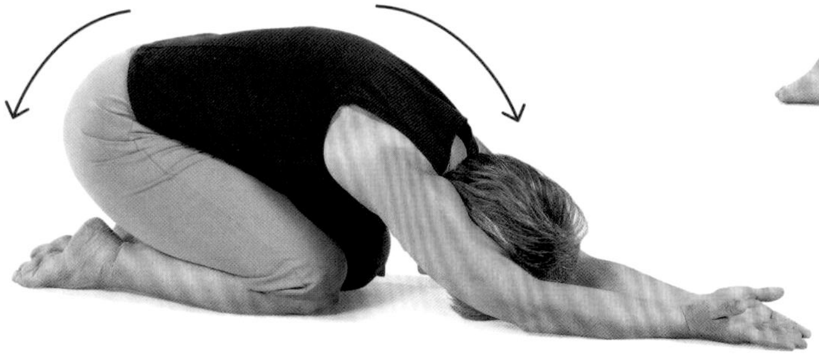

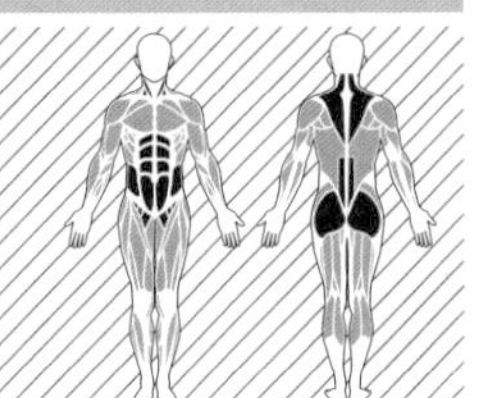

Antéversion/rétroversion du bassin avec mouvement vertébral

OBJECTIF

Travail proprioceptif du système vertébral complet.

INDICATIONS

› En position quadrupède, les mains à la largeur des épaules.

› Amener lentement le bassin en antéversion en inspirant (chercher à sortir les fesses, gonfler le thorax et creuser le dos).

› Ramener le bassin en rétroversion en expirant (chercher à rentrer le ventre, serrer les fesses et arrondir le dos).

› Poursuivre le mouvement jusqu'à la tête.

ÉVITER d'exagérer le mouvement dans la région thoracique.

PRESCRIPTION

1-3 x **5-15** répétitions

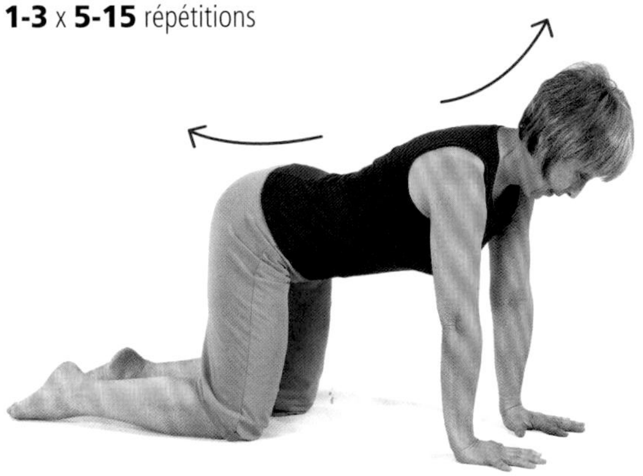

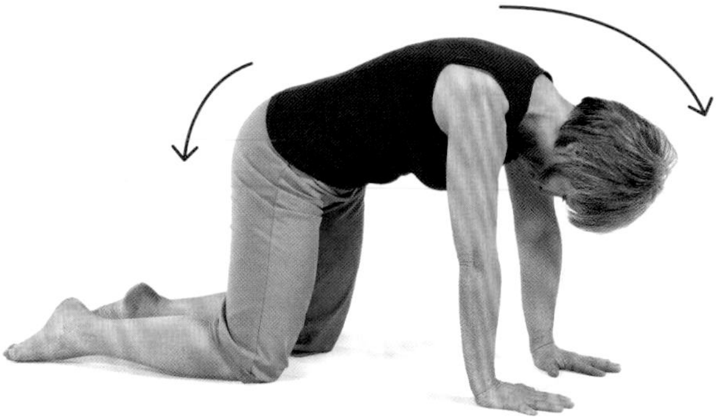

PROPRIOCEPTION

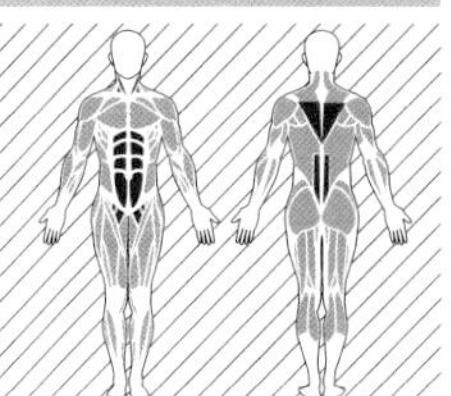

Exercice d'autograndissement en position couchée

OBJECTIF

Renforcement postural des muscles du tronc en situation de décharge.

INDICATIONS

› En position couchée, jambes tendues et bras le long du corps en supination (paumes vers le haut).
› Exécuter une bascule arrière des omoplates en appuyant les épaules fermement au sol.
› Rentrer le menton et exécuter une composante d'autograndissement en éloignant la tête et les talons.
› Redresser la position jusqu'à ressentir une sensation de décompression de la colonne vertébrale.

ÉVITER de compenser en creusant le bas du dos.

PRESCRIPTION

1-3 x **15-30** secondes

Exercice d'autograndissement en position assise

OBJECTIF

Renforcement postural des muscles du tronc en situation de charge.

INDICATIONS

› En position assise, jambes fléchies avec saisie derrière la cuisse.
› Exécuter une composante d'autograndissement en rentrant le menton tout en éloignant la tête vers le haut.
› Accentuer la bascule arrière ainsi que l'adduction des omoplates en s'aidant de la traction exercée sur les cuisses.
› Redresser la position jusqu'à ressentir une sensation de décompression de la colonne vertébrale.

ÉVITER de projeter la tête vers l'avant lors du mouvement.

PRESCRIPTION

1-3 x **15-30** secondes

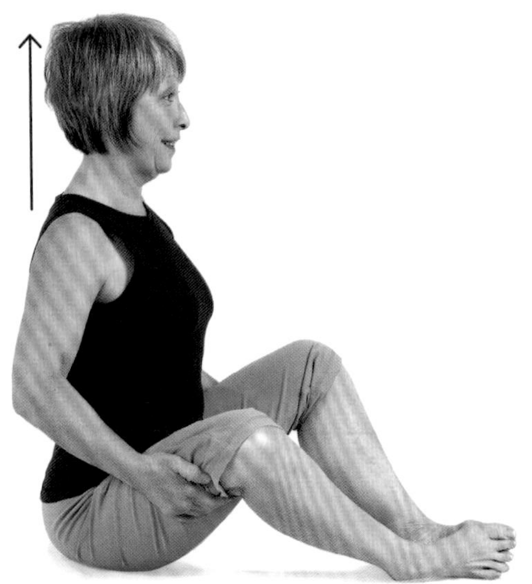

RENFORCEMENT

B

Exercice de poutre composite en position assise

OBJECTIF

Renforcement postural des muscles du tronc en flexion.

INDICATIONS

› Assis sur un ballon, jambes fléchies et bras tendus au-dessus de la tête (mains jointes).
› Exécuter une composante d'autograndissement en amenant lentement le bassin en antéversion jusqu'à ressentir une sensation d'étirement derrière la jambe.
› Maintenir la position aussi longtemps que possible en cherchant à éloigner les mains et le bassin.
› Sentir l'effet de décompression au niveau vertébral.

ÉVITER de laisser tomber le dos ou les bras.

PRESCRIPTION

1-3 x **15-30** secondes

RENFORCEMENT

C

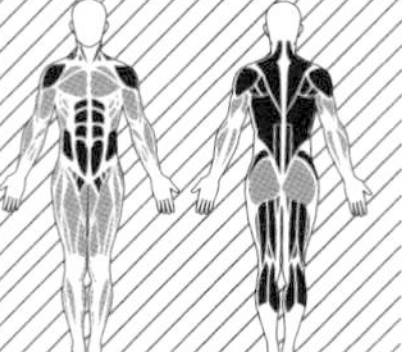

Exercice de poutre composite au mur

OBJECTIF

Renforcement postural des muscles du tronc en situation de charge avec appui.

INDICATIONS

- En position debout, le bassin en appui au mur, jambes légèrement fléchies et bras tendus au-dessus de la tête (mains jointes).
- Exécuter une composante d'autograndissement en amenant lentement le bassin en antéversion jusqu'à ressentir une sensation d'étirement derrière la jambe.
- Maintenir la position aussi longtemps que possible en cherchant à éloigner les mains et le bassin.

ÉVITER de laisser tomber le dos ou les bras.

PRESCRIPTION

1-3 x **15-30** secondes

ÉTIREMENT

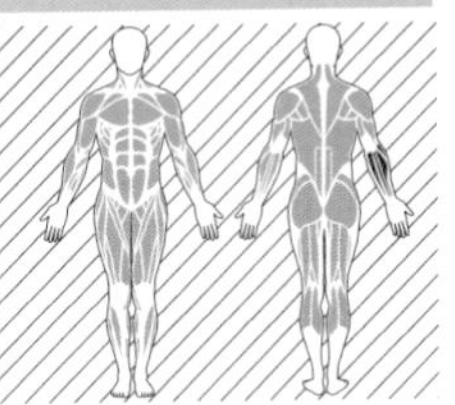

Étirement manuel des extenseurs du poignet et de la main

OBJECTIF

Étirement général des muscles court et long extenseurs radiaux du carpe, extenseur ulnaire du carpe et extenseur commun des doigts.

INDICATIONS

› Bras tendu devant le corps en pronation (paume vers le bas) et coude en extension.

› Saisir la main avec les doigts devant et le pouce derrière.

› Exécuter une traction en faisant basculer la main et les doigts vers le bas jusqu'à ressentir une sensation d'étirement.

ÉVITER de comprimer le poignet.

PRESCRIPTION

1-3 x **15-30** secondes

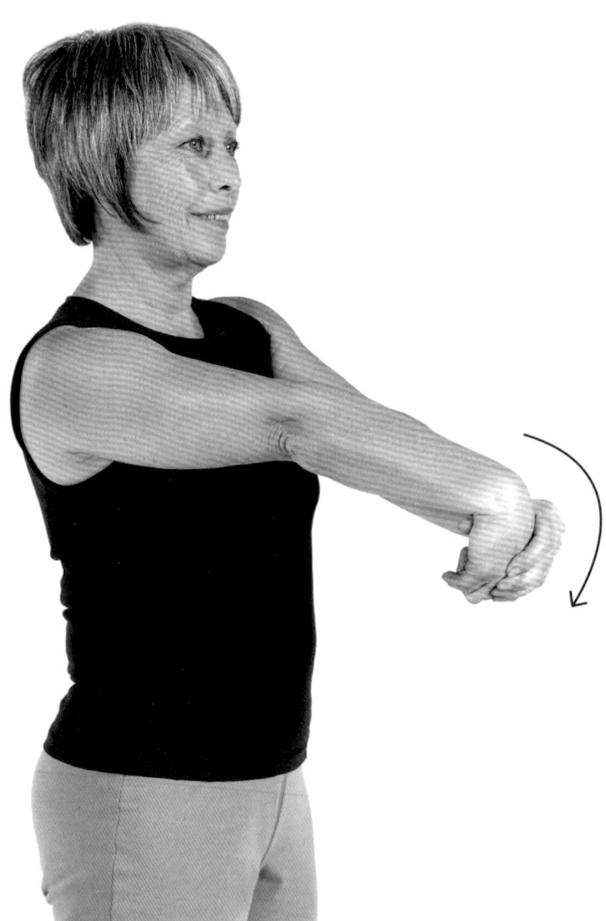

ÉTIREMENT

B

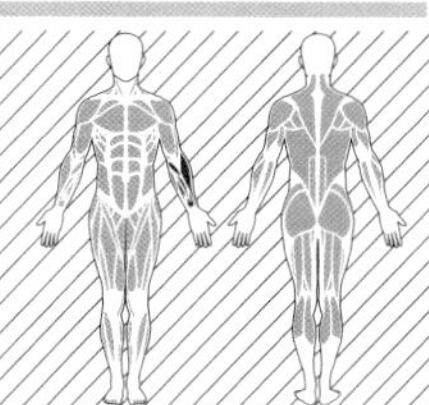

Étirement manuel du fléchisseur superficiel des doigts

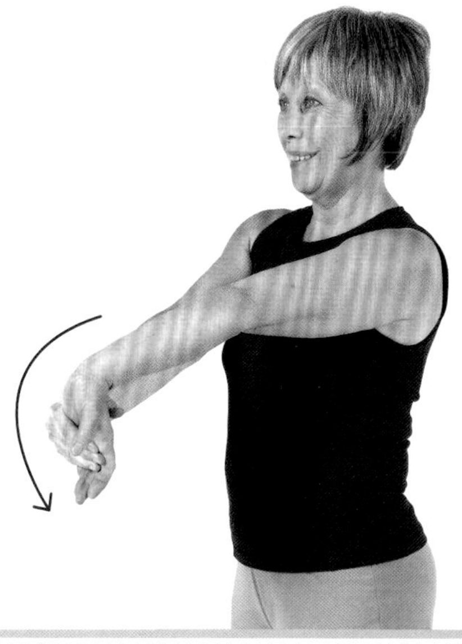

OBJECTIF

Étirement spécifique du muscle fléchisseur superficiel des doigts.

INDICATIONS

› Bras tendu devant le corps en supination (paume vers le haut) et coude en extension.

› Saisir la main avec le pouce derrière et les doigts tout juste avant la dernière phalange (laisser dépasser le bout des doigts).

› Exécuter une traction en faisant basculer la main et les doigts vers le bas jusqu'à ressentir une sensation d'étirement.

ÉVITER de comprimer le poignet.

PRESCRIPTION

1-3 x **15-30** secondes

ÉTIREMENT

C

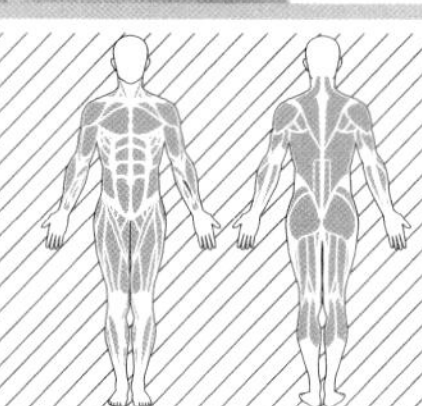

Étirement manuel du fléchisseur profond des doigts

OBJECTIF

Étirement spécifique du muscle fléchisseur profond des doigts.

INDICATIONS

› Coude fléchi devant le corps, paume vers le bas.

› Saisir la main au complet à partir du centre jusqu'au bout des doigts avec l'autre main.

› Ouvrir les doigts et la main en la faisant basculer vers le haut.

ÉVITER de comprimer le poignet.

PRESCRIPTION

1-3 x **15-30** secondes

Étirement actif des extenseurs du poignet et de la main sur table

OBJECTIF

Étirement dynamique des muscles court et long extenseurs radiaux du carpe, extenseur ulnaire du carpe et extenseur commun des doigts sur surface stable.

INDICATIONS

- En position de fente, bras tendus devant le corps, paumes vers le bas et doigts fermés.
- Exécuter une flexion active des poignets et des mains en fermant les poings tout en reculant lentement le corps jusqu'à ressentir une sensation d'étirement.
- Maintenir l'alignement du corps pendant l'exercice.

ÉVITER de comprimer les poignets contre la table.

PRESCRIPTION

1-3 x **15-30** secondes

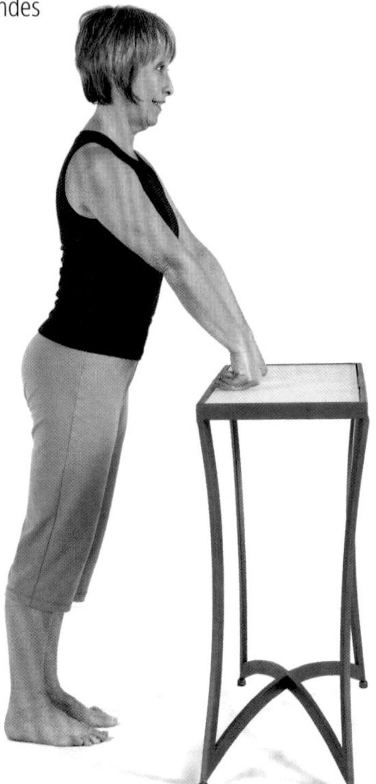

ÉTIREMENT

B

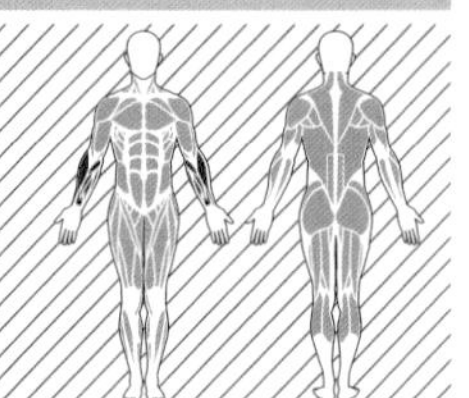

Étirement actif des fléchisseurs du poignet et de la main sur table

OBJECTIF

Étirement dynamique et prononcé des muscles fléchisseurs ulnaire et radial du carpe et fléchisseur superficiel des doigts sur surface stable.

INDICATIONS

- En position de fente, bras tendus devant le corps, paumes vers le haut avec le bout des doigts en bord de table.
- Exécuter une extension active des poignets et de la main en reculant lentement le corps jusqu'à ressentir une sensation d'étirement.
- Maintenir l'alignement du corps pendant l'exercice.

ÉVITER de comprimer les poignets contre la table.

PRESCRIPTION

1-3 x **15-30** secondes

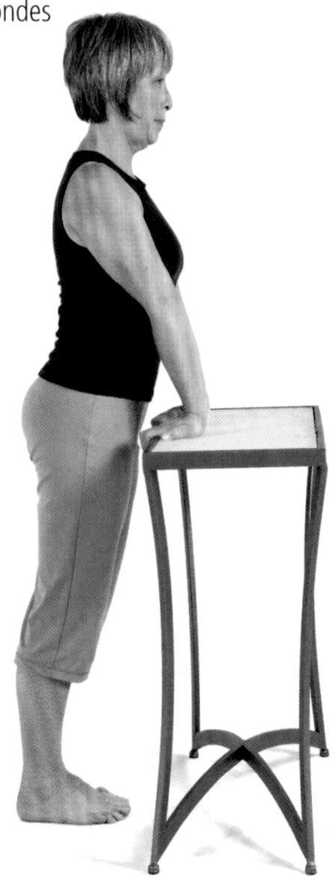

ÉTIREMENT

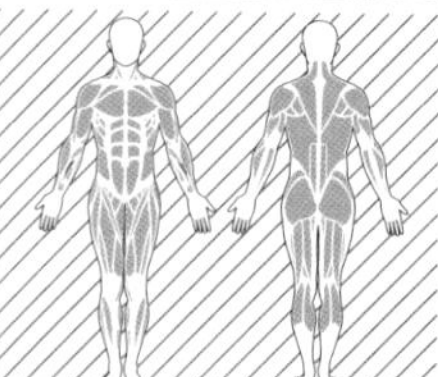

Étirement actif du fléchisseur profond des doigts sur table

OBJECTIF

Étirement spécifique et prononcé du muscle fléchisseur profond des doigts sur surface stable.

INDICATIONS

› En position de fente, bras tendus devant le corps, paumes vers le haut avec les doigts complètement en extension sur la table.

› Exécuter une extension active des poignets et des mains en reculant lentement le corps jusqu'à ressentir une sensation d'étirement.

› Maintenir l'alignement du corps pendant l'étirement.

ÉVITER de comprimer les poignets contre la table.

PRESCRIPTION

1-3 x **15-30** secondes

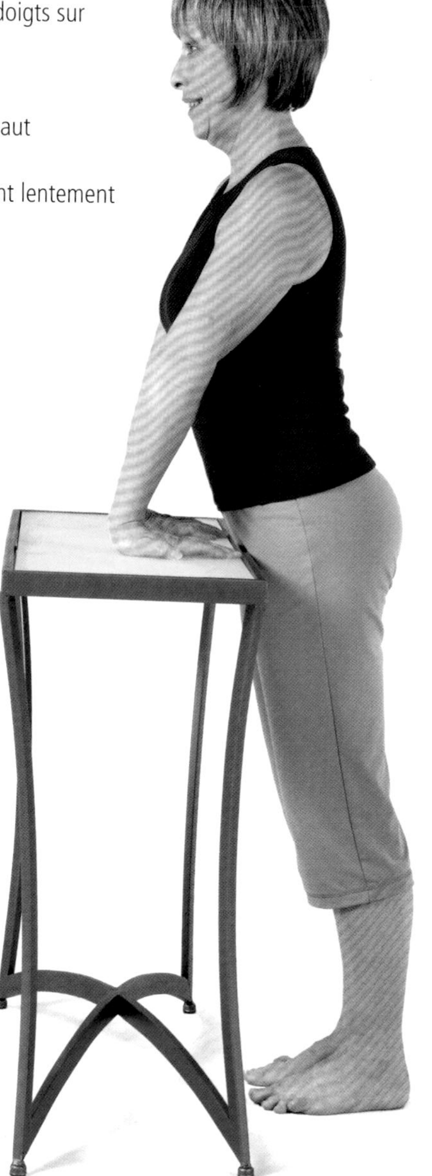

PROPRIOCEPTION

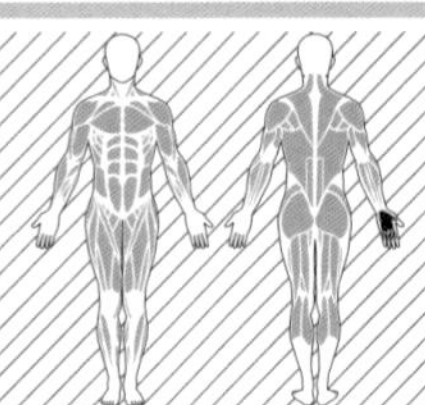

Extension des doigts avec de la pâte à modeler

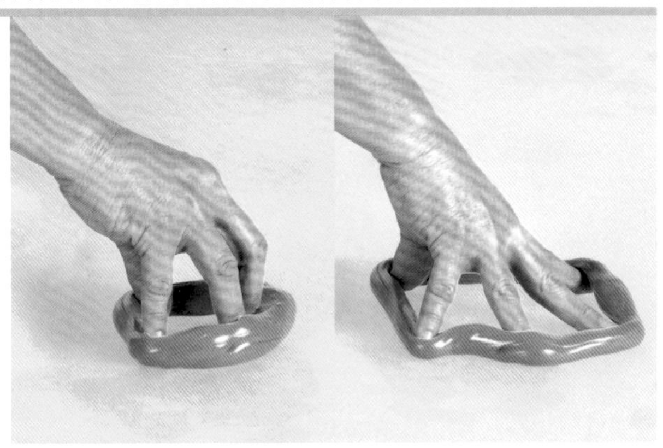

OBJECTIF

Renforcement proprioceptif des muscles extenseurs des doigts.

INDICATIONS

› Étendre de la pâte à modeler sur une surface plane et stable et y planter le bout des doigts.

› Stabiliser les doigts et tenter de les ouvrir autant que possible en travaillant contre la résistance de la pâte.

› Varier les angles et la position des doigts.

ÉVITER d'amener les jointures en hyperextension.

PRESCRIPTION

1-3 x **5-15** répétitions

RENFORCEMENT

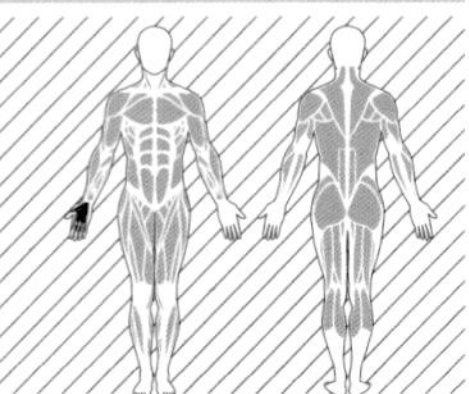

Flexion des doigts avec une balle molle

OBJECTIF

Renforcement proprioceptif des muscles fléchisseurs des doigts.

INDICATIONS

› Tenir une balle déformable dans la main, coude fléchi.

› Tenter de serrer les doigts autant que possible en travaillant avec la balle, en maintenant et en variant les appuis au niveau des doigts.

ÉVITER de serrer trop fort inutilement.

PRESCRIPTION

1-3 x **5-15** répétitions

RENFORCEMENT

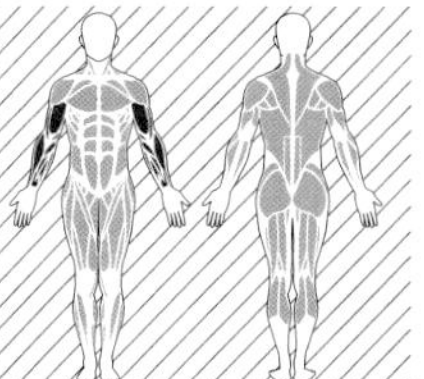

Flexion/extension complète du membre supérieur avec un poids

OBJECTIF

Renforcement anisométrique de la chaîne antérieure du bras avec une charge.

INDICATIONS

- En position assise, bras le long du corps avec un poids dans chaque main.
- Partir de la position d'ouverture complète, coudes en extension avec mains ouvertes et le poids au bout des doigts.
- Ramener les bras en flexion complète en fléchissant successivement les doigts, les poignets et les avant-bras.
- Retourner à la position de départ dans le sens inverse.

ÉVITER de laisser les épaules basculer vers l'avant ou de garder une flexion aux coudes en bas du mouvement.

PRESCRIPTION

1-3 x **5-15** répétitions

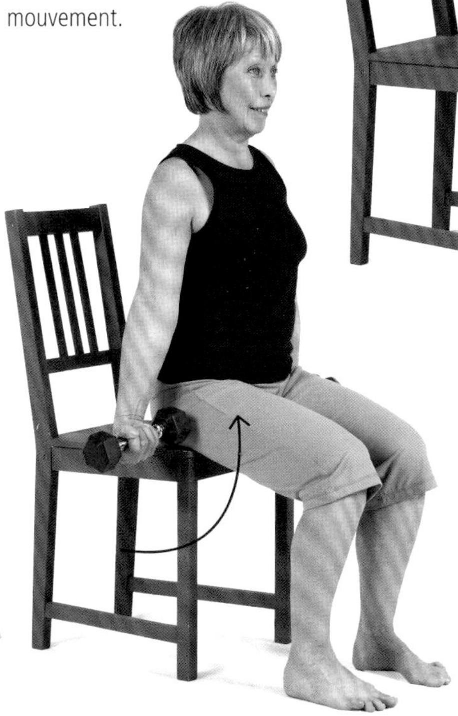

DÉFINITION : Comme toutes les pathologies se terminant en « ite », la bursite est une inflammation chronique ou aiguë. Elle touche la bourse séreuse en réponse à une friction répétée. On peut imaginer une bourse comme une sorte de « coussin » mobile qui maintient la fluidité articulaire en permettant des mouvements de glissement entre les différentes structures (muscles, tendons, os). On les retrouve particulièrement proche d'une cavité articulaire, ce qui les rend vulnérables aux contraintes de friction. Une irritation chronique étendue sur une longue période (des mois ou des années) peut conduire à la calcification interne ou à la modification tissulaire des parois de la bourse.

Cette pathologie peut être provoquée par :

- les microtraumatismes ;
- le surmenage ;
- une infection aiguë ou chronique ;
- la goutte ;
- l'arthrite rhumatoïde ;
- etc.

Bursites

Bursite de l'**épaule**
Bursite de la **hanche**

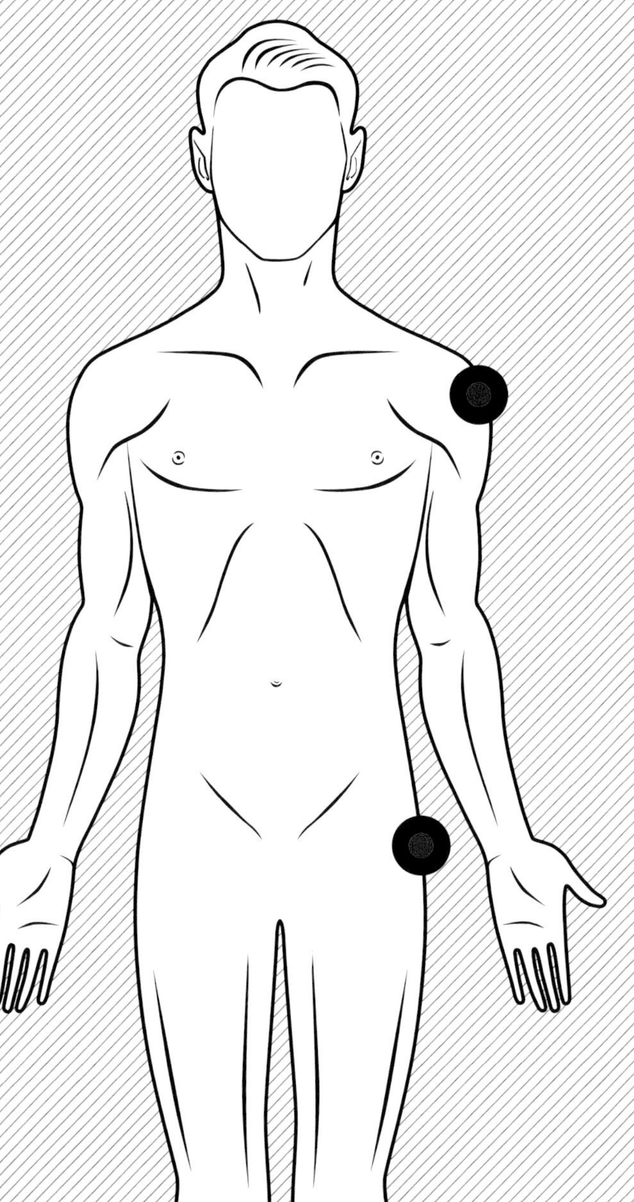

PROGRAMME DE RÉÉDUCATION

PHASE 1
Atténuer les phénomènes inflammatoires et favoriser la reconstruction des tissus lésés
Le traitement débute par l'application de glace localement, à raison de 12 à 15 minutes aux 2 à 3 heures. On prendra aussi soin de placer l'articulation dans une position de moindre contrainte où l'espace articulaire est le plus grand ou là où il y a le moins de friction.

PHASE 2
Dégager la bourse séreuse
Un programme d'étirement des muscles spécifiques entourant l'articulation ciblée permettra de minimiser les contraintes mécaniques engendrées par les contractures. Des exercices de traction articulaire ou encore des mouvements pendulaires permettront d'augmenter l'espace articulaire — en utilisant le poids du segment atteint ou en se servant du poids du corps en fixant le segment atteint.

PHASE 3
Prévenir la récidive
Encore une fois, la rééducation gestuelle permettra d'entretenir une certaine économie articulaire et de diminuer les risques de récidive. Il sera également important de contrôler les facteurs de risque en évitant les mouvements ou les situations qui placent l'articulation dans une position ou un angle dangereux (ex. : mouvements prolongés à une amplitude de plus de 90 degrés à l'épaule).

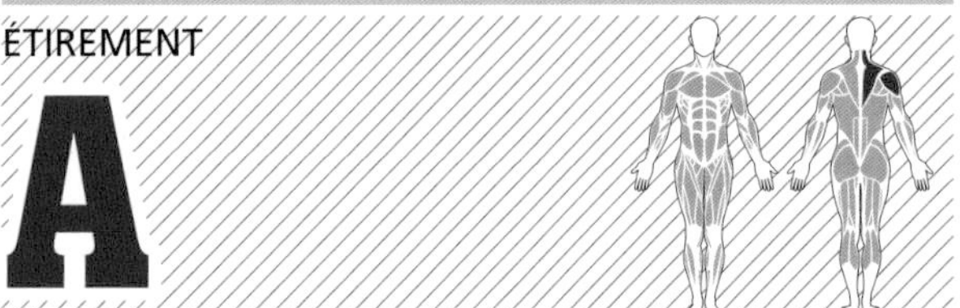

BURSITE DE L'**ÉPAULE**

ÉTIREMENT

A

Étirement de la région postérieure de l'épaule en position couchée

OBJECTIF

Étirement général des muscles trapèze moyen, rhomboïdes et deltoïde postérieur.

INDICATIONS

- En position couchée, coudes et genoux fléchis.
- Saisir le membre cible devant soi à la base du coude avec l'autre main.
- Tracter le bras vers l'épaule du côté opposé jusqu'à ressentir une sensation d'étirement dans la région postérieure.
- Maintenir le menton rentré et la cage thoracique ouverte et dégagée lors de l'étirement.

ÉVITER de comprimer le bras vers soi.

PRESCRIPTION

1-3 x **15-30** secondes

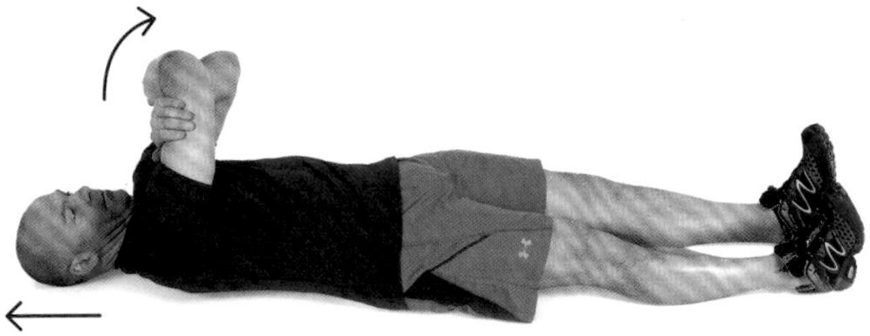

ÉTIREMENT

B

Étirement de la région antérieure du thorax en position couchée

OBJECTIF

Étirement général des muscles petit et grand pectoraux ainsi que du dentelé antérieur.

INDICATIONS

- En position couchée, avec le membre cible coude fléchi en abduction (appuyer la main sur une serviette pliée en cas de manque d'amplitude).
- Fléchir les genoux puis laisser le poids des jambes entraîner lentement le thorax du côté opposé jusqu'à ressentir une sensation d'étirement.
- Maintenir la cage thoracique ouverte et dégagée.
- Accentuer l'étirement avec l'autre main si nécessaire.

ÉVITER de laisser l'épaule partir vers l'avant.

PRESCRIPTION

1-3 x **15-30** secondes

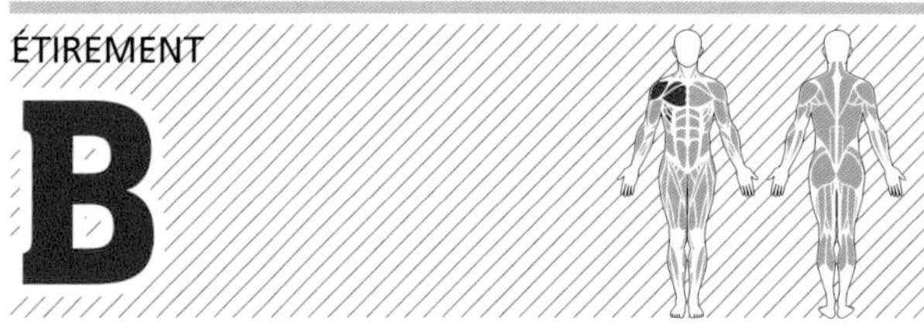

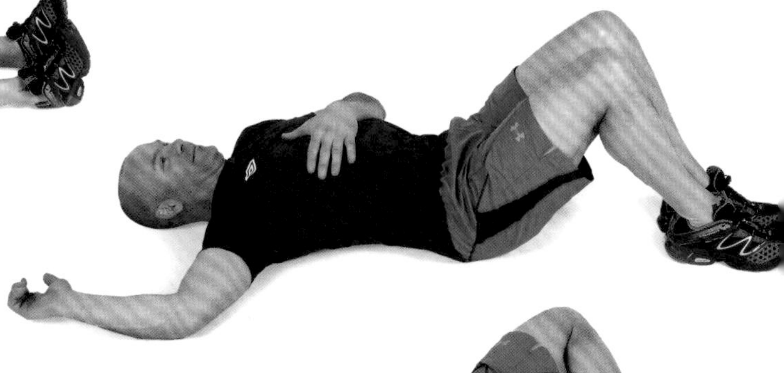

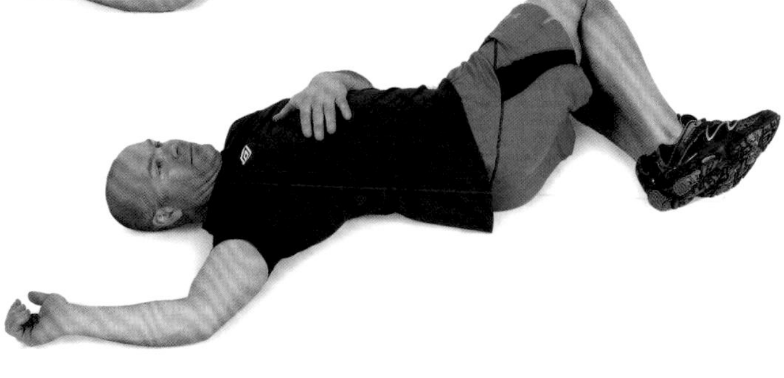

ÉTIREMENT

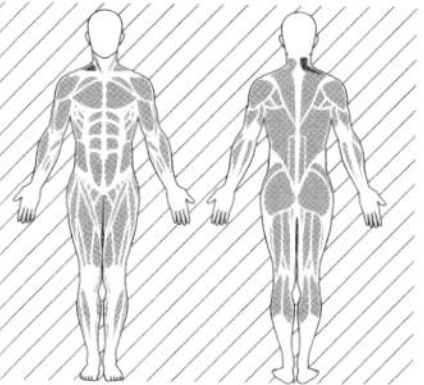

Étirement de la région latérale du cou avec une serviette

OBJECTIF

Étirement général des muscles trapèze supérieur, scalènes et élévateur de la scapula avec léger abaissement de la tête humérale.

INDICATIONS

› En position debout, tendre une serviette entre le pied et la main du côté cible.

› Rentrer le menton et incliner légèrement la tête vers le côté opposé en glissant lentement la main le long de la cuisse.

› Arrêter le mouvement lorsqu'il y a sensation d'étirement.

› Maintenir la position la tête haute (autograndissement).

ÉVITER de pencher la tête vers l'avant ou l'arrière.

PRESCRIPTION

1-3 x **15-30** secondes

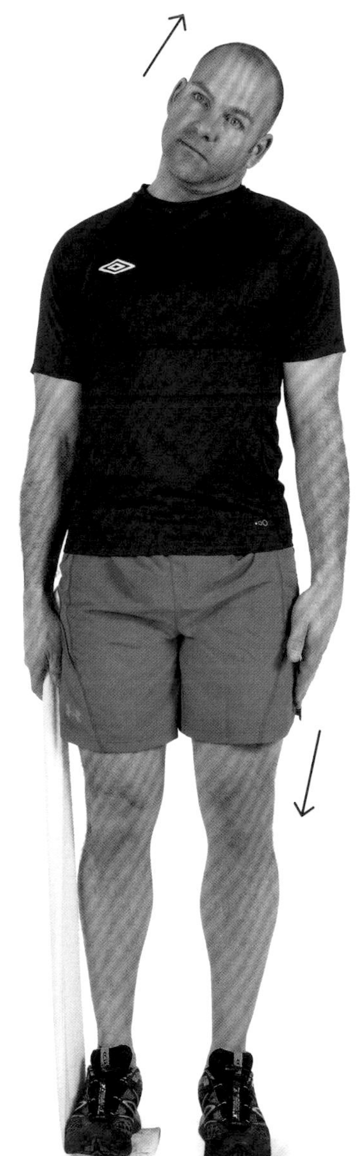

PROPRIOCEPTION

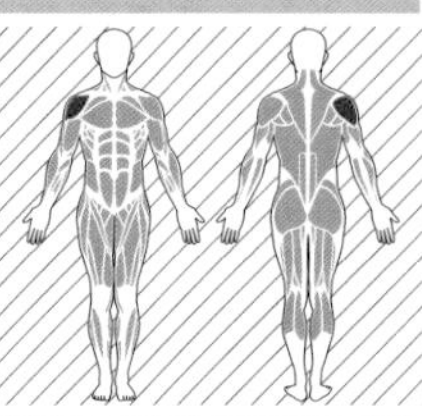

Mouvement passif de la tête humérale

OBJECTIF

Mobilisation passive de la tête humérale en position de sustentation.

INDICATIONS

- En position debout, tronc en flexion et main opposée en appui sur une surface surélevée et stable.
- Créer un léger mouvement d'oscillation du bras par l'entremise d'un mouvement avant/arrière du corps.
- Laisser le membre cible bouger de lui-même et se faire tracter vers le sol par son propre poids.

ÉVITER de contracter volontairement le membre cible.

PRESCRIPTION

1-3 x **5-15** répétitions

PROPRIOCEPTION

B

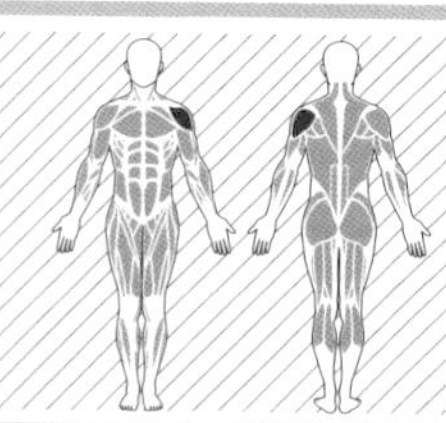

Décompression humérale avec une serviette

OBJECTIF

Décompression de la tête humérale en position de sustentation.

INDICATIONS

› En position debout, coude fléchi à 90 degrés et poing fermé, insérer une serviette roulée entre le bras cible et le tronc.

› Stabiliser l'avant-bras avec l'autre main par-dessous.

› Saisir l'avant-bras près du coude et exécuter un mouvement forcé de traction vers le coude opposé jusqu'à ressentir une sensation de décompression à l'épaule.

› Maintenir la position quelques secondes, puis recommencer.

ÉVITER de contracter le membre cible.

PRESCRIPTION

1-3 x **15-30** secondes

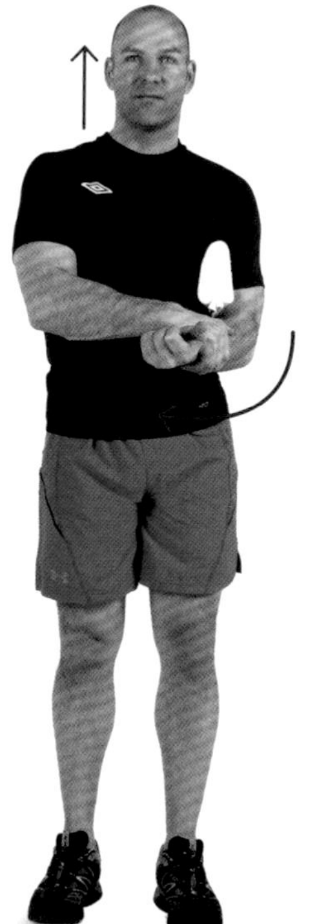

PROPRIOCEPTION

C

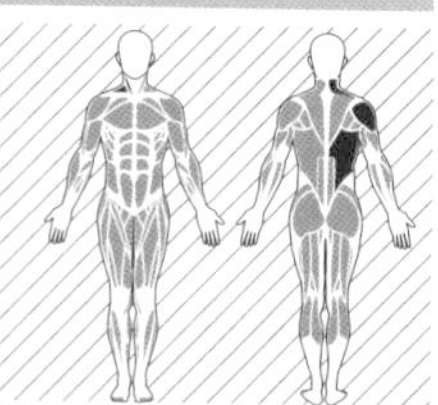

Étirement actif de la région latérale du cou avec abaissement de la tête humérale

OBJECTIF

Étirement dynamique et général des muscles trapèze supérieur, scalènes et élévateur de la scapula avec abaissement actif de la tête humérale.

INDICATIONS

› En position debout, menton rentré.

› Incliner la tête du côté opposé tout en maintenant l'autograndissement.

› Exécuter un abaissement actif de la tête humérale par l'action combinée d'une remontée des doigts et d'une poussée de la paume légèrement vers l'avant et l'extérieur.

› Maintenir la position.

ÉVITER de pencher la tête vers l'avant ou l'arrière.

PRESCRIPTION

1-3 x **15-30** secondes

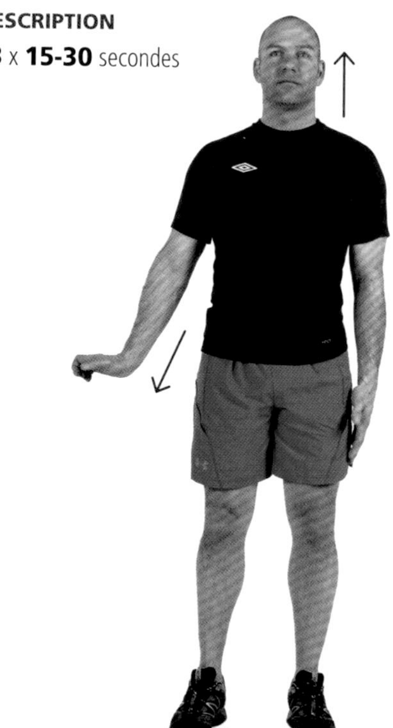

RENFORCEMENT

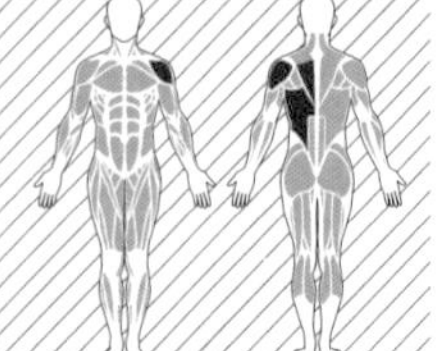

Abduction du bras au mur avec abaissement huméral

OBJECTIF

Renforcement isométrique des muscles supraépineux et deltoïde.

INDICATIONS

› En position debout, membre cible en appui en extension.
› Basculer l'épaule vers l'arrière et exécuter une poussée en abduction ainsi qu'un abaissement de la tête humérale contre le mur.
› Maintenir la position aussi longtemps que possible.
› Varier la distance avec le mur afin de travailler dans diverses amplitudes.

ÉVITER de lever les épaules lors de l'exercice.

PRESCRIPTION

1-3 x **15-30** secondes

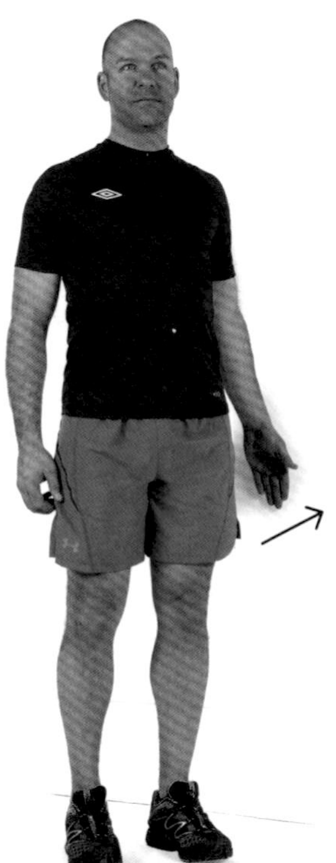

RENFORCEMENT

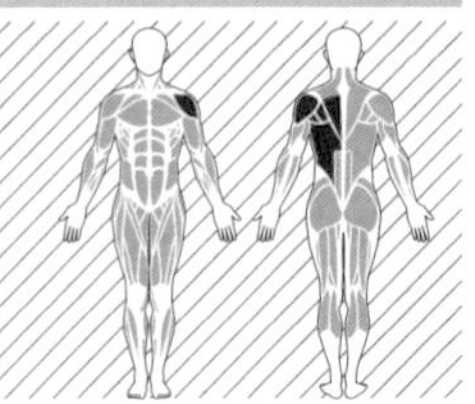

Rotation latérale du bras au mur avec abaissement huméral

OBJECTIF

Renforcement isométrique des muscles deltoïde postérieur, infra-épineux et petit rond.

INDICATIONS

› En position debout, membre cible en appui, coude fléchi.
› Basculer l'épaule vers l'arrière et exécuter un abaissement du coude le long du corps, combiné à une rotation latérale contre le mur.
› Maintenir la position aussi longtemps que possible.
› Varier la distance avec le mur afin de travailler dans diverses amplitudes.

ÉVITER de laisser l'épaule basculer vers l'avant pendant l'exercice.

PRESCRIPTION

1-3 x **15-30** secondes

RENFORCEMENT

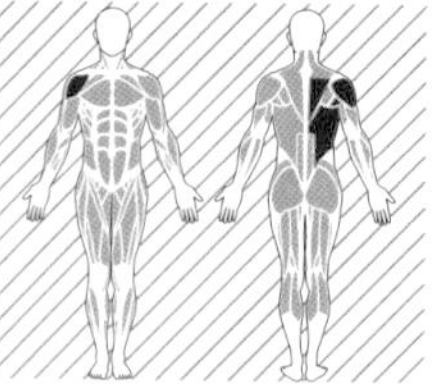

Abduction du bras et abaissement huméral avec charge

OBJECTIF

Renforcement anisométrique des muscles supraépineux et deltoïde.

INDICATIONS

- En position debout, membre cible tenant une charge, coude en extension.
- Exécuter une abduction lente et contrôlée légèrement vers l'avant ainsi qu'un abaissement de la tête humérale.
- Penser à éloigner le poids vers le bas, puis vers l'extérieur.
- Arrêter le mouvement au niveau des épaules.
- Retourner à la position de départ en contrôlant la descente.

ÉVITER de lever le poids vers le haut.

PRESCRIPTION

1-3 x **5-15** répétitions

BURSITE DE LA **HANCHE**

Étirement des fléchisseurs de la hanche, genou au sol

OBJECTIF

Étirement combiné des muscles psoas-iliaque et droit fémoral.

INDICATIONS

› En position de fente basse, poser le genou du membre cible sur un coussin ou une serviette.

› Garder le poids sur la jambe de devant avec appui des mains au besoin (pour aider à stabiliser).

› Amener le bassin en rétroversion (rentrer le ventre) puis en antéprojection (avancer le bassin) pour accentuer le mouvement.

› Maintenir l'alignement du corps (autograndissement).

ÉVITER de pencher vers l'avant.

PRESCRIPTION

1-3 x **15-30** secondes

ÉTIREMENT

B

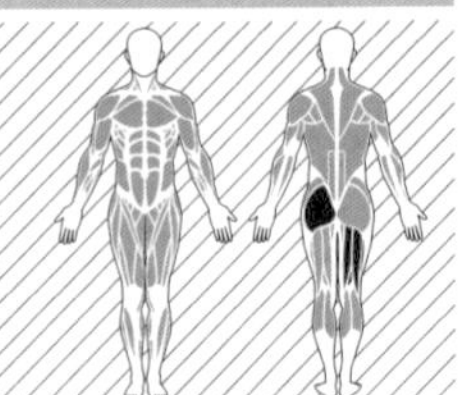

Étirement des extenseurs de la hanche en appui au mur

OBJECTIF

Étirement combiné des muscles grand fessier et ischio-jambiers.

INDICATIONS

› En position assise, le bassin le plus près possible du mur.

› Faire passer la jambe cible de l'autre côté, pied au sol.

› Saisir la jambe cible au niveau de la cuisse, près du genou, et l'amener en direction de l'épaule opposée jusqu'à ressentir une sensation d'étirement dans la région fessière.

› Exécuter et maintenir une composante d'autograndissement.

› Garder l'autre jambe tendue et ramener les orteils vers soi.

ÉVITER de tourner le tronc.

PRESCRIPTION

1-3 x **15-30** secondes

ÉTIREMENT

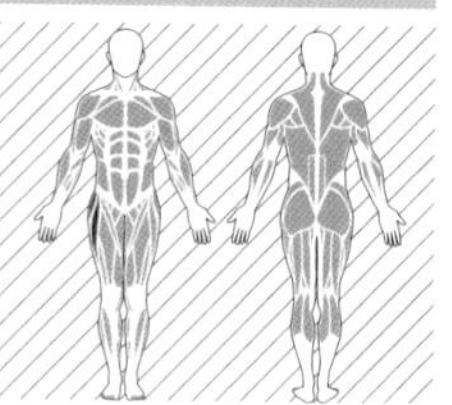

Étirement des abducteurs de la hanche en position couchée

OBJECTIF

Étirement des muscles petit et moyen fessiers et tenseur du fascia lata en situation de décharge.

INDICATIONS

› Couché sur le dos, la main sur la hanche du côté opposé (pour stabiliser le bassin).
› Amener la jambe cible en adduction et passer la jambe opposée par-dessus.
› Forcer le mouvement d'adduction en se servant de l'appui du pied au bas de la cuisse et pousser avec la main sur le bassin pour accentuer l'étirement.
› Garder le bassin en rétroversion (rentrer le bas du ventre).

ÉVITER de compenser en inclinant le tronc.

PRESCRIPTION

1-3 x **15-30** secondes

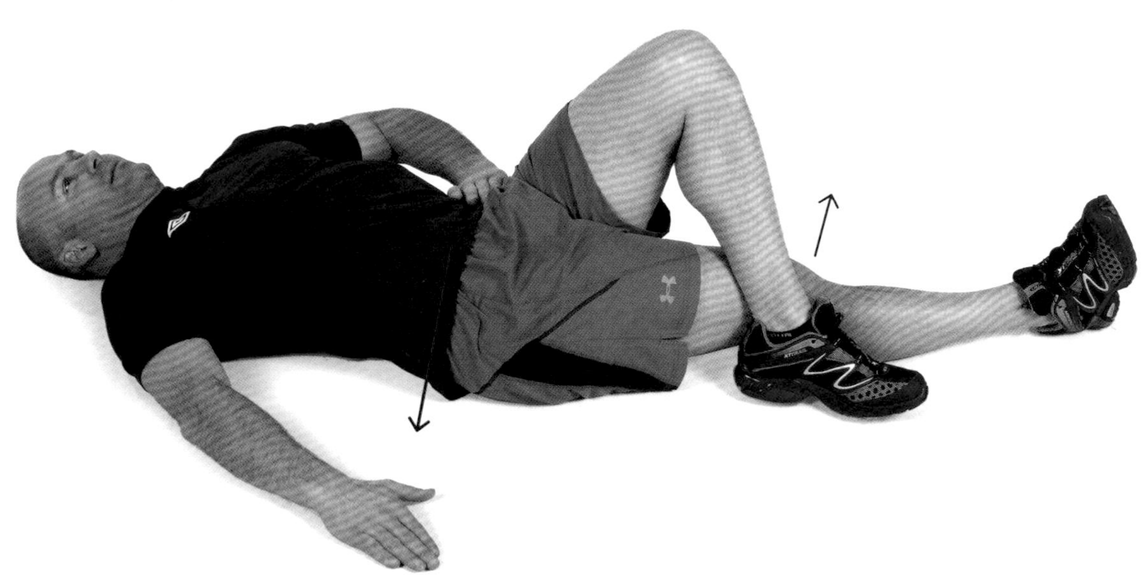

Antéversion/rétroversion du bassin au sol

OBJECTIF

Exercice proprioceptif de mobilisation de la région lombo-pelvienne.

INDICATIONS

› Couché sur le dos, jambes fléchies.
› Amener lentement le bassin en antéversion en sortant les fesses et en creusant le bas du dos.
› Ramener le bassin en rétroversion en rentrant les fesses et le ventre (chercher à plaquer le bas du dos au sol).
› Peut se faire avec le membre cible étendu au sol et l'autre toujours fléchi pour étirer la région antérieure (psoas-iliaque).
› Répéter la séquence.

ÉVITER de décoller le bassin du sol.

PRESCRIPTION

1-3 x **15-30** secondes

Étirement actif des fléchisseurs de la hanche en bord de lit

OBJECTIF

Étirement dynamique des muscles psoas-iliaque et droit fémoral par contraction antagoniste.

INDICATIONS

› En bord de lit, saisir la cuisse opposée par-dessous, puis laisser lentement tomber la jambe cible dans le vide.
› Maintenir la cuisse le plus près possible du corps et tenter de porter la jambe cible vers le sol jusqu'à ressentir une sensation d'étirement dans la région antérieure de la hanche.

ÉVITER de laisser creuser le bas du dos pendant l'étirement.

PRESCRIPTION

1-3 x **15-30** secondes

PROPRIOCEPTION

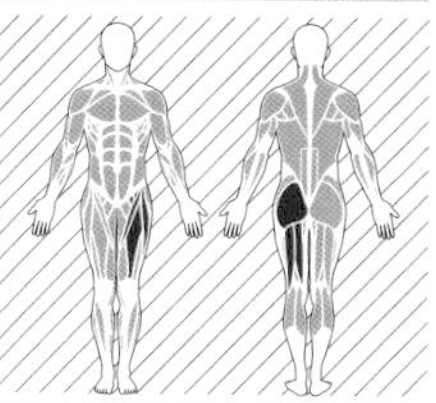

Balancement sagittal du membre inférieur avec appui au mur

OBJECTIF

Étirement actif des muscles fléchisseurs de la hanche.

INDICATIONS

› En position debout avec appui au mur (ou sur une chaise).
› Garder l'autre main sur la hanche pour stabiliser le bassin.
› Exécuter un balancement lent et contrôlé de la jambe cible, d'avant en arrière, tout en maintenant le bassin stable.
› Maintenir une composante d'autograndissement en tout temps.
› Limiter le mouvement lorsqu'il y a sensation d'étirement dans les deux sens.

ÉVITER de compenser avec le bas du dos.

PRESCRIPTION

1-3 x **5-15** répétitions

PROPRIOCEPTION

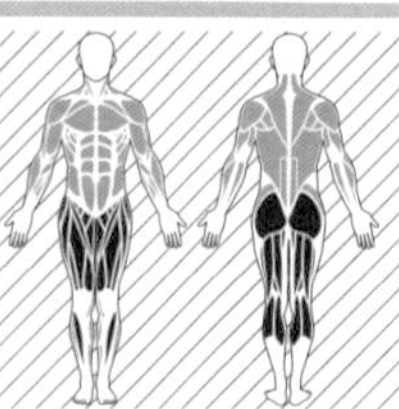

Squat profond avec une chaise

OBJECTIF

Renforcement général des membres inférieurs avec appui antérieur.

INDICATIONS

› En position debout, pieds contre la chaise et mains sur le dossier (déposer un objet lourd sur la chaise si cette dernière n'est pas assez stable).

› Descendre lentement en position accroupie, aussi bas que possible, tout en maintenant le poids sur les talons.

› Une fois le maximum d'amplitude atteint au bas du mouvement, remonter jusqu'à l'extension complète des jambes.

ÉVITER de se laisser tomber vers l'arrière lors de la descente.

PRESCRIPTION

1-3 x **5-15** répétitions

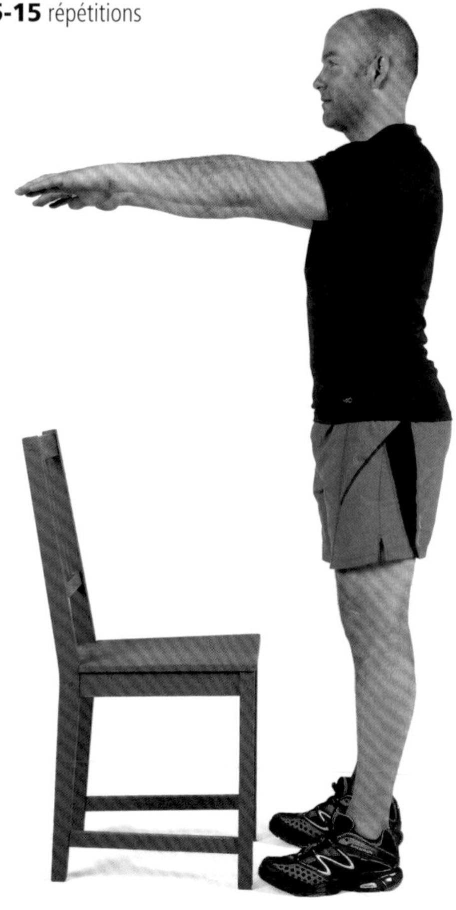

RENFORCEMENT

B

Fente avec appui sur une chaise

OBJECTIF

Renforcement général des membres inférieurs en situation d'instabilité latérale.

INDICATIONS

› En position de fente haute, avec appui sur le dossier de la chaise du côté opposé (le poids sur le talon de la jambe avant).

› Fléchir aussi bas que possible, sans que le genou arrière touche le sol (environ 90 degrés de flexion).

› Remonter jusqu'à l'extension complète des jambes.

› Maintenir une composante d'autograndissement en tout temps.

ÉVITER de projeter le genou vers l'avant lors de la descente.

PRESCRIPTION

1-3 x **5-15** répétitions

RENFORCEMENT

C

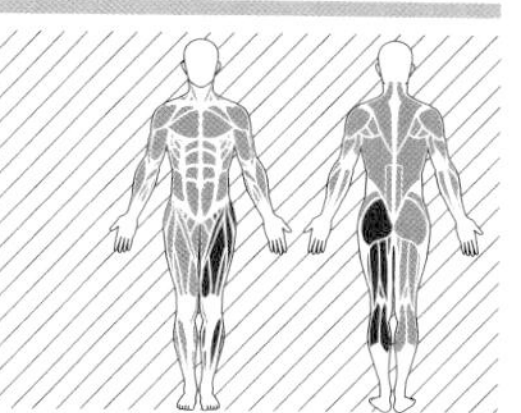

Fente avant (marche)

OBJECTIF

Renforcement dynamique des membres inférieurs en situation de charge.

INDICATIONS

› En position debout (avec appui au mur au besoin).

› Faire un pas en avant et descendre en position de fente.

› Fléchir aussi bas que possible sans que le genou arrière touche le sol (environ 90 degrés de flexion).

› Remonter jusqu'à l'extension complète de la jambe en faisant un pas en avant et en alternant la jambe cible.

› Maintenir le poids sur le talon de la jambe avant en tout temps.

ÉVITER de se pencher vers l'avant.

PRESCRIPTION

1-3 x **5-15** répétitions

DÉFINITION : Il s'agit de la rupture d'un ménisque, principalement au niveau des genoux. L'étiologie est presque toujours de nature traumatique. On peut alors observer un simple décollement avec déplacement du ménisque ou encore une déchirure partielle ou complète de ce dernier. S'il y avait déplacement d'un fragment du ménisque, il pourrait y avoir une incapacité complète à bouger l'articulation.

Après la résorption de la phase aiguë, un problème méniscal se manifestera par des douleurs répétées lorsqu'il y aura mobilisation de l'articulation. On observera fréquemment un phénomène de « dérobade » du genou, qui se traduit par une perte de contrôle soudaine pendant la marche et qui peut provoquer une chute. Il pourrait également y avoir des blocages intermittents et répétitifs à des angles particuliers. La déchirure partielle a un bon pronostic, avec le repos et l'immobilisation, tandis que la déchirure complète nécessitera très souvent une chirurgie.

Déchirure méniscale

PROGRAMME DE RÉÉDUCATION

PHASE 1

Libérer le ménisque

Il s'agit de minimiser la compression de l'articulation (genou) en utilisant la traction pour décomprimer l'articulation lésée. Il peut être intéressant d'utiliser le poids du segment atteint ou une instrumentation quelconque pour réaliser la décompression. Les exercices d'étirement ciblant les muscles autour de l'articulation auront aussi pour effet de minimiser les contraintes de compression.

PHASE 2

Améliorer la mécanique fonctionnelle de l'articulation

Une bonne éducation posturale et gestuelle, de même que des mises en situation fonctionnelles variées seront nécessaires pour améliorer la mobilité physiologique de l'articulation atteinte, et ce, dans toutes les directions. Le travail proprioceptif et le renforcement des muscles stabilisateurs de l'articulation en chaîne fermée (lorsque l'extrémité du segment est en appui au sol) aideront à retrouver une mécanique fonctionnelle.

PHASE 3

Prévenir la récidive

Les exercices actifs avec grande amplitude de mouvement préserveront les acquis. Il sera évidemment important de bien choisir ses activités et d'éviter les mouvements de rotation au niveau du genou.

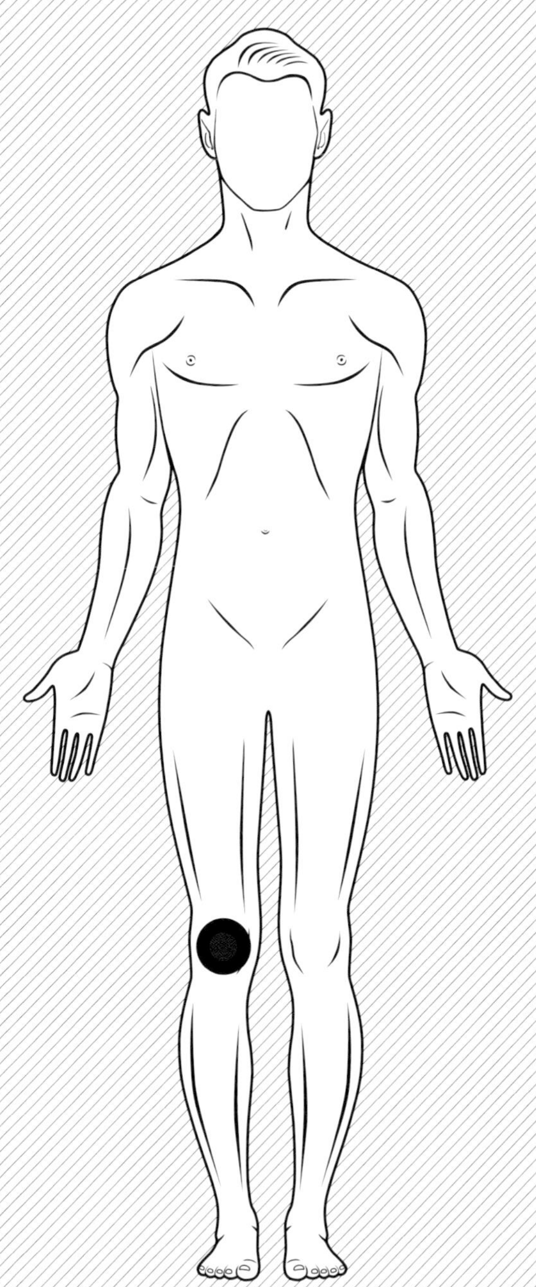

DÉCHIRURE MÉNISCALE

Étirement du psoas-iliaque en position debout

OBJECTIF

Étirement du muscle psoas-iliaque en situation de charge.

INDICATIONS

› En position de fente haute, poser le pied du membre cible derrière le corps (talons au sol).

› Garder le poids sur la jambe de devant avec mains sur les hanches au besoin (pour aider à se stabiliser).

› Amener le bassin en rétroversion (rentrer le bas du ventre) puis en antéprojection (avancer légèrement le bassin) pour accentuer l'étirement.

› Maintenir l'alignement du corps (autograndissement).

ÉVITER de se pencher vers l'avant.

PRESCRIPTION

1-3 x **15-30** SECONDES

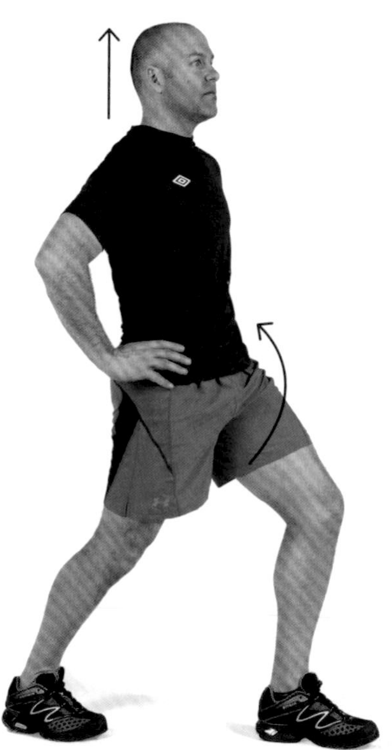

ÉTIREMENT

B

Étirement des ischiojambiers en appui au mur

OBJECTIF

Étirement unilatéral des muscles biceps fémoral, semi-tendineux et semi-membraneux ainsi que des jumeaux avec appui.

INDICATIONS

› En position couchée avec appui de la jambe cible sur un mur ou dans un cadre de porte.

› Exécuter une extension complète de la jambe tout en amenant la cheville en flexion jusqu'à ressentir une sensation d'étirement à l'arrière de la jambe.

› Maintenir le bassin en antéversion (creuser le bas du dos) pour accentuer l'étirement.

ÉVITER de laisser le bassin se soulever du sol.

PRESCRIPTION

1-3 x **15-30** secondes

ÉTIREMENT

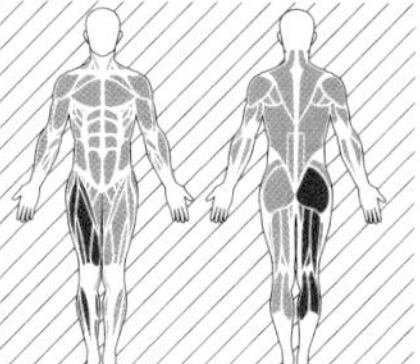

Décompression du membre inférieur en position assise

OBJECTIF

Mobilisation du membre inférieur par traction.

INDICATIONS

› En position assise, le pied de la jambe cible bloqué derrière un support fixe.

› Exécution d'une composante de traction en poussant avec la jambe opposée tout en reculant le bassin (essayer de sortir les fesses) jusqu'à ressentir une sensation de décompression.

ÉVITER de contracter la cuisse du côté cible pendant le mouvement.

PRESCRIPTION

1-3 x **15-30** secondes

PROPRIOCEPTION

A

Extension active du genou avec un ballon

OBJECTIF

Travail proprioceptif combiné du genou et de la cheville sur surface instable en flexion/extension.

INDICATIONS

› En position assise (surélevée) avec le pied au centre du ballon.
› Exécuter une extension active du genou en enfonçant celui-ci vers le sol tout en exécutant une poussée du talon et une flexion du pied.
› Fléchir le genou en ramenant le talon le plus près possible, tout en maintenant la plante du pied en contact avec le ballon.

ÉVITER de perdre le contact avec le ballon lors de la flexion.

PRESCRIPTION

1-3 x **5-15** répétitions

PROPRIOCEPTION

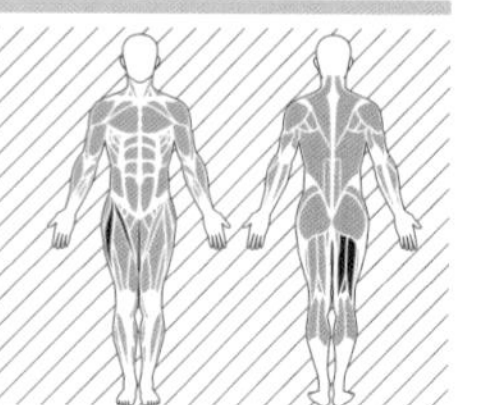

B

Mouvements rotatoires du genou avec un ballon

OBJECTIF

Travail proprioceptif du genou sur une surface instable en rotation.

INDICATIONS

› En position assise avec un pied au centre du ballon.
› Hanche et genou fléchis à environ 90 degrés.
› Exécuter une rotation médiale, puis latérale du tibia en faisant tourner légèrement le ballon au sol.

ÉVITER de compenser avec une abduction ou une adduction de la hanche ou du pied.

PRESCRIPTION

1-3 x **5-15** répétitions

PROPRIOCEPTION

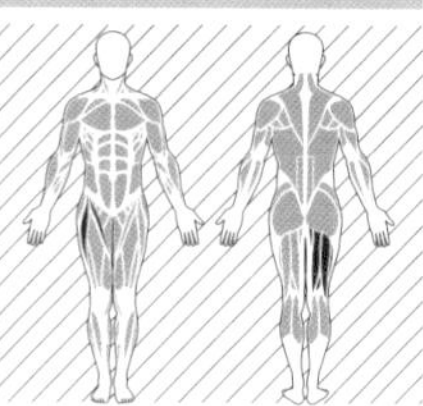

Mouvements latéraux du genou avec ballon

OBJECTIF

Travail proprioceptif combiné du genou et de la cheville sur une surface instable en latéro-flexion.

INDICATIONS

› En position assise avec un pied au centre du ballon.
› Hanche et genou fléchis à environ 90 degrés.
› Exécuter un déplacement latéral extérieur, puis intérieur du ballon en tentant de maintenir le genou au même endroit.

ÉVITER de perdre le contact du pied sur le ballon.

PRESCRIPTION

1-3 x **5-15** répétitions

RENFORCEMENT

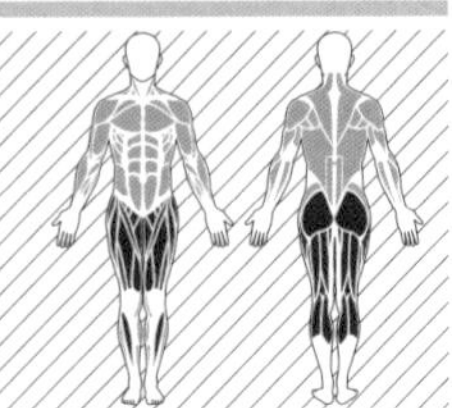

Squat au mur avec un ballon

OBJECTIF

Renforcement général des membres inférieurs en appui sur un ballon.

INDICATIONS

- En position debout, dos au mur, avec le ballon au creux du bas du dos et les pieds légèrement avancés.
- Descendre en position accroupie, aussi bas que possible, avant de compenser avec le dos ou le bassin (rétroversion).
- Garder le poids sur les talons en tout temps.
- Remonter jusqu'à l'extension complète des jambes.

ÉVITER de projeter les genoux vers l'avant lors de la descente.

PRESCRIPTION

1-3 x **5-15** répétitions

RENFORCEMENT

B

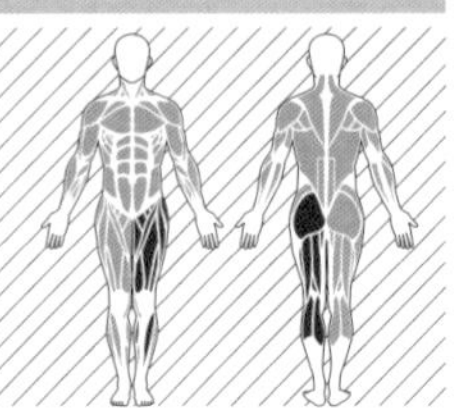

Fente avec appui au mur

OBJECTIF

Renforcement général des membres inférieurs en situation d'instabilité latérale.

INDICATIONS

- En position de fente haute, le long d'un mur, avec appui du côté opposé (poids sur le talon de la jambe avant).
- Fléchir aussi bas que possible sans que le genou arrière touche le sol (environ 90 degrés de flexion).
- Remonter jusqu'à l'extension complète des jambes.
- Maintenir une composante d'autograndissement en tout temps.

ÉVITER de projeter le genou vers l'avant lors de la descente.

PRESCRIPTION

1-3 x **5-15** répétitions

RENFORCEMENT

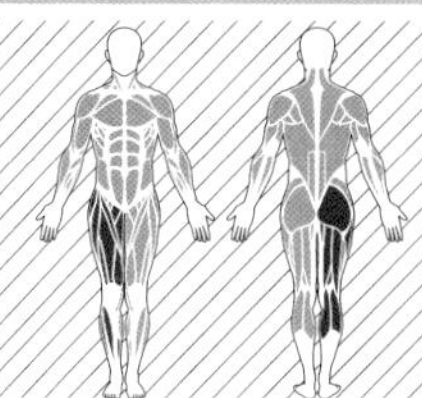

Montée de banc avec appui au mur

OBJECTIF

Renforcement général des membres inférieurs en situation d'instabilité latérale à grande amplitude.

INDICATIONS

› En position debout, membre cible sur une surface surélevée et stable (membre opposé près de l'appui).
› Monter jusqu'à extension complète en poussant avec le talon de la jambe cible.
› Redescendre lentement en retenant toujours le mouvement avec la jambe cible.
› Maintenir une composante d'autograndissement en tout temps.

ÉVITER de projeter le corps vers l'avant lors du mouvement.

PRESCRIPTION

1-3 x **5-15** répétitions

DÉFINITION : Une entorse est une lésion traumatique d'une articulation à la suite d'une distorsion brusque. Il y a alors élongation traumatique ou même déchirure partielle ou complète des ligaments. Dans l'entorse simple, il n'y a cependant pas de déplacement permanent des surfaces articulaires. Une entorse est donc toujours ligamentaire et non musculaire. Plusieurs articulations sont susceptibles de subir une entorse ; nous verrons les principales.

Entorses]

Entorse de la **cheville**
Entorse du **genou**
Entorse **lombaire**
Entorse de l'**épaule**

PROGRAMME DE RÉEDUCATION

PHASE 1

Favoriser la cicatrisation du ligament, améliorer la synthèse du collagène pour redonner de la résistance au ligament

La mise en position de raccourcissement ligamentaire par une attelle ou un plâtre peut s'avérer nécessaire pour que le ligament se cicatrise correctement. La contraction isométrique (sans mouvement) des muscles connexes à l'articulation touchée est une façon sécuritaire d'entretenir le tonus musculaire sans risquer d'aggraver la blessure. Cet entraînement précoce assurera par le fait même la stabilité de l'articulation affectée.

PHASE 2

Stabiliser l'articulation

Améliorer la nutrition du ligament par la pratique d'activités cardiovasculaires qui ne sollicitent pas directement l'articulation atteinte est une bonne façon d'accélérer le processus de guérison. Grâce à un apport riche en neutrophiles, nutriments de réparation contenus dans le sang, le ligament bénéficiera d'une meilleure nutrition. La tonification des muscles protecteurs en isométrie se fera d'abord de façon concentrique (en position raccourcie), puis graduellement on passera à des exercices isotoniques (contraction avec mouvements) de façon concentrique (à amplitude réduite), puis excentrique par la suite (amplitude complète).

PHASE 3

Poursuivre la stabilisation articulaire grâce au système musculaire

Entretenir la tonification des muscles protecteurs et stabilisateurs de l'articulation atteinte. Des exercices de proprioception, c'est-à-dire de contrôle du corps dans l'espace, seront à prioriser pour leur effet de stabilisation. De plus, des mises en situation fonctionnelles variées, dans des positions de tous les jours (travail, repos, marche, etc.), seront nécessaires pour réintégrer le ligament dans la gestuelle quotidienne.

ÉTIREMENT

A

Étirement des jumeaux au mur

OBJECTIF

Étirement spécifique des muscles jumeaux ainsi que du soléaire en situation de charge avec appui.

INDICATIONS

› En position de fente avant en appui au mur (coudes fléchis).

› Projeter lentement le poids du corps sur la jambe avant tout en maintenant les talons au sol, jusqu'à ressentir une sensation d'étirement dans la jambe arrière.

› Augmenter l'extension du genou arrière ou la flexion du genou avant pour accentuer l'étirement.

› Maintenir l'alignement du corps en tout temps.

ÉVITER de laisser les talons se soulever du sol.

PRESCRIPTION

1-3 x **15-30** secondes

ÉTIREMENT

B

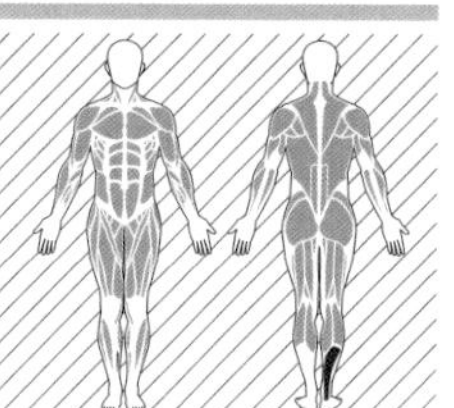

Étirement des inverseurs du pied avec une serviette

OBJECTIF

Étirement spécifique des muscles long fléchisseur de l'hallux et tibial postérieur.

INDICATIONS

› En position assise au sol, entourer la partie distale du pied d'une serviette et croiser les bouts avant de les saisir.

› Exécuter une flexion de la cheville en amenant le pied d'abord vers soi avec les deux mains, puis une éversion en tractant davantage avec la main du côté opposé au membre cible.

› Maintenir une composante d'autograndissement.

ÉVITER de trop comprimer la cheville en tirant vers le bas.

PRESCRIPTION

1-3 X **15-30** SECONDES

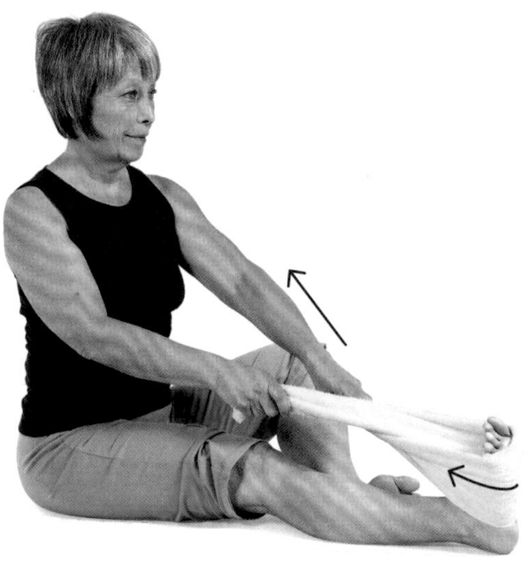

PROPRIOCEPTION

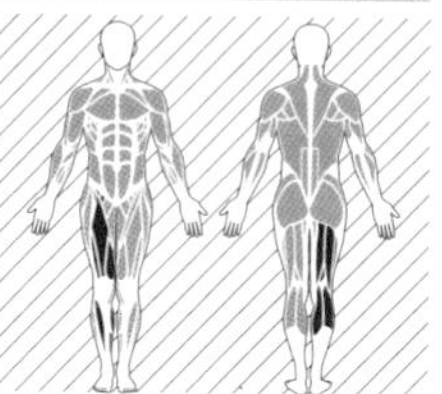

Extension active du genou et de la cheville avec un ballon

OBJECTIF

Travail proprioceptif combiné du genou et de la cheville sur une surface instable en flexion/extension.

INDICATIONS

› En position assise (surélevée) avec le pied au centre du ballon.

› Exécuter une extension active du genou et de la cheville en enfonçant le genou vers le sol, tout en maintenant la face plantaire du pied en contact avec le ballon.

› Fléchir le genou en ramenant le talon le plus près possible tout en maintenant la plante du pied en contact avec le ballon.

ÉVITER de perdre le contact avec le ballon.

PRESCRIPTION

1-3 x **15** répétitions

RENFORCEMENT

A

Contraction isométrique des éverseurs du pied avec une serviette

OBJECTIF

Renforcement isométrique spécifique des muscles court et long fibulaires et du long extenseur des orteils.

INDICATIONS

› En position assise au sol, entourer la partie distale du pied d'une serviette et croiser les bouts avant de les saisir.

› Exécuter une flexion de la cheville en amenant le pied d'abord vers soi avec les deux mains, puis une inversion en tractant davantage avec la main du côté cible.

› Résister aussi fort que possible vers l'extérieur et maintenir la position contre le mouvement.

ÉVITER de trop comprimer la cheville en tirant vers le bas.

PRESCRIPTION

1-3 x **15-30** secondes

RENFORCEMENT

B

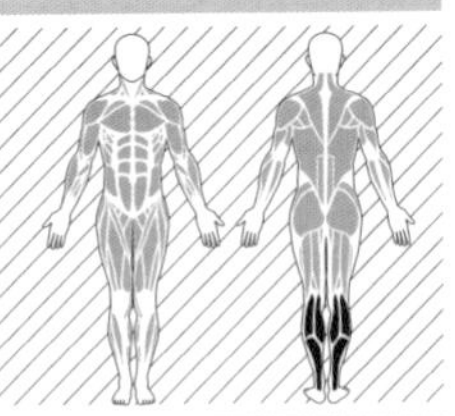

Extension de la cheville au sol

OBJECTIF

Renforcement anisométrique des muscles extenseurs de la cheville.

INDICATIONS

› En position debout, avec appui au mur si nécessaire.

› Exécuter une poussée avec l'avant du pied jusqu'à extension complète (sur le bout des orteils), puis revenir à la position de départ.

› Maintenir les jambes en extension pendant le mouvement.

ÉVITER d'amener les genoux en hyperextension.

PRESCRIPTION

1-3 x **5-15** répétitions

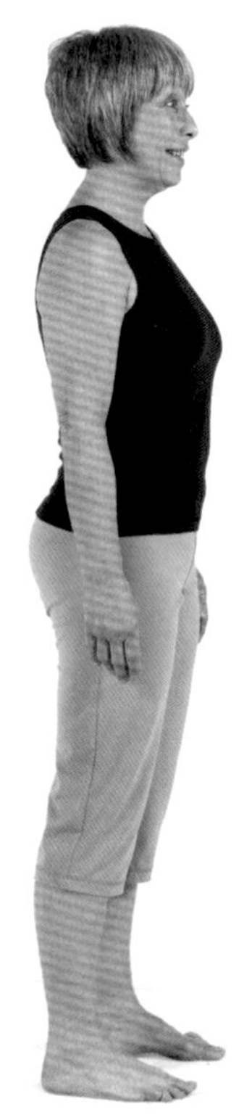

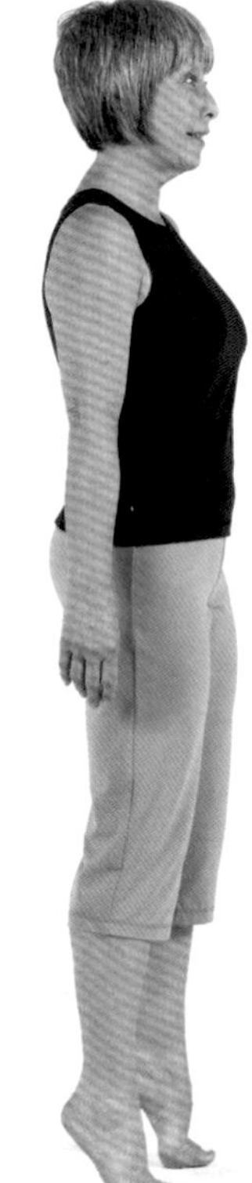

PROPRIOCEPTION

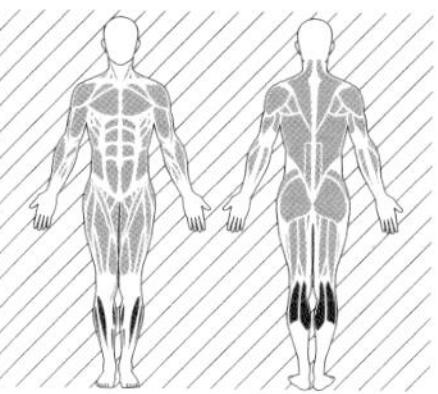

Marche proprioceptive

OBJECTIF

Stimulation des muscles du pied dans diverses positions.

INDICATIONS

› Marcher lentement et de façon contrôlée en maintenant l'appui sur les bords interne et externe, ou encore sur l'avant et l'arrière des pieds.

› Alterner les positions.

ÉVITER les pas longs ou saccadés.

PRESCRIPTION

1-3 x **5-15** répétitions

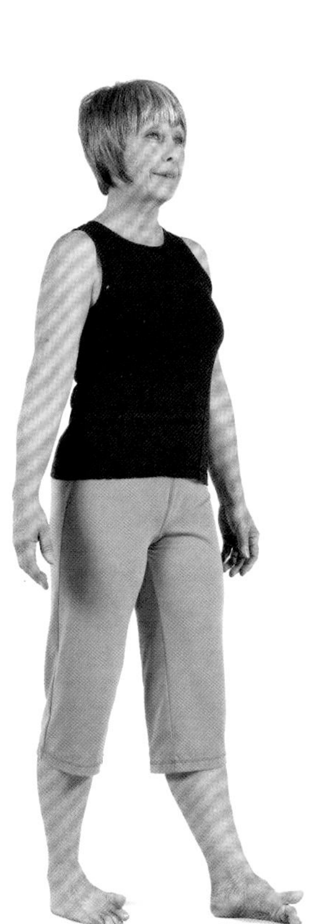

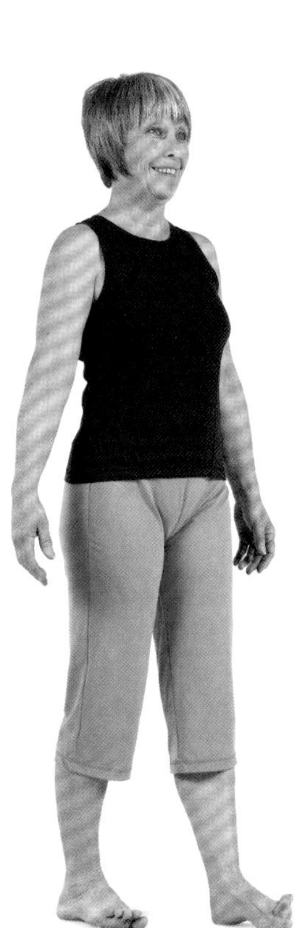

RENFORCEMENT

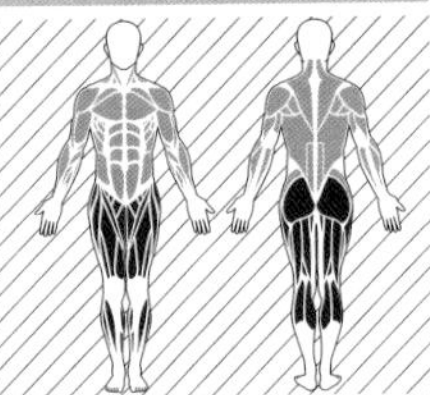

Squat au mur avec un ballon et extension de la cheville

OBJECTIF

Renforcement général des membres inférieurs en extension complète avec un ballon.

INDICATIONS

› En position debout, dos au mur avec le ballon au creux du bas du dos et les pieds légèrement avancés.

› Descendre en position accroupie aussi bas que possible en gardant le poids sur les talons en tout temps.

› Remonter jusqu'à l'extension complète des genoux et terminer avec une extension des chevilles.

ÉVITER de compenser avec le dos ou le bassin (rétroversion).

PRESCRIPTION

1-3 x **5-15** répétitions

RENFORCEMENT

B

Fente avec appui au mur et extension de la cheville

OBJECTIF

Renforcement général des membres inférieurs en extension complète et en situation d'instabilité latérale.

INDICATIONS

› En position de fente haute, le long d'un mur, avec appui du côté opposé (le poids sur le talon de la jambe avant).

› Fléchir aussi bas que possible sans que le genou arrière touche le sol (environ 90 degrés de flexion).

› Remonter jusqu'à l'extension complète du genou et terminer avec une extension de la cheville.

› Maintenir une composante d'autograndissement en tout temps.

ÉVITER de projeter le genou vers l'avant lors de la descente.

PRESCRIPTION

1-3 x **5-15** répétitions

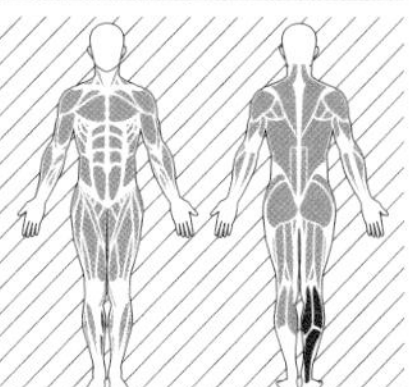

Flexion/extension de la cheville sur une marche avec appui

OBJECTIF

Renforcement anisométrique avec étirement actif des muscles extenseurs de la cheville à grande amplitude.

INDICATIONS

› En position debout, le pied sur le bord d'une marche (avec appui au mur si nécessaire).

› Exécuter une flexion de la cheville en laissant lentement descendre le talon aussi bas que possible, puis pousser avec l'avant du pied jusqu'à l'extension complète de la cheville (sur le bout des orteils).

› Maintenir la jambe en extension pendant le mouvement.

ÉVITER d'amener le genou en hyperextension.

PRESCRIPTION

1-3 x **5-15** répétitions

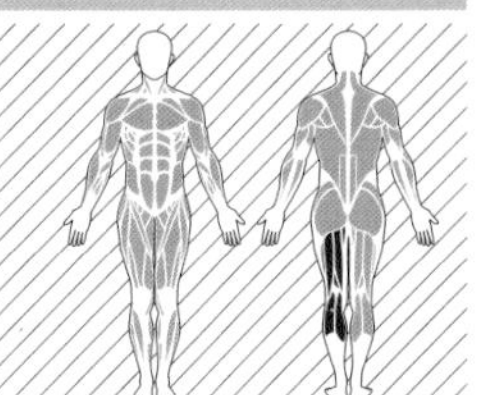

ÉTIREMENT

B

Étirement du psoas-iliaque en position debout

OBJECTIF

Étirement du muscle psoas-iliaque en situation de charge.

INDICATIONS

› En position de fente haute, poser le pied du membre cible derrière le corps (talons au sol).

› Garder le poids sur la jambe de devant avec les mains sur les hanches au besoin (pour aider à se stabiliser).

› Amener le bassin en rétroversion (rentrer le bas du ventre) puis en antéprojection (avancer légèrement le bassin) pour accentuer l'étirement.

› Maintenir l'alignement du corps (autograndissement).

ÉVITER de se pencher vers l'avant.

PRESCRIPTION

1-3 x **15-30** secondes

Étirement actif des ischiojambiers au mur

OBJECTIF

Étirement dynamique des muscles biceps fémoral, semi-tendineux et semi-membraneux avec appui.

INDICATIONS

› En position couchée avec appui de la jambe cible sur un mur ou dans un cadre de porte.

› Exécuter une extension active des genoux tout en amenant la cheville en flexion jusqu'à ressentir une sensation d'étirement à l'arrière de la jambe.

› Amener le genou davantage vers le mur ou les orteils vers soi pour accentuer l'étirement.

ÉVITER de laisser le bassin se soulever du sol.

PRESCRIPTION

1-3 x **15-30** secondes

PROPRIOCEPTION

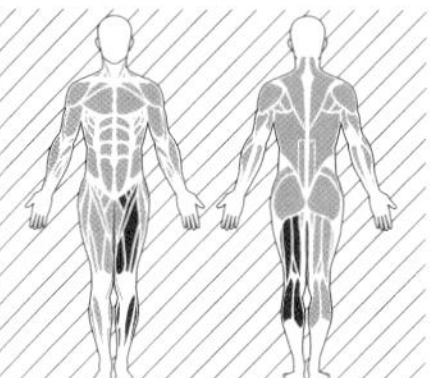

Extension active du genou et de la cheville avec un ballon

OBJECTIF

Travail proprioceptif combiné du genou et de la cheville sur une surface instable en flexion/extension.

INDICATIONS

› En position assise (surélevée) avec le pied au centre du ballon.
› Exécuter une extension active du genou et de la cheville en enfonçant le genou vers le sol tout en gardant le contact avec la face plantaire du pied sur le ballon.
› Fléchir le genou en ramenant le talon le plus près possible, tout en maintenant la plante du pied en contact avec le ballon.

ÉVITER de perdre le contact avec le ballon.

PRESCRIPTION

1-3 x **5-15** répétitions

ENTORSE DU **GENOU**

PROPRIOCEPTION

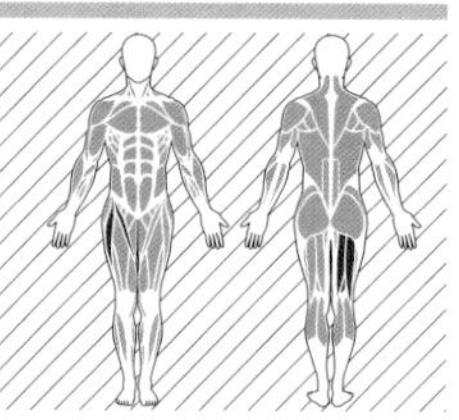

Mouvements rotatoires du genou avec un ballon

OBJECTIF

Travail proprioceptif du genou en rotation sur une surface instable.

INDICATIONS

› En position assise avec un pied au centre du ballon.
› Hanche et genou fléchis à environ 90 degrés.
› Exécuter une rotation médiale puis latérale du tibia en faisant tourner légèrement le ballon au sol.

ÉVITER de compenser avec une abduction ou une adduction de la hanche ou du pied.

PRESCRIPTION

1-3 x **5-15** répétitions

RENFORCEMENT

B

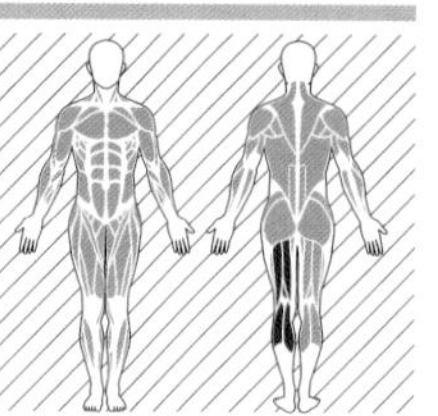

Contraction isométrique en flexion du genou

OBJECTIF

Renforcement isométrique des muscles biceps fémoral, semi-tendineux, semi-membraneux et jumeaux.

INDICATIONS

› En position assise sur une chaise, hanche, genou et cheville fléchis à environ 90 degrés.
› Exécuter une contraction isométrique de la jambe en appliquant une pression contre l'appui avec le talon (cheville toujours en flexion).
› Maintenir la résistance aussi longtemps que possible.

ÉVITER de pointer les orteils pendant l'exercice.

PRESCRIPTION

1-3 x **15-30** secondes

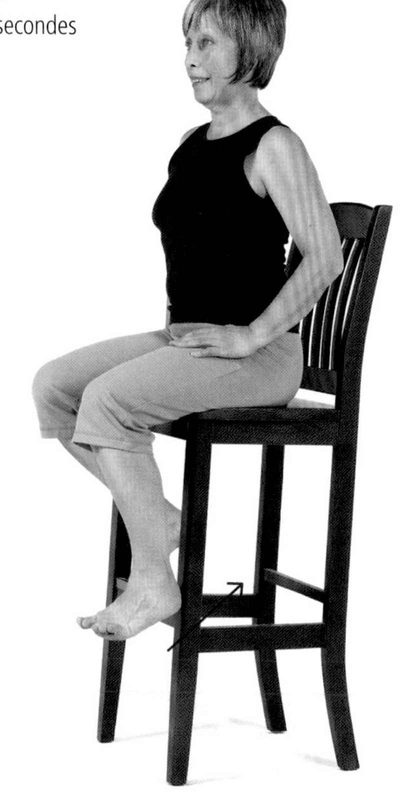

RENFORCEMENT

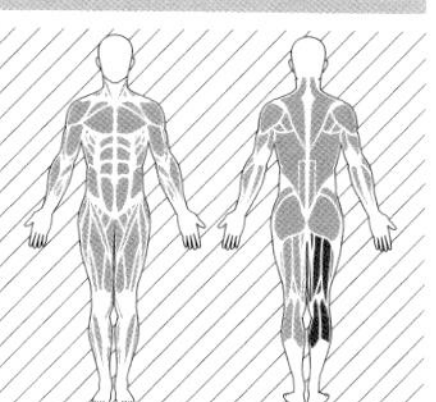

Contraction isométrique en flexion du genou avec rotation

OBJECTIF

Renforcement spécifique des muscles biceps fémoral, semi-tendineux et semi-membraneux.

INDICATIONS

› En position assise sur une chaise, hanche, genou et cheville fléchis à environ 90 degrés.
› Exécuter une contraction isométrique de la jambe en appliquant une pression contre l'appui avec le talon (cheville toujours en flexion).
› Ajouter une composante de rotation médiale ou latérale au niveau du genou et maintenir la résistance aussi longtemps que possible.

ÉVITER de compenser avec une abuction ou une adduction de la hanche ou du pied.

PRESCRIPTION

1-3 x **15-30** secondes

RENFORCEMENT

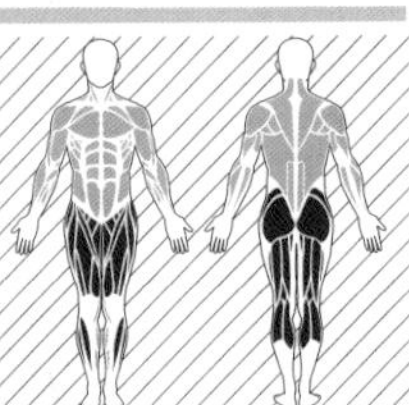

Squat profond avec une chaise

OBJECTIF

Renforcement général des membres inférieurs avec appui antérieur.

INDICATIONS

› En position debout, les pieds à la largeur des hanches et les mains sur le dossier (déposer un objet lourd sur la chaise si elle n'est pas assez stable).

› Descendre lentement en position accroupie, aussi bas que possible, tout en maintenant le poids sur les talons.

› Remonter jusqu'à l'extension complète des jambes une fois le maximum d'amplitude atteint au bas du mouvement.

ÉVITER de se laisser tomber vers l'arrière lors de la descente.

PRESCRIPTION

1-3 x **5-15** répétitions

RENFORCEMENT

B

Fente avec appui sur une chaise

OBJECTIF

Renforcement général des membres inférieurs en situation d'instabilité latérale.

INDICATIONS

› En position de fente haute, avec appui sur le dossier de la chaise du côté opposé (poids sur le talon de la jambe avant).
› Fléchir aussi bas que possible sans que le genou arrière touche le sol (environ 90 degrés de flexion).
› Remonter jusqu'à l'extension complète de la jambe.
› Maintenir une composante d'autograndissement en tout temps.

ÉVITER de projeter le genou vers l'avant lors de la descente.

PRESCRIPTION

1-3 x **5-15** répétitions

RENFORCEMENT

C

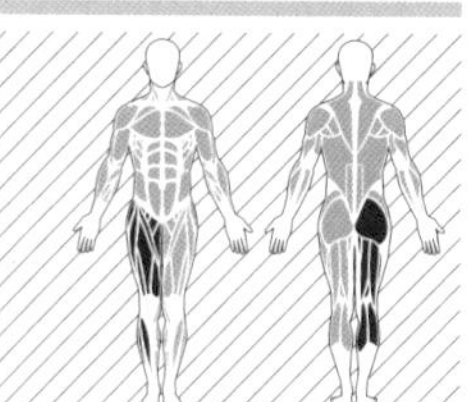

Montée de banc avec appui au mur

OBJECTIF

Renforcement général des membres inférieurs en situation d'instabilité latérale à grande amplitude.

INDICATIONS

› En position debout, membre cible sur une surface surélevée et stable (membre opposé près de l'appui).
› Monter jusqu'à extension complète en poussant avec le talon de la jambe cible.
› Redescendre lentement en retenant toujours le mouvement avec la jambe cible.
› Maintenir une composante d'autograndissement en tout temps.

ÉVITER de projeter le corps vers l'avant lors du mouvement.

PRESCRIPTION

1-3 x **5-15** répétitions

ENTORSE **LOMBAIRE**

ÉTIREMENT

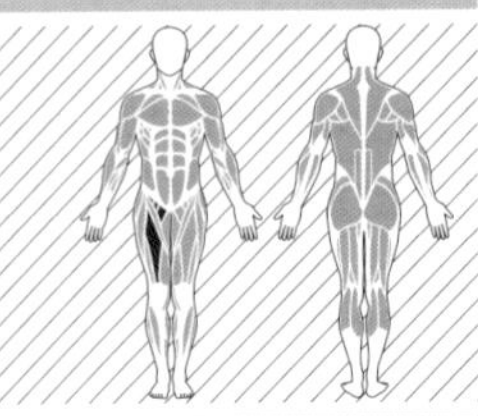

Étirement des fléchisseurs de la hanche genou au sol

OBJECTIF

Étirement combiné des muscles psoas-iliaque et droit fémoral.

INDICATIONS

› En position de fente basse, poser le genou de la jambe cible sur un coussin ou une serviette.

› Garder le poids sur la jambe de devant avec appui des mains au besoin (pour aider à se stabiliser).

› Amener le bassin en rétroversion (rentrer le ventre) puis en antéprojection (avancer le bassin) pour accentuer le mouvement.

› Maintenir l'alignement du corps (autograndissement).

ÉVITER de se pencher vers l'avant.

PRESCRIPTION

1-3 x **15-30** secondes

ÉTIREMENT

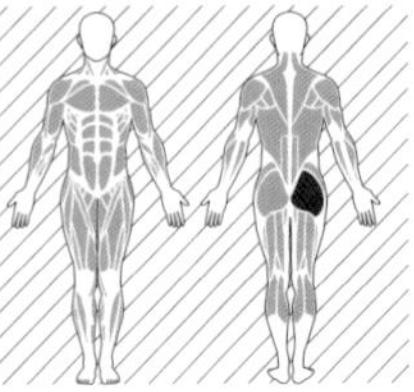

Étirement du grand fessier en position couchée

OBJECTIF

Étirement plus spécifique du muscle grand fessier.

INDICATIONS

› Couché sur le dos, saisir la jambe cible au genou avec la main opposée et stabiliser le bassin avec l'autre.

› Amener lentement le genou vers l'épaule opposée tout en cherchant à éloigner les deux prises, jusqu'à ressentir une sensation d'étirement dans la région fessière.

› Maintenir la jambe au sol bien allongée en tout temps.

ÉVITER de comprimer la hanche ou de tourner le bassin.

PRESCRIPTION

1-3 x **15-30** secondes

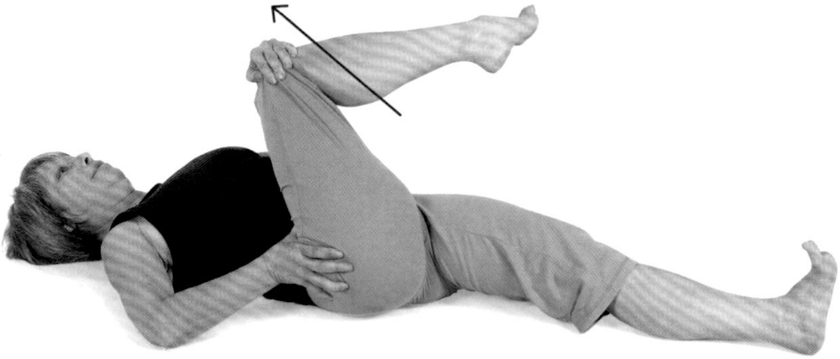

ÉTIREMENT

C

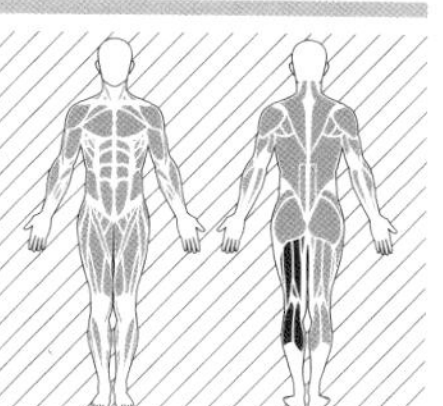

Étirement des ischiojambiers au mur

OBJECTIF

Étirement spécifique des muscles biceps fémoral, semi-tendineux et semi-membraneux ainsi que des jumeaux avec appui.

INDICATIONS

› En position couchée, en appuyant la jambe cible sur un mur ou un cadre de porte.

› Maintenir le genou en extension et la cheville en flexion jusqu'à ressentir une sensation d'étirement à l'arrière de la jambe.

› Tourner le pied vers l'intérieur pour accentuer l'étirement du biceps fémoral ou vers l'extérieur pour l'étirement des semi-membraneux et semi-tendineux.

ÉVITER de compenser avec le bassin.

PRESCRIPTION

1-3 x **15-30** secondes

ENTORSE **LOMBAIRE**

ÉTIREMENT

A

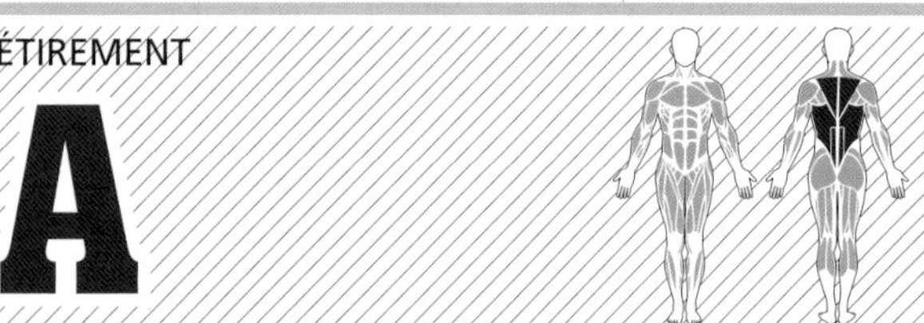

Étirement de la région lombaire au sol à genoux

OBJECTIF

Étirement général de la masse commune ainsi que des muscles dentelé postéro-inférieur, trapèze inférieur et grand dorsal.

INDICATIONS

› À genoux, bras allongés devant le corps et en appui au sol en supination (paumes vers le haut).

› Éloigner le bassin par rapport aux mains en cherchant à descendre et à allonger le corps.

ÉVITER de laisser le bassin remonter pendant l'étirement.

PRESCRIPTION

1-3 x **15-30** secondes

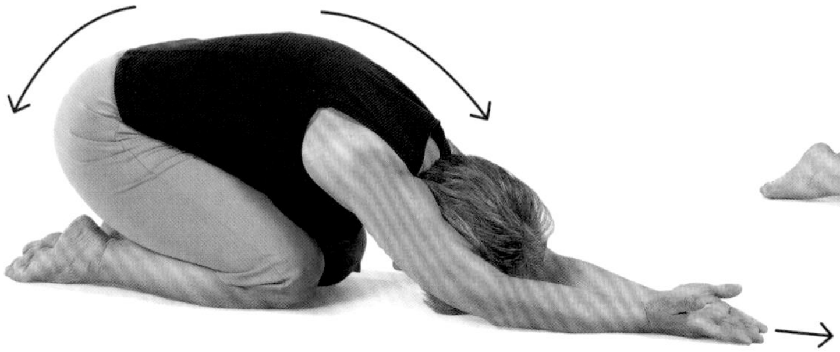

PROPRIOCEPTION

B

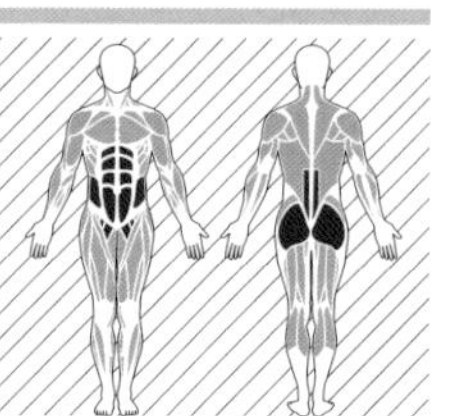

Antéversion/rétroversion du bassin avec mouvement lombaire

OBJECTIF

Travail proprioceptif du système vertébral complet.

INDICATIONS

› En position quadrupède, les mains à la largeur des épaules.

› Amener lentement le bassin en antéversion en inspirant (chercher à sortir les fesses, gonfler le thorax et creuser le dos).

› Ramener le bassin en rétroversion en expirant (chercher à rentrer le ventre, serrer les fesses et arrondir le dos).

› Poursuivre le mouvement jusqu'à la tête.

ÉVITER d'exagérer le mouvement dans la région thoracique.

PRESCRIPTION

1-3 x **5-15** répétitions

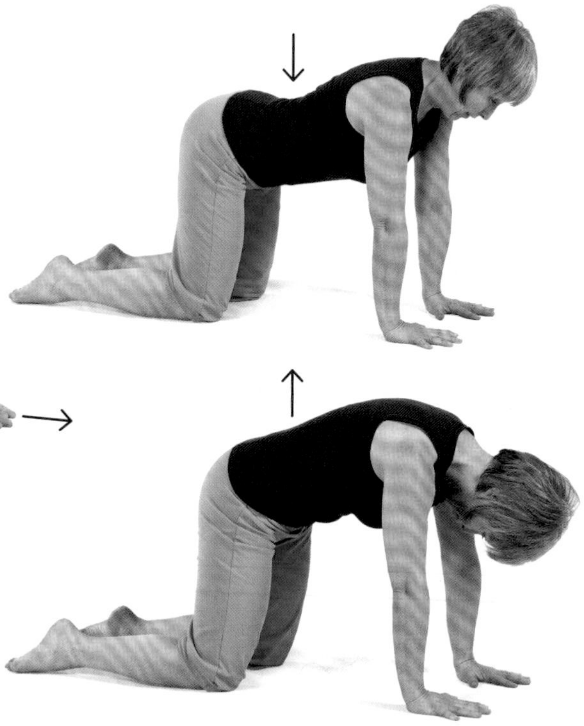

PROPRIOCEPTION

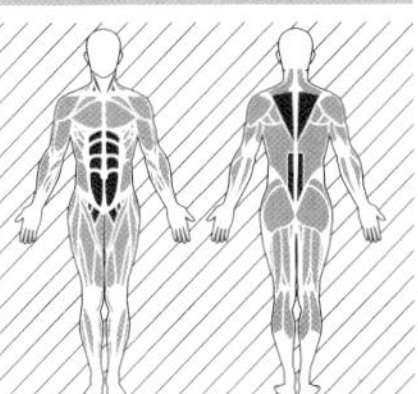

Exercice d'autograndissement en position couchée

OBJECTIF

Renforcement postural des muscles du tronc en situation de décharge.

INDICATIONS

- En position couchée, jambes tendues et bras le long du corps en supination (paumes vers le haut).
- Exécuter une bascule arrière des omoplates en appuyant les épaules fermement au sol.
- Rentrer le menton et exécuter une composante d'autograndissement en éloignant la tête et les talons.
- Redresser la position jusqu'à ressentir une sensation de décompression de la colonne vertébrale.

ÉVITER de compenser en creusant le bas du dos.

PRESCRIPTION

1-3 x **15-30** secondes

RENFORCEMENT

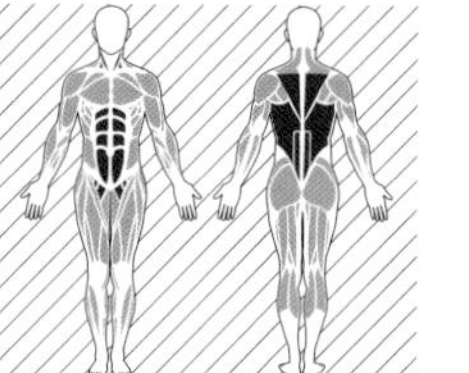

Exercice d'autograndissement en position assise

OBJECTIF

Renforcement postural des muscles du tronc en situation de charge.

INDICATIONS

› En position assise, jambes fléchies avec saisie derrière la cuisse.

› Exécuter une composante d'autograndissement en rentrant le menton tout en éloignant la tête vers le haut.

› Accentuer la bascule arrière ainsi que l'adduction des omoplates en s'aidant de la traction exercée sur les cuisses.

› Redresser la position jusqu'à ressentir une sensation de décompression de la colonne vertébrale.

ÉVITER de projeter la tête vers l'avant lors du mouvement.

PRESCRIPTION

1-3 x **15-30** secondes

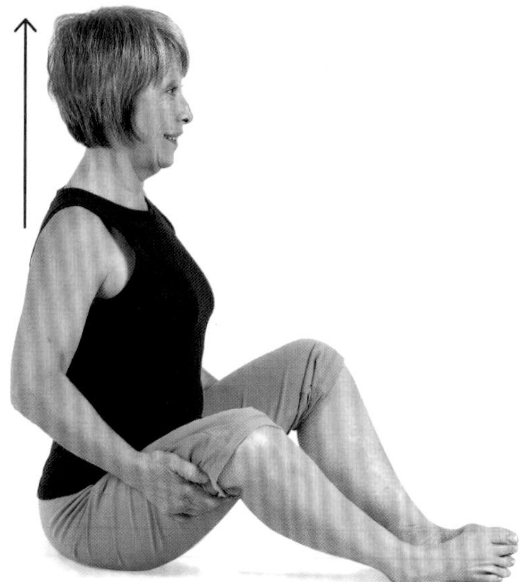

RENFORCEMENT

B

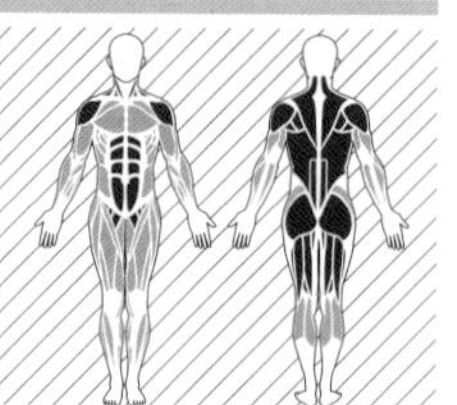

Exercice de poutre composite en position assise

OBJECTIF

Renforcement postural des muscles du tronc en flexion.

INDICATIONS

› En position assise sur un ballon, jambes fléchies et bras tendus au-dessus de la tête (mains jointes).

› Exécuter une composante d'autograndissement en amenant lentement le bassin en antéversion jusqu'à ressentir une sensation d'étirement derrière la jambe.

› Maintenir la position aussi longtemps que possible en cherchant à éloigner les mains et le bassin.

› Sentir l'effet de décompression au niveau vertébral.

ÉVITER de laisser tomber le dos ou les bras.

PRESCRIPTION

1-3 x **15-30** secondes

RENFORCEMENT

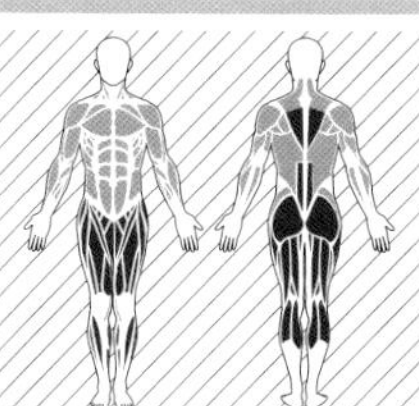

Soulevé de terre

OBJECTIF

Renforcement général des membres inférieurs avec une poutre composite.

INDICATIONS

› En position debout, bras tendus avec une charge entre les mains.
› Utiliser l'antéversion du bassin (sortir les fesses) pour descendre en position accroupie (squat).
› Maintenir la charge près du corps, le poids sur les talons, et surtout l'alignement vertébral tout au long du mouvement.
› Arrêter au milieu du tibia ou avant de compenser avec le dos ou le bassin (rétroversion).
› Retourner lentement à la position de départ en utilisant les hanches.

ÉVITER de courber le dos lors du mouvement.

PRESCRIPTION

1-3 x **5-15** répétitions

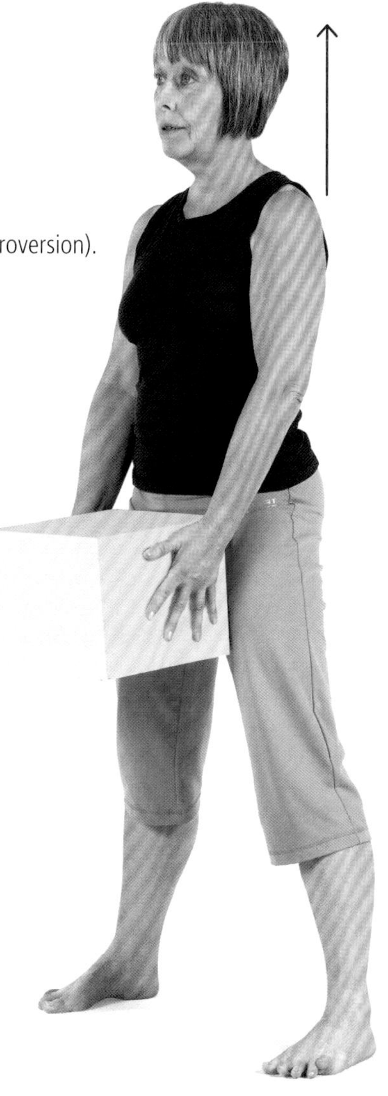

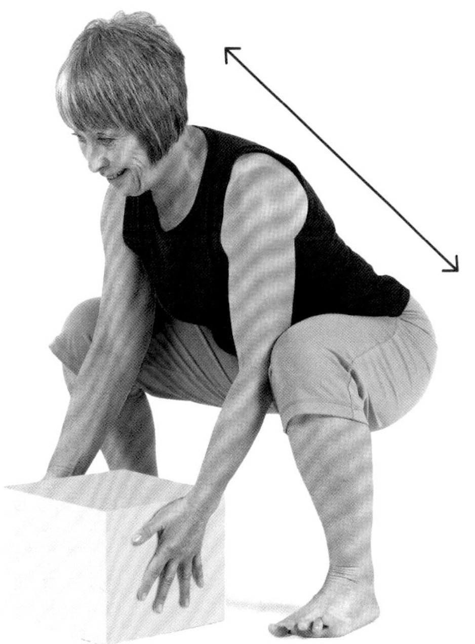

ENTORSE DE L'**ÉPAULE**

ÉTIREMENT

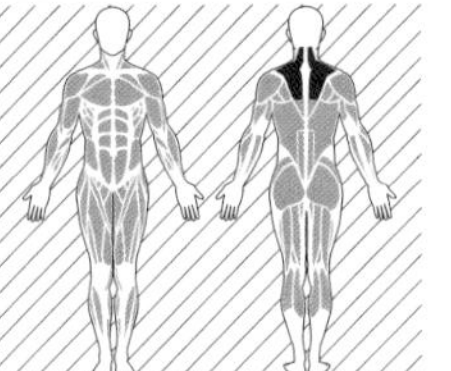

Étirement de la région postérieure du thorax au mur

OBJECTIF

Étirement global et léger des muscles trapèze et rhomboïdes.

INDICATIONS

› En position debout, dos au mur et bras tendus devant le corps, mains jointes.

› Rentrer le menton et tenter de plaquer la colonne au mur pour exécuter une composante d'autograndissement.

› Éloigner les mains vers l'avant et vers le bas jusqu'à ressentir une sensation d'étirement derrière la nuque.

ÉVITER de laisser le cou revenir en lordose.

PRESCRIPTION

1-3 x **15-30** secondes

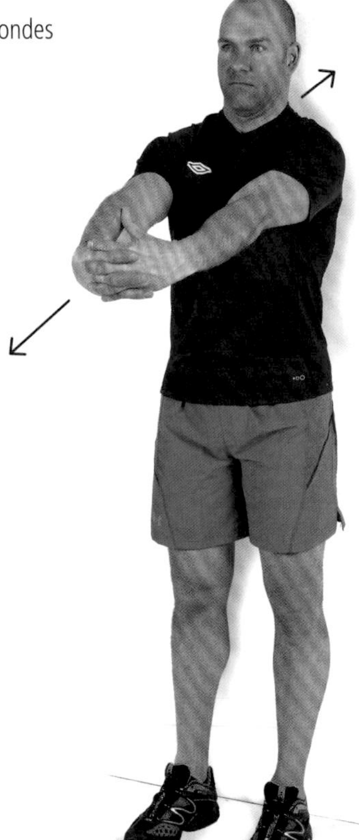

ÉTIREMENT

B

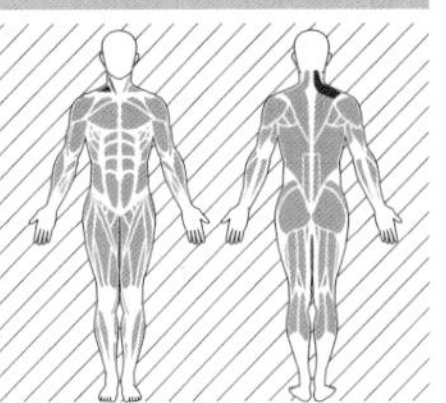

Étirement de la région latérale du cou

OBJECTIF

Étirement plus spécifique des muscles trapèze supérieur et rhomboïdes.

INDICATIONS

› En position debout, tendre une serviette devant, entre le pied du côté opposé et la main du côté cible.

› Rentrer le menton et incliner doucement vers le côté opposé en tournant légèrement la tête vers le côté cible.

› Arrêter le mouvement lorsqu'il y a sensation d'étirement.

› Maintenir la position la tête haute (autograndissement).

ÉVITER de pencher la tête vers l'avant ou l'arrière.

PRESCRIPTION

1-3 x **15-30** secondes

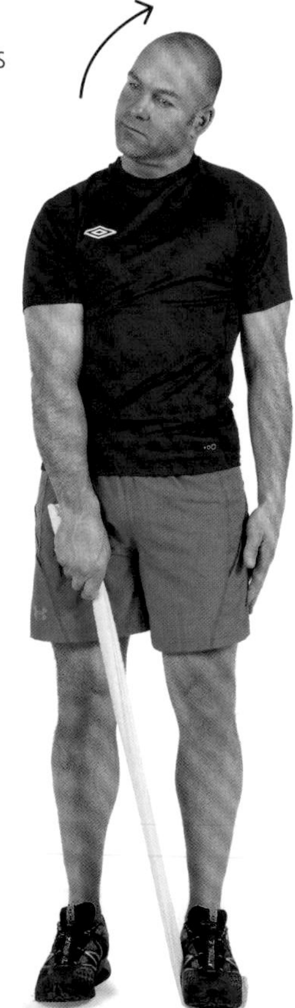

PROPRIOCEPTION

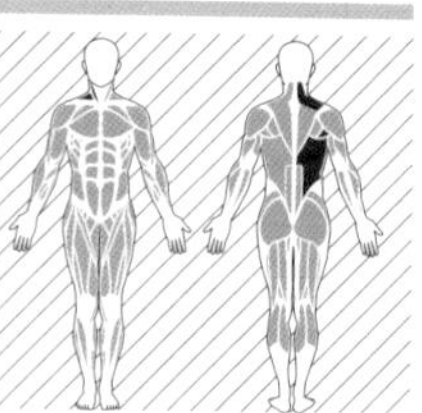

Étirement actif de la région latérale du cou avec abaissement de la tête humérale

OBJECTIF

Étirement général des muscles trapèze supérieur, scalènes et élévateur de la scapula avec abaissement actif de la tête humérale.

INDICATIONS

› En position debout, menton rentré.

› Incliner la tête du côté opposé tout en maintenant l'autograndissement.

› Exécuter un abaissement actif de la tête humérale par l'action combinée d'une remontée des doigts et d'une poussée de la paume légèrement vers l'avant et l'extérieur.

› Maintenir la position.

ÉVITER de pencher la tête vers l'avant ou l'arrière.

PRESCRIPTION

1-3 x **15-30** secondes

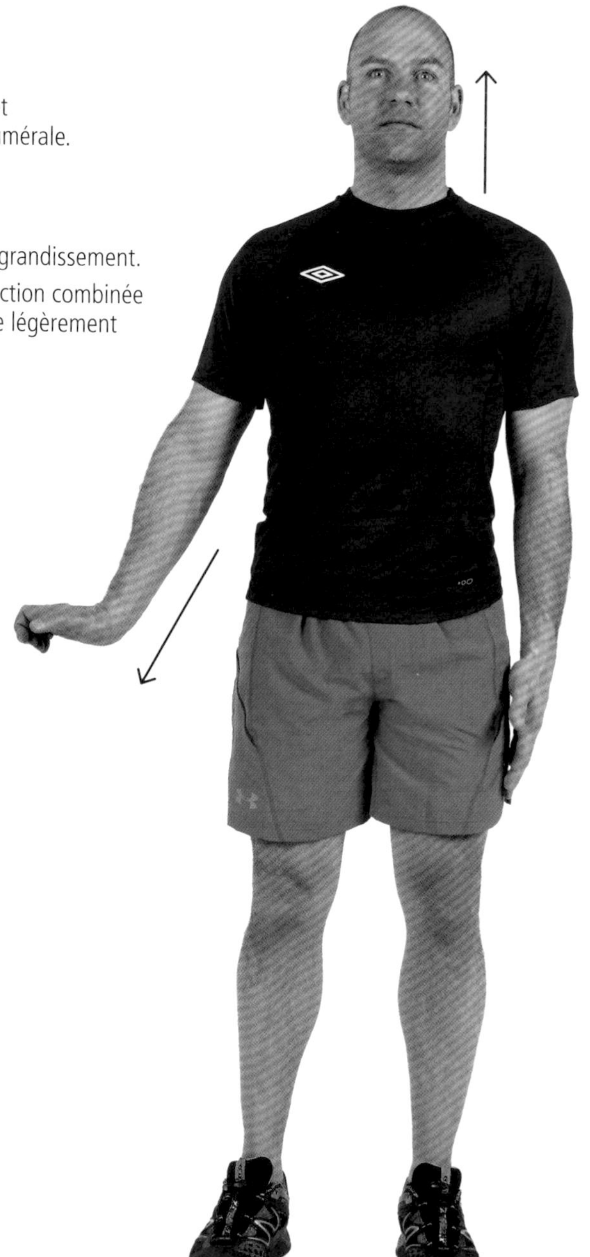

PROPRIOCEPTION

A

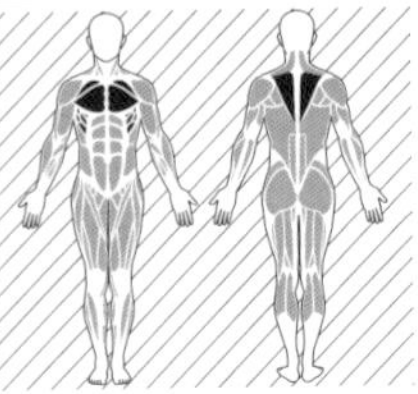

Protraction scapulaire au mur

OBJECTIF

Travail proprioceptif des muscles dentelé antérieur et rhomboïdes.

INDICATIONS

› En position debout en appui au mur, les mains légèrement sous le niveau des épaules.

› Exécuter de façon lente et contrôlée un mouvement avant/arrière des omoplates tout en maintenant une composante d'autograndissement.

› Garder les coudes en extension en tout temps.

ÉVITER de compenser en creusant le bas du dos.

PRESCRIPTION

1-3 x **5-15** répétitions

RENFORCEMENT

B

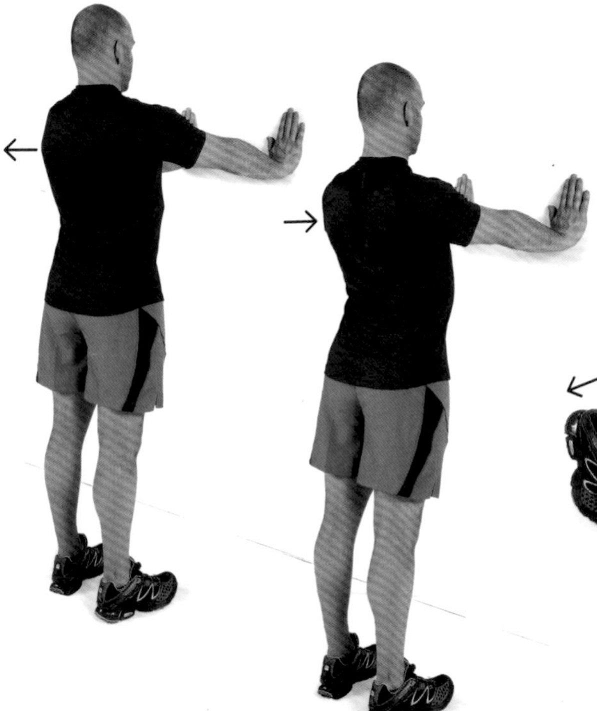

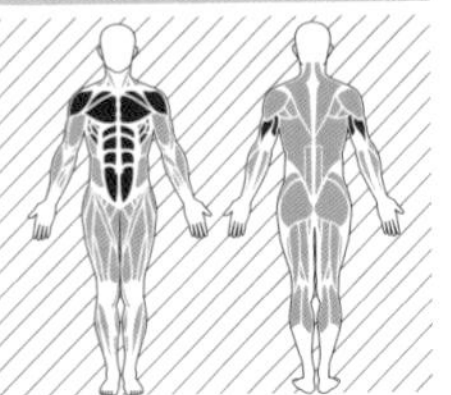

Maintien statique du membre supérieur en position *push-up*

OBJECTIF

Stabilisation isométrique de la région scapulo-thoracique antérieure.

INDICATIONS

› En position de « pompes » sur les mains et les pieds (ou les genoux si c'est trop difficile).

› Se concentrer à stabiliser les omoplates tout en bombant le haut du dos.

› Maintenir la position les bras tendus avec une composante d'autograndissement.

ÉVITER de courber le bas du dos ou de plier les coudes.

PRESCRIPTION

1-3 x **15-30** secondes

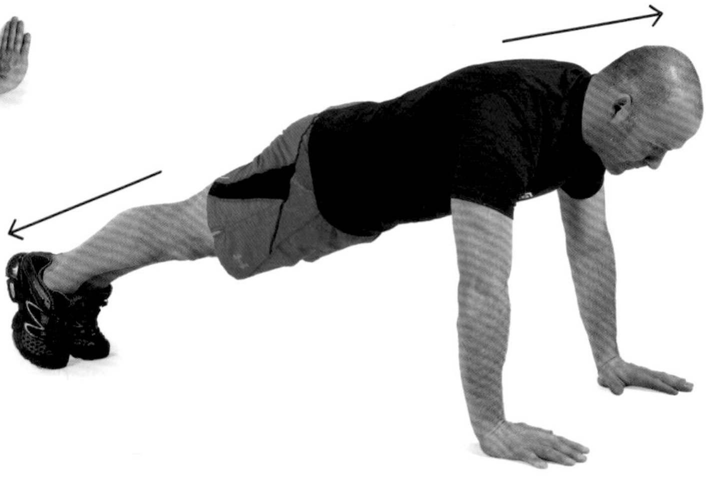

RENFORCEMENT

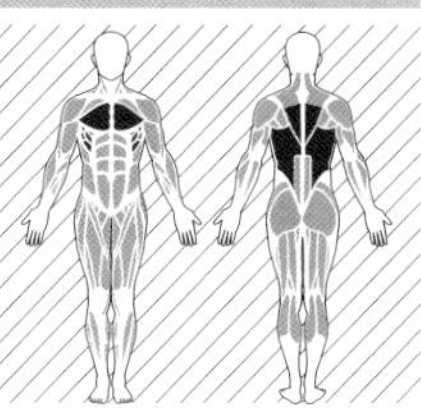

Maintien statique du membre supérieur en position assise

OBJECTIF

Renforcement isométrique des muscles responsables de l'abaissement scapulaire.

INDICATIONS

› En position assise, jambes tendues et bras en extension le long du corps (avec un poids dans chaque main).
› Exécuter une poussée des membres supérieurs vers le bas et tenter de soulever le bassin du sol.
› Se concentrer sur la stabilisation et l'abaissement des omoplates sur le thorax.
› Maintenir la position les bras tendus avec une composante d'autograndissement.

ÉVITER de laisser les épaules basculer vers l'avant.

PRESCRIPTION

1-3 x **15-30** secondes

Maintien statique en abduction horizontale au sol

OBJECTIF

Stabilisation isométrique de la région scapulo-thoracique postérieure.

INDICATIONS

- Couché sur le dos, bras en abduction au niveau des épaules (coudes fléchis et poings fermés).
- Exécuter une bascule arrière des épaules et tenter de soulever le thorax en poussant avec les omoplates et les coudes contre le sol.
- Maintenir la position avec une composante d'autograndissement.

ÉVITER de compenser en creusant le bas du dos.

PRESCRIPTION

1-3 x **15-30** secondes

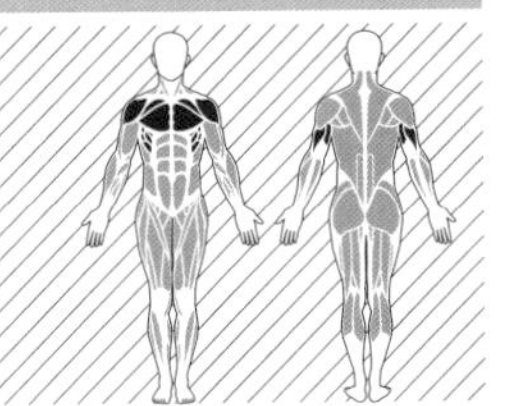

RENFORCEMENT

B

Push-up sur un banc

OBJECTIF

Stabilisation dynamique de la région scapulo-thoracique antérieure.

INDICATIONS

- En position de « pompes », les mains en appui sur un banc, les pieds au sol (ou les genoux si c'est trop difficile).
- Se concentrer sur la stabilisation des omoplates en les plaquant vers l'avant.
- Exécuter une descente contrôlée en cherchant à ouvrir la cage thoracique.
- Revenir à la position de départ une fois l'amplitude optimale atteinte (coudes en extension).

ÉVITER de courber le bas du dos pendant le mouvement.

PRESCRIPTION

1-3 x **5-15** répétitions

RENFORCEMENT

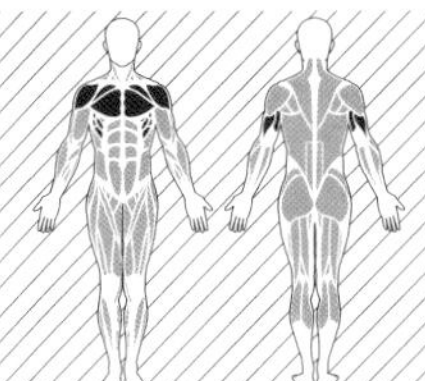

Développé couché sur ballon avec une charge

OBJECTIF

Renforcement anisométrique de la région scapulo-thoracique antérieure et des membres supérieurs sur surface instable.

INDICATIONS

› Couché sur le ballon, tête appuyée, avec une charge dans chaque main.

› Basculer les épaules vers l'arrière et exécuter une descente contrôlée des coudes en flexion légèrement sous le niveau des épaules, tout en cherchant à ouvrir la cage thoracique.

› Maintenir une seconde, puis revenir à la position de départ, les coudes en extension.

ÉVITER de laisser basculer les épaules vers l'avant.

PRESCRIPTION

1-3 x **5-15** répétitions

DÉFINITION : Douleur vive occasionnée par l'inflammation d'une enveloppe d'un muscle ou d'un groupe de muscles, le plus souvent à la face inférieure du pied (plante), particulièrement présente lorsqu'une force est appliquée sur le pied (marche, course, etc.).

Cette sensibilité est souvent en lien avec un tonus résiduel important au niveau des muscles extenseurs de la cheville ou fléchisseurs des orteils. Les activités intensives ou qui sollicitent beaucoup l'extension du pied auront tendance à amener ce genre de problématique.

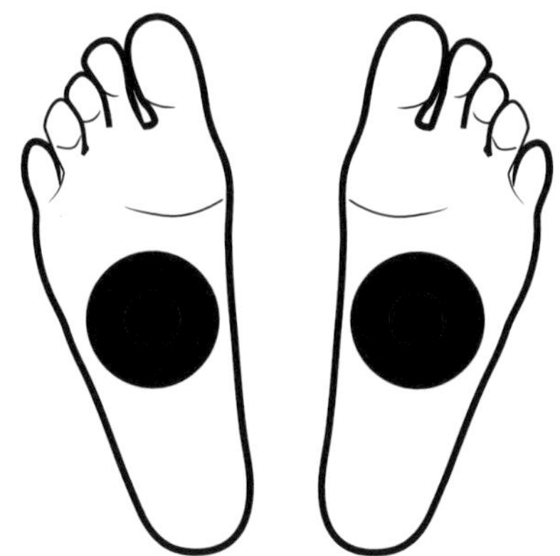

Fasciite plantaire

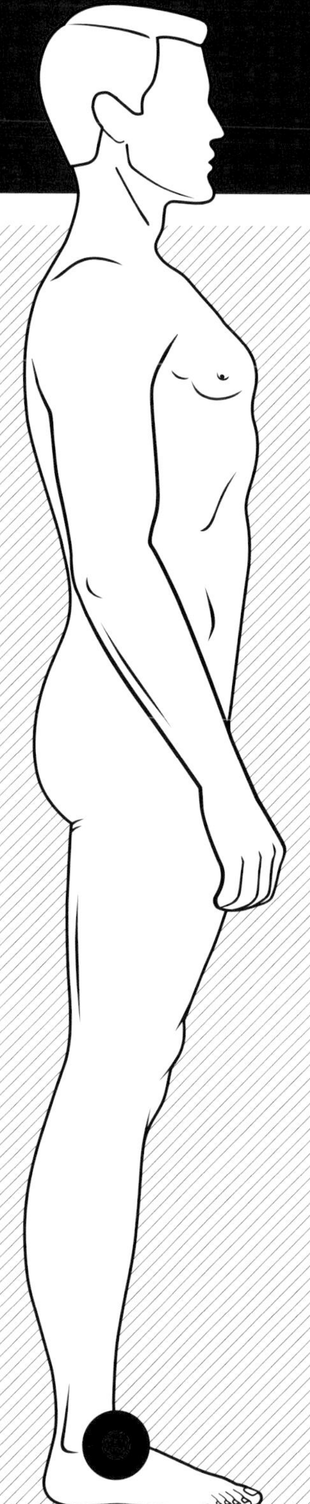

PROGRAMME DE RÉÉDUCATION

PHASE 1

Diminuer les contraintes indirectes et améliorer la malléabilité des tissus

S'il y a inflammation, il est conseillé de débuter par de la cryothérapie (glace), 12 à 15 minutes aux heures. Ensuite, il faut diminuer la résistance des tissus pour les préparer à tolérer la mise en tension et les exercices d'étirement. Sans s'attaquer directement à la face plantaire, il serait intéressant de commencer par étirer les muscles entourant la cheville afin de diminuer les contraintes qui sont transférées au pied.

PHASE 2

Augmenter l'extensibilité de la face plantaire du pied

Une fois la malléabilité des tissus améliorée, on pourra exécuter des exercices d'étirement passifs qui ciblent plus spécifiquement les extenseurs de la cheville et la face plantaire du pied. Des exercices de nature proprioceptive, comme des éducatifs de marche, pourraient également être exécutés.

PHASE 3

Rééduquer le complexe cheville-pied

Des exercices d'étirement actifs, comme des techniques de contracté-relâché en position d'allongement, et des exercices de renforcement variés (avec ou sans charge, sur un ou deux pieds) pourront être progressivement intégrés pour augmenter le seuil de tolérance de la cheville et ainsi prévenir les récidives.

FASCIITE PLANTAIRE

Massage de la face plantaire avec une balle

OBJECTIF

Mobilisation proprioceptive des tissus de la face plantaire du pied.

INDICATIONS

› En position assise avec une balle ferme sous l'arche du pied.

› Exécuter un automassage de la face plantaire en faisant rouler la balle sous le pied tout en jouant avec la pression appliquée sur cette dernière.

ÉVITER d'appliquer trop de pression inutilement.

PRESCRIPTION

1-3 x **15-30** secondes

ÉTIREMENT

B

Étirement des éverseurs du pied avec une serviette

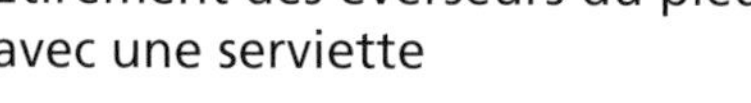

OBJECTIF

Étirement spécifique des muscles court et long fibulaires.

INDICATIONS

› En position assise au sol, entourer la partie distale du pied d'une serviette et croiser les bouts avant de les saisir.

› Exécuter une flexion de la cheville en amenant le pied d'abord vers soi avec les deux mains, puis une inversion en tractant davantage avec la main du côté cible.

› Maintenir une composante d'autograndissement.

ÉVITER de trop comprimer la cheville en tirant vers le bas.

PRESCRIPTION

1-3 x **15-30** secondes

ÉTIREMENT

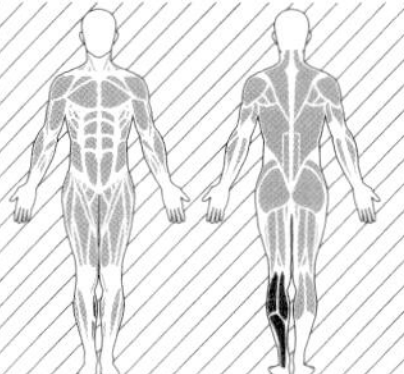

Étirement des inverseurs du pied avec une serviette

OBJECTIF

Étirement spécifique des muscles long fléchisseur de l'hallux et tibial postérieur.

INDICATIONS

- En position assise au sol, entourer la partie distale du pied d'une serviette et croiser les bouts avant de les saisir.
- Fléchir la cheville en amenant le pied d'abord vers soi avec les deux mains, puis une inversion en tractant davantage avec la main du côté opposé au membre cible.
- Maintenir une composante d'autograndissement.

ÉVITER de trop comprimer la cheville en tirant vers le bas.

PRESCRIPTION

1-3 x **15-30** secondes

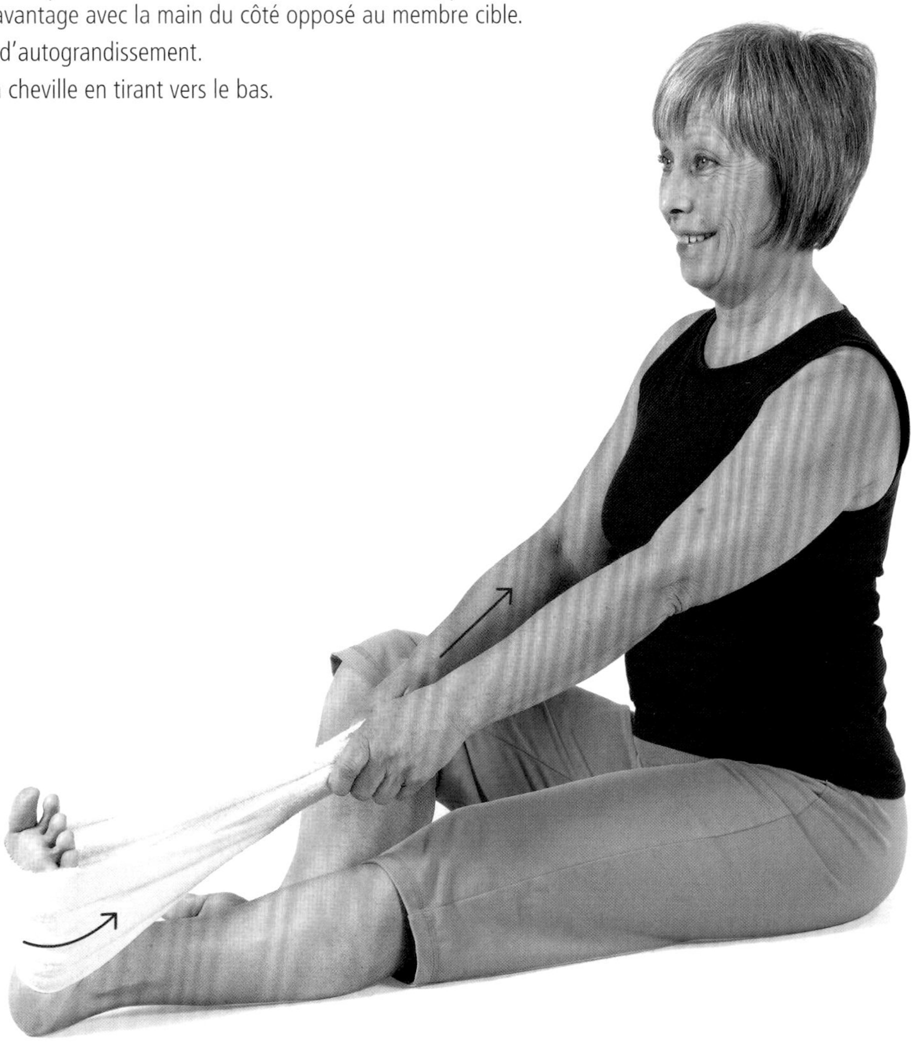

Étirement manuel des muscles antérieurs du pied

OBJECTIF

Étirement des muscles tibial antérieur, longs extenseurs de l'hallux et des orteils en position assise.

INDICATIONS

› En position assise, croiser la jambe cible devant afin de la saisir à la partie supérieure du tibia et au bout des orteils.

› Combiner un mouvement d'extension de la cheville à une traction appliquée sur les orteils.

› Chercher à éloigner les deux prises pour accentuer l'étirement.

ÉVITER de comprimer la cheville en tirant directement vers le bas.

PRESCRIPTION

1-3 x **15-30** secondes

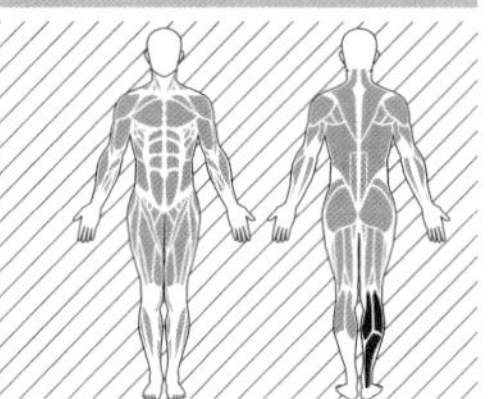

Étirement des jumeaux au mur

OBJECTIF

Étirement spécifique des muscles jumeaux ainsi que du soléaire en situation de charge en appui.

INDICATIONS

› En position de fente avant en appui au mur (coudes fléchis).

› Projeter lentement le poids du corps sur la jambe avant tout en maintenant les talons au sol jusqu'à ressentir une sensation d'étirement dans la jambe arrière.

› Augmenter l'extension du genou arrière ou la flexion du genou avant pour accentuer l'étirement.

› Maintenir l'alignement du corps en tout temps.

ÉVITER de laisser les talons se soulever du sol.

PRESCRIPTION

1-3 x **15-30** secondes

PROPRIOCEPTION

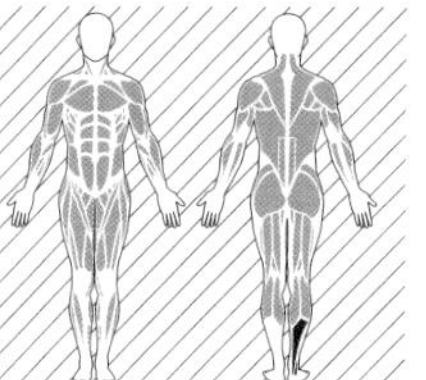

Mobilisation des orteils avec une serviette

OBJECTIF

Travail proprioceptif des muscles du pied.

INDICATIONS

› En position assise avec une serviette étendue devant soi.

› Ramener progressivement la serviette à l'aide d'une flexion complète des orteils.

› Revenir en extension complète entre chaque mouvement.

ÉVITER de tirer avec le talon.

PRESCRIPTIÓN

1-3 x **5-15** répétitions

Renforcement excentrique des extenseurs de la cheville au mur

OBJECTIF

Renforcement isométrique des muscles jumeaux et soléaire en position d'étirement.

INDICATIONS

› En position de fente avant en appui au mur (coudes fléchis).
› Projeter lentement le poids du corps sur la jambe avant, tout en maintenant les talons au sol jusqu'à ressentir une sensation d'étirement dans la jambe arrière.
› Pousser ensuite contre le sol avec le pied arrière sans que le talon quitte le sol, et maintenir la contraction.
› Augmenter l'extension de la jambe pour accentuer l'étirement.

ÉVITER de laisser les talons se soulever du sol.

PRESCRIPTION

1-3 x **15-30** secondes

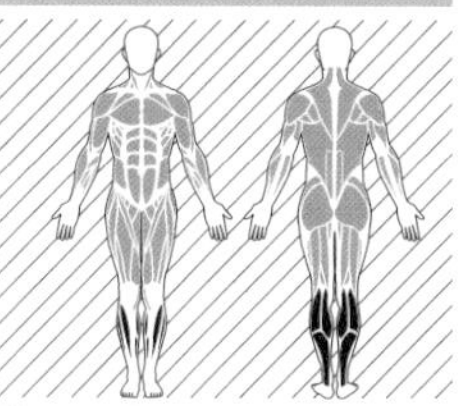

Flexion/extension de la cheville au sol

OBJECTIF

Renforcement anisométrique avec étirement actif des muscles extenseurs de la cheville.

INDICATIONS

› En position debout, avec appui au mur si nécessaire.
› Exécuter une flexion des chevilles en remontant les orteils aussi haut que possible, puis pousser avec l'avant des pieds jusqu'à extension complète (sur le bout des orteils).
› Maintenir les genoux en extension pendant le mouvement.

ÉVITER d'amener les genoux en hyperextension.

PRESCRIPTION

1-3 x **5-15** répétitions

RENFORCEMENT

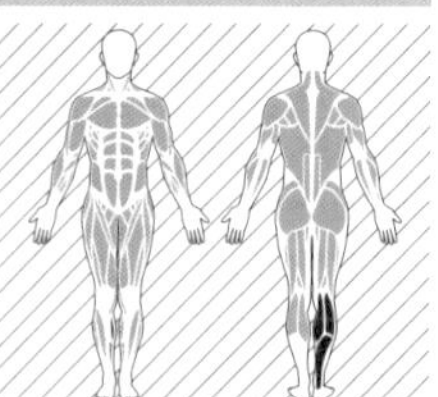

Flexion/extension de la cheville sur marche avec appui

OBJECTIF

Renforcement anisométrique avec étirement actif des muscles extenseurs de la cheville à grande amplitude.

INDICATIONS

› En position debout, le pied sur le bord d'une marche (avec appui au mur si nécessaire).

› Fléchir la cheville en laissant lentement descendre le talon aussi bas que possible, puis pousser avec l'avant du pied jusqu'à extension complète de la cheville (sur le bout des orteils).

› Maintenir le genou en extension pendant le mouvement.

ÉVITER d'amener le genou en hyperextension.

PRESCRIPTION

1-3 x **5-15** répétitions

DÉFINITION : La hernie discale désigne tout déplacement discal ou atteinte qui déforme le disque intervertébral. Les principales causes sont l'exécution d'un mouvement répétitif ou dans des positions contraignantes. Le maintien d'une mauvaise posture, l'arthrose, un traumatisme, un problème de poids ou la sédentarité (ankylose) peuvent également être en cause.

Les hernies sont plus fréquentes au niveau lombaire, un peu moins au niveau cervical, et très rares au niveau thoracique, car la cage thoracique procure une plus grande stabilité à cette région.

Il existe plusieurs stades à la hernie discale, mais on peut dire qu'il y a deux grands types de hernies : avec ou sans compression de racines nerveuses (compressions radiculaires).

Hernie discale

PROGRAMME DE RÉÉDUCATION

PHASE 1

Favoriser la réintégration du noyau du disque dans son emplacement

Prioriser des positions qui minimisent les contraintes discales (compressions) : couché sur le dos, les jambes fléchies et appuyées sur une surface élevée (banc, lit, chaise). Favoriser la traction vertébrale par suspension à la barre (avec maintien de l'appui des pieds au sol) ou par poussée simultanée (éloignement) des bras et des jambes en position couchée. Les exercices d'étirement jouent ici un rôle clé, car ils permettent de regagner de la mobilité tout en diminuant les contraintes mécaniques. Dans le cas d'une hernie lombaire, par exemple, la souplesse de la musculature du membre inférieur est primordiale, car elle permet d'utiliser le bassin pour exécuter les mouvements du tronc, ce qui minimise le travail lombaire et a donc un impact direct sur les douleurs à cet endroit.

PHASE 2

Limiter les contraintes sur le disque et récupérer la fonction biomécanique vertébrale

Il est important de noter que si l'objectif est de diminuer les contraintes discales, un certain contrôle pondéral (perte de poids) doit être envisagé. Une fois que la douleur sera atténuée et qu'une certaine amplitude de mouvement sera récupérée, il sera important de favoriser la fluidité du mouvement articulaire par des exercices proprioceptifs en décharge (sans la charge du poids du corps). Cette rééducation posturale et gestuelle permettra d'entretenir une certaine économie articulaire et de diminuer les risques de récidive. Le simple fait d'utiliser les membres inférieurs (plier les genoux) pour soulever une charge et d'éviter toute rotation pure du tronc est un exemple de gestuelle adaptée.

PHASE 3

Stabiliser le disque intervertébral et le rachis

Une fois la mobilité et la proprioception récupérées, il sera temps de passer aux exercices en charge (utilisant le poids du corps). Le renforcement de la musculature profonde (autograndissement) permettra également de stabiliser la colonne vertébrale et favorisera son maintien actif. Un bon entraînement de la région abdominale (respiration, gainage) peut également être envisagé dans cette phase.

ÉTIREMENT

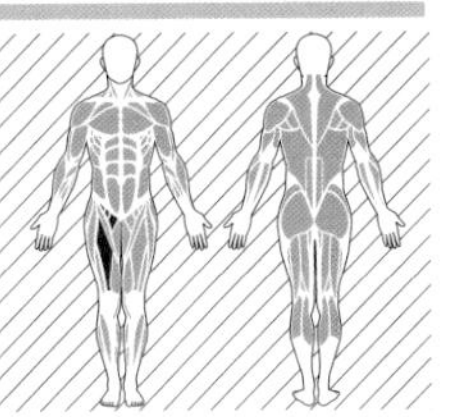

Étirement actif des fléchisseurs de la hanche, genou au sol

OBJECTIF

Étirement dynamique des muscles psoas-iliaque et droit fémoral.

INDICATIONS

› En position de fente basse, poser le genou de la jambe cible sur un coussin ou une serviette.

› Garder le poids sur la jambe de devant avec appui des mains au besoin (pour aider à stabiliser).

› Amener le bassin en antéversion (sortir les fesses) puis en rétroversion (rentrer le ventre) jusqu'à ressentir une sensation d'étirement.

› Maintenir l'alignement du corps (autograndissement).

ÉVITER de se pencher vers l'avant.

PRESCRIPTION

1-3 x **5-15** répétitions

ÉTIREMENT

B

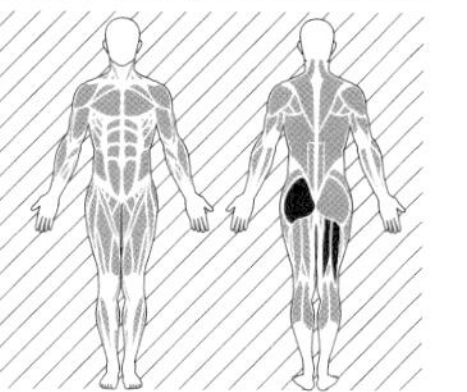

Étirement des extenseurs de la hanche en appui au mur

OBJECTIF

Étirement combiné des muscles grand fessier et ischiojambiers.

INDICATIONS

› En position assise, le bassin le plus près possible du mur.
› Faire passer la jambe cible de l'autre côté, pied au sol.
› Saisir la jambe cible à la cuisse, près du genou, et l'amener vers l'épaule opposée jusqu'à ressentir une sensation d'étirement dans la région fessière.
› Exécuter et maintenir une composante d'autograndissement.
› Garder l'autre jambe tendue et ramener les orteils vers soi.

ÉVITER de tourner le tronc.

PRESCRIPTION

1-3 x **15-30** secondes

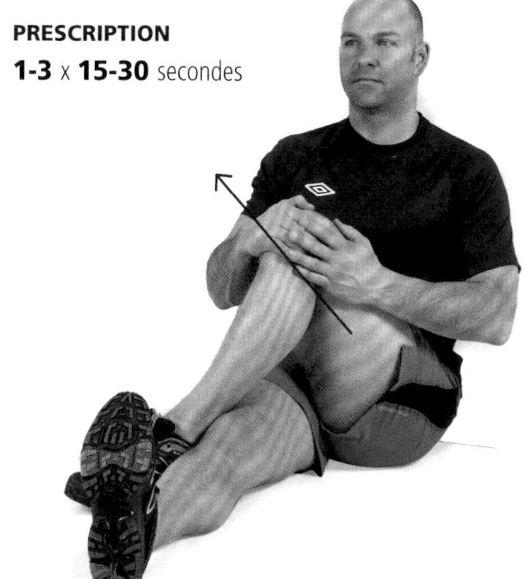

ÉTIREMENT

C

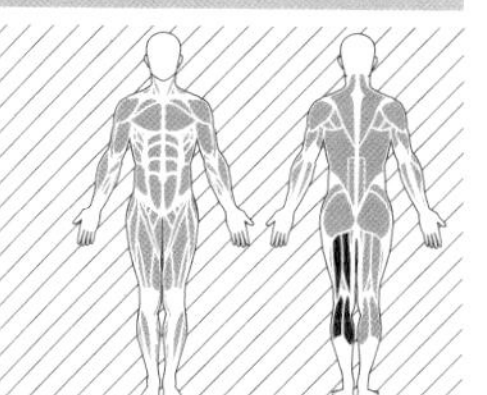

Étirement des ischiojambiers en appui au mur

OBJECTIF

Étirement unilatéral des muscles biceps fémoral, semi-tendineux et semi-membraneux ainsi que des jumeaux en appui.

INDICATIONS

› En position couchée avec appui de la jambe cible sur un mur ou dans un cadre de porte.
› Exécuter une extension complète des genoux tout en amenant la cheville en flexion, jusqu'à ressentir une sensation d'étirement à l'arrière de la jambe.
› Maintenir le bassin en antéversion (creuser le bas du dos) pour accentuer l'étirement.

ÉVITER de laisser le bassin se soulever du sol.

PRESCRIPTION

1-3 x **15-30** secondes

Étirement de la région latérale du tronc avec un ballon

OBJECTIF

Étirement prononcé des muscles carré des lombes, obliques internes et externes sur ballon.

INDICATIONS

- Couché de côté sur le ballon, genou et main du côté opposé en appui au sol (épouser la forme du ballon).
- Tenter de porter la jambe et le bras du côté cible vers le sol jusqu'à ressentir une sensation d'étirement.
- Maintenir l'allongement du corps.

ÉVITER de perdre le contact avec le ballon.

PRESCRIPTION

1-3 x **15-30** secondes

PROPRIOCEPTION

B

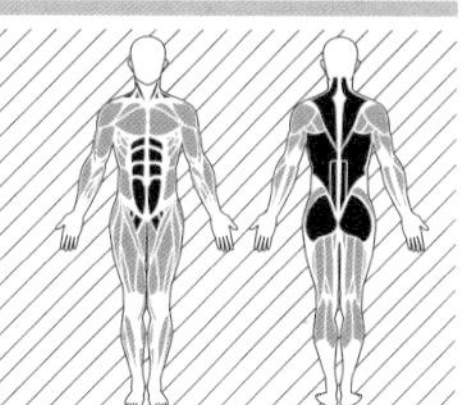

Antéversion/rétroversion du bassin avec mouvement vertébral

OBJECTIF

Travail proprioceptif du système vertébral dans son ensemble.

INDICATIONS

- En position quadrupède, les mains à la largeur des épaules.
- Inspirer en amenant lentement le bassin en antéversion (chercher à sortir les fesses, gonfler le thorax, creuser le dos et relever la tête), puis expirer en ramenant le bassin en rétroversion (serrer les fesses, rentrer le ventre, bomber le dos et baisser la tête).
- Mettre l'emphase sur le mouvement lombo-pelvien.

ÉVITER surtout de bomber la région thoracique.

PRESCRIPTION

1-3 x **5-15** répétitions

PROPRIOCEPTION

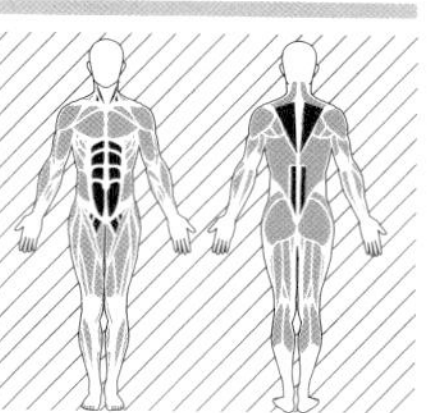

Exercice d'autograndissement en position couchée

OBJECTIF

Renforcement postural des muscles du tronc en situation de décharge.

INDICATIONS

› En position couchée, jambes tendues et bras le long du corps en supination (paumes vers le haut).
› Exécuter une bascule arrière des omoplates en appuyant les épaules fermement au sol.
› Rentrer le menton et exécuter une composante d'autograndissement en éloignant la tête et les talons.
› Redresser la position jusqu'à ressentir une sensation de décompression de la colonne vertébrale.

ÉVITER de compenser en creusant le bas du dos.

PRESCRIPTION

1-3 x **15-30** secondes

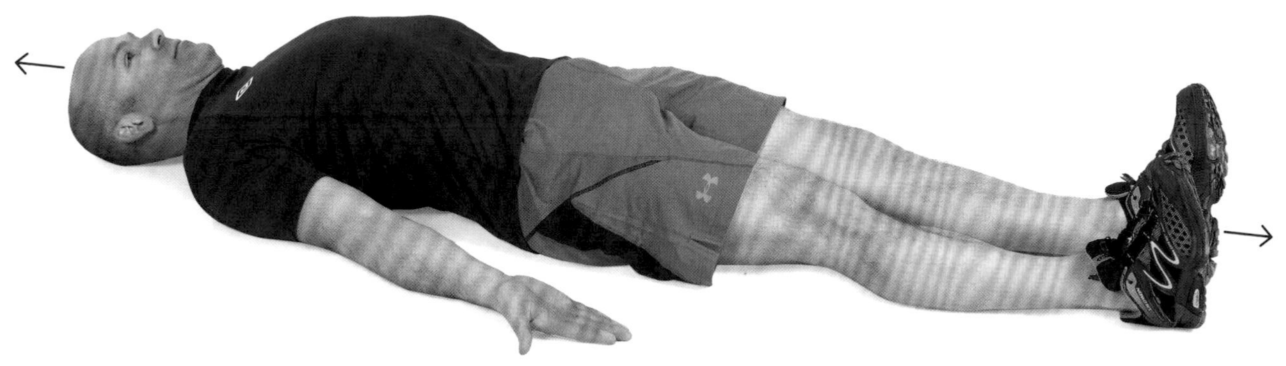

Exercice d'autograndissement en position assise

OBJECTIF

Renforcement postural des muscles du tronc en situation de charge.

INDICATIONS

- En position assise, jambes fléchies avec saisie derrière la cuisse.
- Exécuter une composante d'autograndissement en rentrant le menton tout en éloignant la tête vers le haut.
- Accentuer la bascule arrière ainsi que l'adduction des omoplates en s'aidant de la traction exercée sur les cuisses.
- Redresser la position jusqu'à ressentir une sensation de décompression de la colonne vertébrale.

ÉVITER de projeter la tête vers l'avant lors du mouvement.

PRESCRIPTION

1-3 x **15-30** secondes

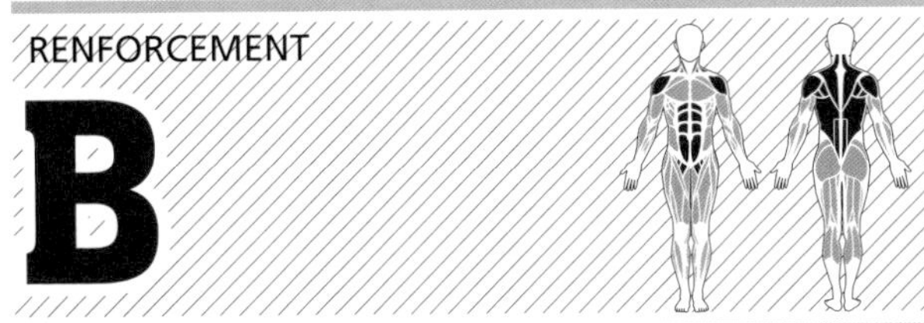

Exercice de poutre composite en position assise

OBJECTIF

Renforcement postural des muscles du tronc en flexion.

INDICATIONS

- En position assise au bout d'une chaise, jambes fléchies et bras tendus au-dessus de la tête (mains jointes).
- Exécuter une composante d'autograndissement en amenant lentement le bassin en antéversion jusqu'à ressentir une sensation d'étirement derrière la jambe.
- Maintenir la position aussi longtemps que possible en cherchant à éloigner les mains et le bassin.
- Sentir l'effet de décompression au niveau vertébral.

ÉVITER de laisser tomber le dos ou les bras.

PRESCRIPTION

1-3 x **15-30** secondes

RENFORCEMENT

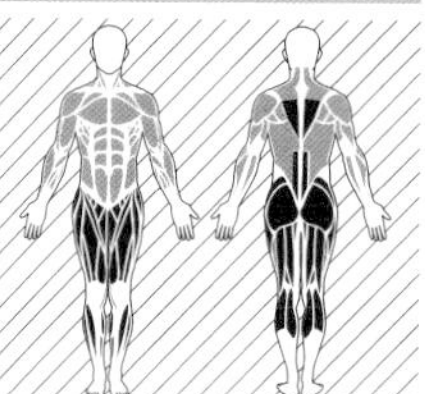

Soulevé de terre avec poids

OBJECTIF

Renforcement général des membres inférieurs avec poutre composite.

INDICATIONS

› En position debout, bras tendus avec une charge dans chaque main.
› Utiliser l'antéversion du bassin (sortir les fesses) pour descendre en position accroupie (squat).
› Maintenir les charges près du corps, le poids sur les talons, et surtout l'alignement vertébral tout au long du mouvement.
› Arrêter au milieu du tibia ou avant de compenser avec le dos ou le bassin (rétroversion).
› Retourner lentement à la position de départ en utilisant les hanches.

ÉVITER de courber le dos lors du mouvement.

PRESCRIPTION

1-3 x **5-15** répétitions

DÉFINITION : Pincement, coincement du système nerveux périphérique pouvant causer des compressions généralement intervertébrales d'une ou de plusieurs branches des nerfs rachidiens lombaires et sacrés. Elle est possible à plusieurs niveaux, mais est généralement causée par une hernie discale entre les vertèbres L3 et S1. Elle peut aussi être de cause musculaire, par une compression du muscle piriforme sur le nerf sciatique à la hauteur de la fesse. Des paresthésies, parésies ou paralysies des zones correspondantes sont possibles.

Les principaux signes et symptômes sont des douleurs lombaires ou dorsales, des troubles de la sensibilité (paresthésies) aux membres inférieurs, des pertes de mobilité, d'activité réflexe ou de flexibilité des muscles fléchisseurs du pied.

Lomboscialtalgie [sciatique]

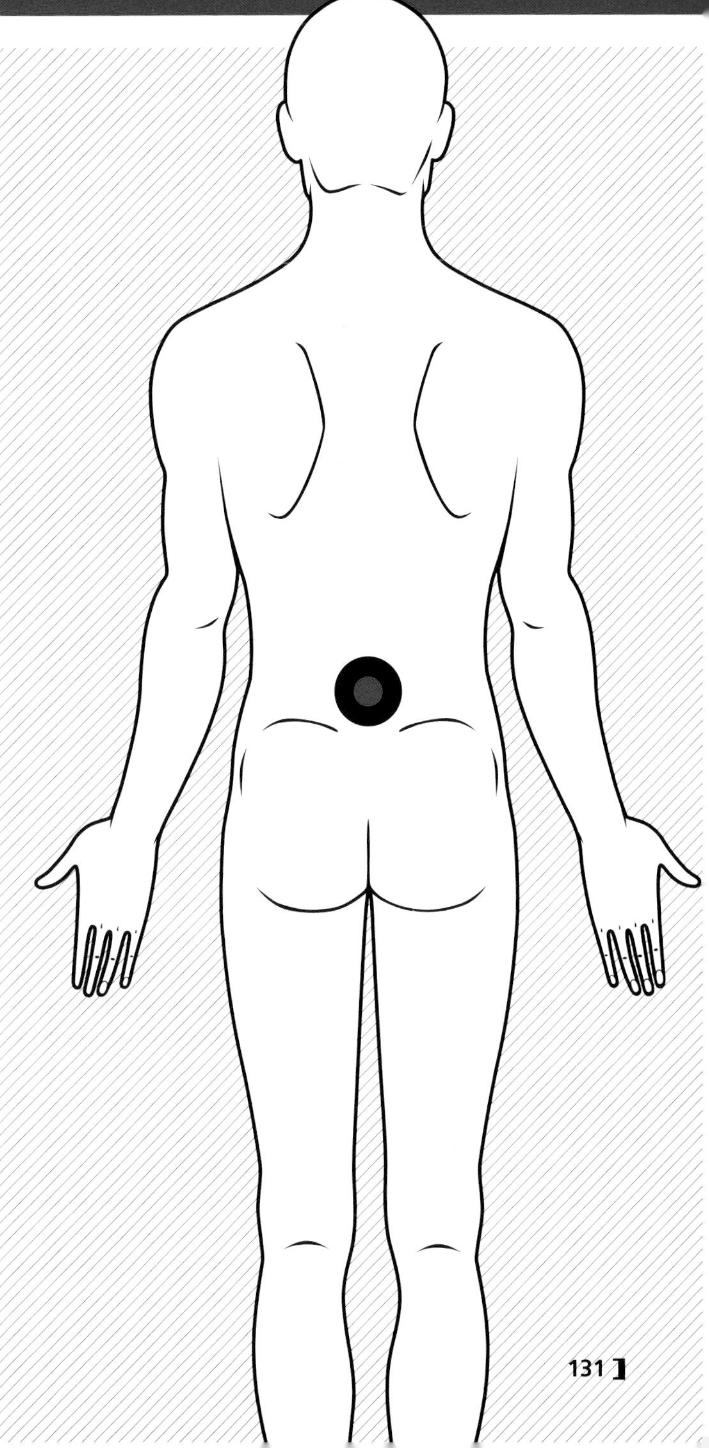

PROGRAMME DE RÉÉDUCATION

PHASE 1

Réduire la compression nerveuse

Favoriser la réintégration du *nucleus pulposus* (noyau du disque). Installation générale en position de moindre contrainte discale: couché sur le dos, les jambes fléchies et appuyées sur un banc (lit, divan, etc.). Traction vertébrale par suspension à la barre ou par poussée simultanée des bras au-dessus de la tête et des jambes en position couchée.

PHASE 2

Libérer le nerf

Étirement des muscles extenseurs (fessiers, pelvitrochantériens et ischiojambiers), puis des fléchisseurs de la hanche (droit fémoral, tenseur du fascia lata et psoas).

Possibilité d'exécuter des tractions vertébrales pour distancer les muscles spinaux.

PHASE 3

Renforcer la musculature de soutien pour éviter le retour de la compression

Exercices en poutre composite, stabilisation du caisson thoraco-abdominal et renforcement des muscles abdominaux.

ÉTIREMENT

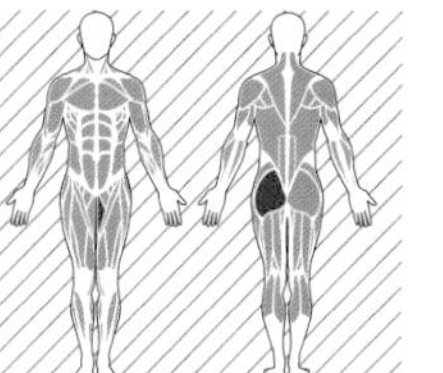

Étirement des extenseurs de la hanche en position couchée

OBJECTIF

Étirement général des muscles grand fessier et grand adducteur.

INDICATIONS

› Couché sur le dos, saisir la jambe cible derrière le genou avec les deux mains.

› Amener lentement le genou vers l'épaule du même côté jusqu'à ressentir une sensation d'étirement à l'arrière de la cuisse.

› Maintenir la jambe au sol bien allongée en tout temps.

ÉVITER de laisser le bassin remonter pendant l'étirement.

PRESCRIPTION

1-3 x **15-30** secondes

ÉTIREMENT

B

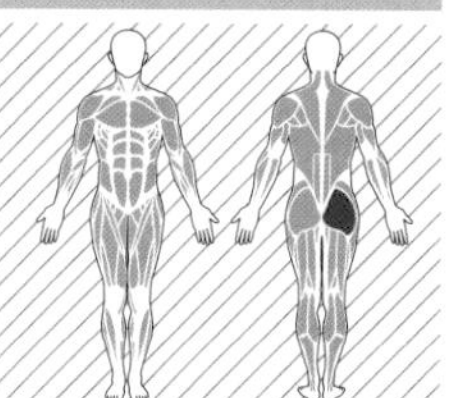

Étirement du grand fessier en position couchée

OBJECTIF

Étirement plus spécifique du muscle grand fessier.

INDICATIONS

› Couché sur le dos, saisir la jambe cible au genou avec la main opposée et stabiliser le bassin avec l'autre main.

› Amener lentement le genou vers l'épaule opposée, tout en cherchant à éloigner les deux prises, jusqu'à ressentir une sensation d'étirement dans la région fessière.

› Maintenir la jambe au sol bien allongée en tout temps.

ÉVITER de comprimer la hanche ou de tourner le bassin.

PRESCRIPTION

1-3 x **15-30** secondes

ÉTIREMENT

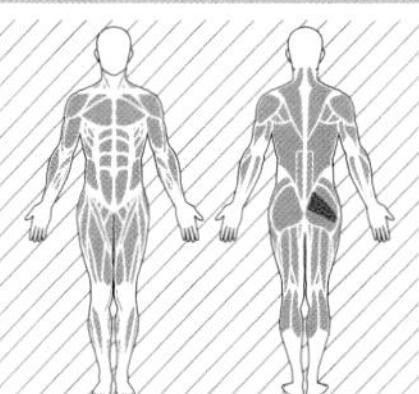

Étirement des pelvitrochantériens en position couchée

OBJECTIF

Étirement plus spécifique du muscle piriforme.

INDICATIONS

› Couché sur le dos, saisir la jambe cible au genou avec la main opposée et stabiliser le bassin avec l'autre main.

› Amener lentement le genou vers la hanche opposée tout en cherchant à éloigner les deux prises, jusqu'à ressentir une sensation d'étirement dans la région fessière.

› Maintenir la jambe au sol bien allongée en tout temps.

ÉVITER de comprimer la hanche ou de tourner le bassin.

PRESCRIPTION

1-3 x **15-30** secondes

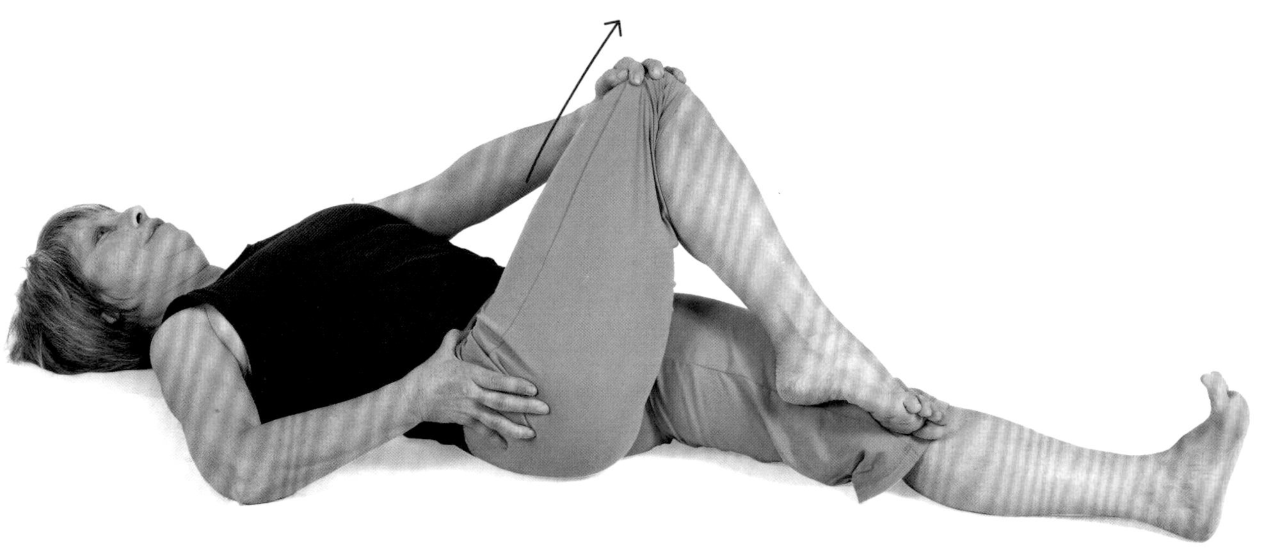

ÉTIREMENT

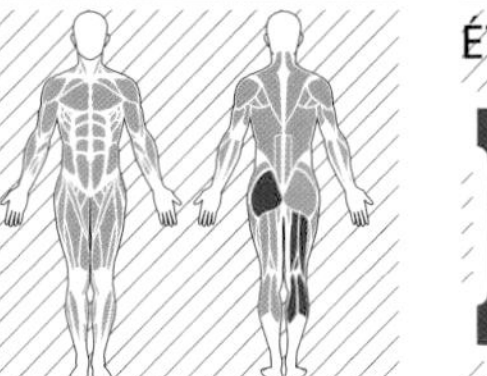

Étirement des extenseurs de la hanche en appui au mur

OBJECTIF

Étirement combiné des muscles grand fessier et ischiojambiers.

INDICATIONS

› En position assise, le bassin le plus près possible du mur.
› Faire passer la jambe cible de l'autre côté, le pied au sol.
› Saisir la jambe cible à la cuisse, près du genou, et l'amener en direction de l'épaule opposée jusqu'à ressentir une sensation d'étirement dans la région fessière.
› Exécuter et maintenir une composante d'autograndissement.
› Garder l'autre jambe tendue et ramener les orteils vers soi.

ÉVITER de tourner le tronc.

PRESCRIPTION

1-3 x **15-30** secondes

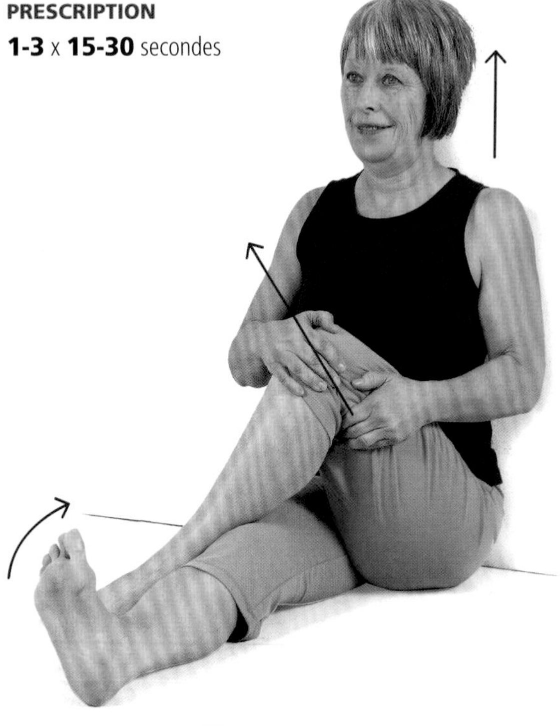

ÉTIREMENT

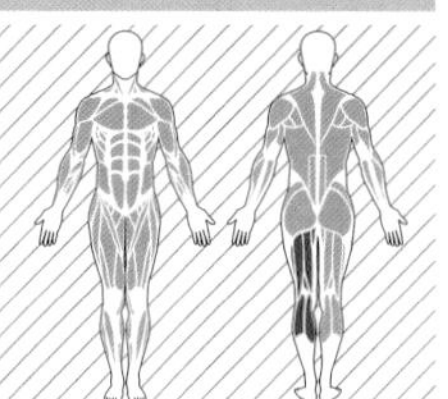

Étirement des ischiojambiers au mur

OBJECTIF

Étirement spécifique des muscles biceps fémoral, semi-tendineux et semi-membraneux ainsi que des jumeaux avec appui.

INDICATIONS

› En position couchée, en appuyant la jambe cible sur un mur ou un cadre de porte.
› Maintenir le genou en extension et la cheville en flexion jusqu'à ressentir une sensation d'étirement à l'arrière de la jambe.
› Tourner le pied vers l'intérieur pour accentuer l'étirement du biceps fémoral ou vers l'extérieur pour l'étirement des semi-membraneux et semi-tendineux.

ÉVITER de compenser avec le bassin.

PRESCRIPTION

1-3 x **15-30** secondes

PROPRIOCEPTION

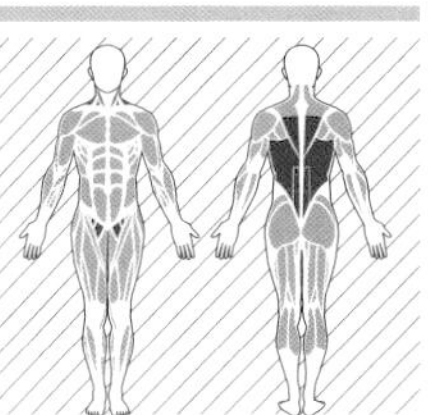

Exercice d'autograndissement en position assise au mur

OBJECTIF

Renforcement postural des muscles du tronc avec appui.

INDICATIONS

› En position assise, le bassin le plus près possible du mur, jambes fléchies avec saisie derrière la cuisse.
› Exécuter une composante d'autograndissement en rentrant le menton tout en faisant glisser la tête vers le haut sur le mur.
› Accentuer la bascule arrière ainsi que l'adduction des omoplates en s'aidant de la traction exercée sur les cuisses.
› Redresser la position jusqu'à ressentir une sensation de décompression de la colonne vertébrale.

ÉVITER de perdre le contact avec le mur pendant l'exercice.

PRESCRIPTION

1-3 x **15-30** secondes

PROPRIOCEPTION

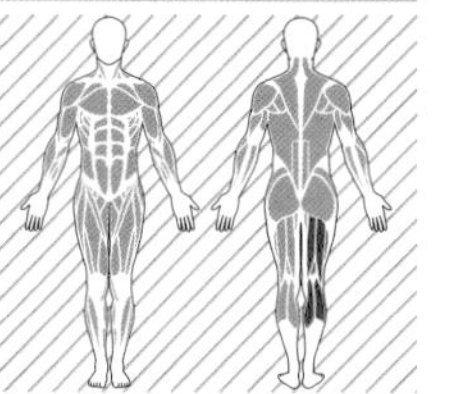

Étirement actif des ischiojambiers sur une chaise

OBJECTIF

Étirement dynamique des muscles biceps fémoral, semi-tendineux, semi-membraneux, ainsi que des jumeaux.

INDICATIONS

- En position debout, la jambe cible en appui sur une chaise.
- Partir de la position droite et basculer lentement le bassin vers l'avant (antéversion) tout en maintenant le dos droit jusqu'à ressentir une sensation d'étirement derrière la jambe.
- Maintenir l'extension du genou et la flexion de la cheville en tout temps.

ÉVITER de compenser en courbant le bas du dos.

PRESCRIPTION

1-3 x **15-30** secondes

PROPRIOCEPTION

B

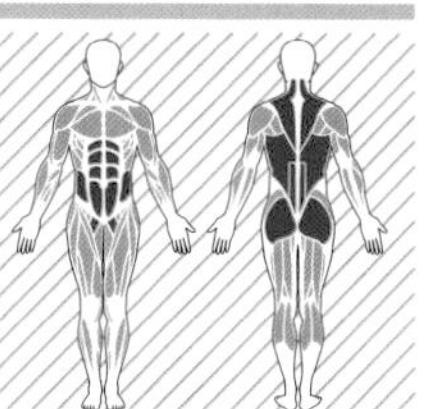

Antéversion/rétroversion du bassin avec mouvement vertébral

OBJECTIF

Travail proprioceptif du système vertébral complet.

INDICATIONS

- En position quadrupède, les mains à la largeur des épaules.
- Amener lentement le bassin en antéversion en inspirant (chercher à sortir les fesses, gonfler le thorax et creuser le dos).
- Ramener le bassin en rétroversion en expirant (chercher à rentrer le ventre, serrer les fesses et arrondir le dos).
- Poursuivre le mouvement jusqu'à la tête.

ÉVITER d'exagérer le mouvement dans la région thoracique.

PRESCRIPTION

1-3 x **5-15** répétitions

RENFORCEMENT

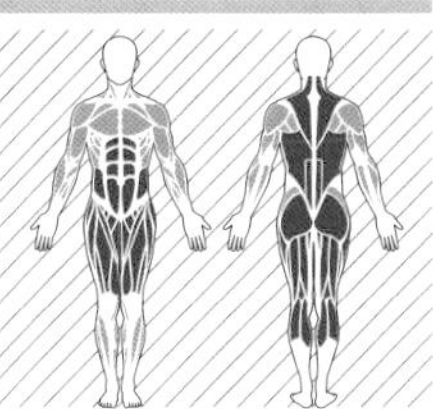

Soulevé de terre

OBJECTIF

Renforcement général des membres inférieurs avec une poutre composite.

INDICATIONS

- En position debout, bras tendus avec une charge entre les mains.
- Utiliser l'antéversion du bassin (sortir les fesses) pour descendre en position accroupie (squat).
- Maintenir la charge près du corps, le poids sur les talons, et surtout l'alignement vertébral tout au long du mouvement.
- Arrêter au milieu du tibia ou avant de compenser avec le dos ou le bassin (rétroversion).
- Retourner lentement à la position de départ en utilisant les hanches.

ÉVITER de courber le dos lors du mouvement.

PRESCRIPTION

1-3 x **5-15** répétitions

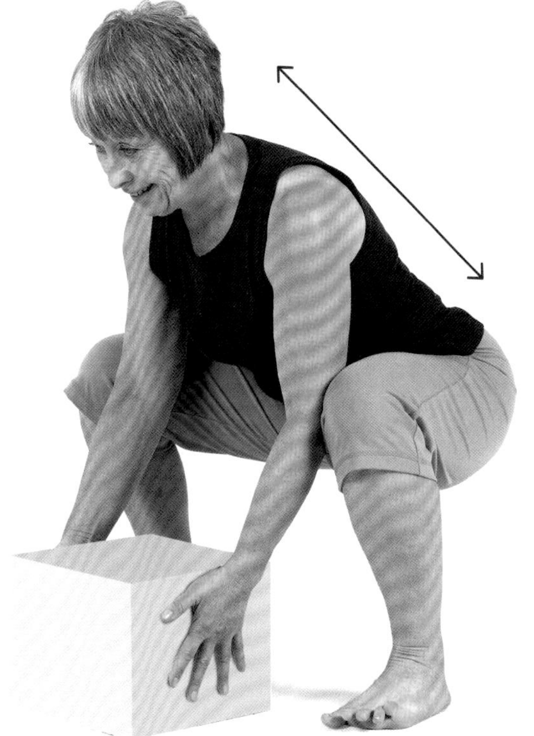

DÉFINITION : La névralgie d'Arnold est une irritation spécifique du nerf C2 (consécutive à un dérangement de l'articulation C1-C2 ou C2-C3) causant des problèmes sensitifs (régions pariétale et occipitale) et moteurs (muscles sous-occipitaux, splénius, long de la tête, trapèze supérieur), des céphalées, des paresthésies (engourdissements, picotements, élancements), des adhérences, des fibroses et des contractures. Les signes les plus fréquents sont des hémicrânies avec irradiation derrière l'oreille et parfois rétro-orbitaire (derrière les yeux) qui sont souvent confondues avec des migraines ou céphalées.

Névralgie d'Arnold

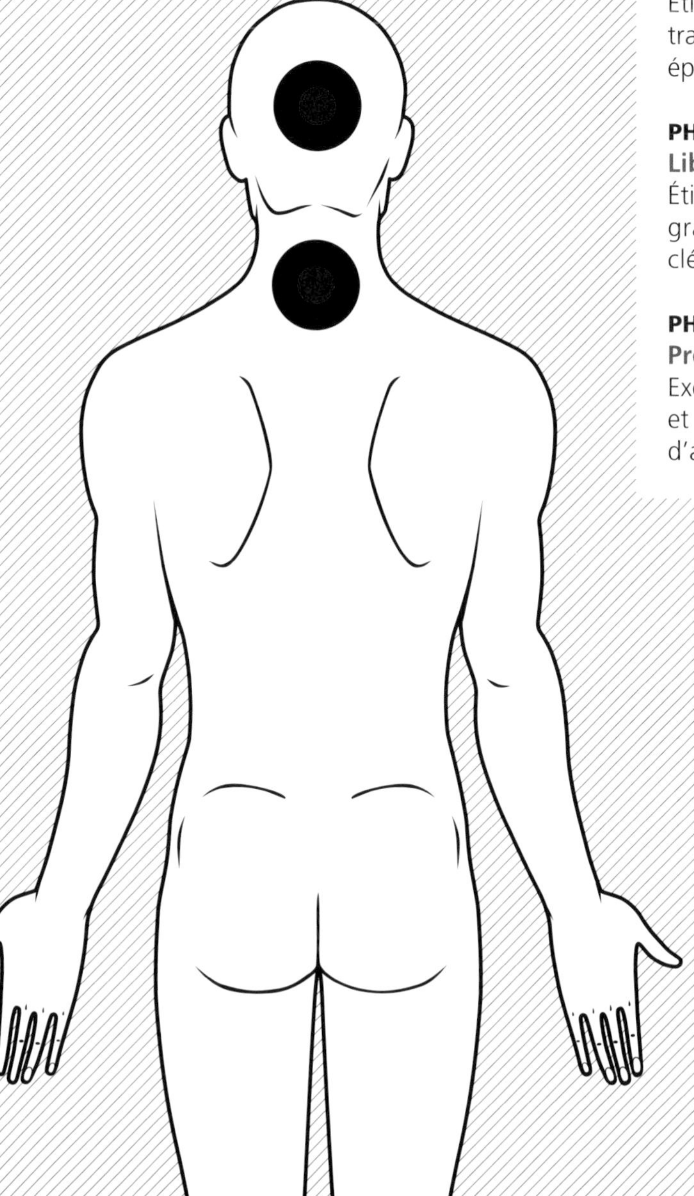

PROGRAMME DE RÉÉDUCATION

PHASE 1
Libérer le cou et le thorax postérieur
Étirement des muscles du thorax postérieur : trapèze, rhomboïdes, spinaux, splénius, semi-épineux du cou et sous-occipitaux.

PHASE 2
Libérer le cou et le thorax antérieur
Étirement des muscles du thorax antérieur : grand et petit pectoraux, muscle sterno-cléido-mastoïdien.

PHASE 3
Prévenir la récidive
Exercices oculo-moteurs. Éducation posturale et gestuelle de la région cervicale. Exercices d'autograndissement.

ÉTIREMENT

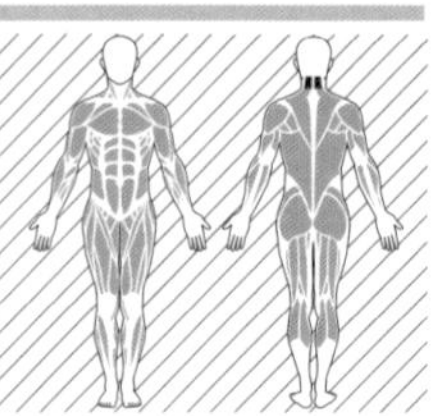

Étirement actif et profond de la région cervicale

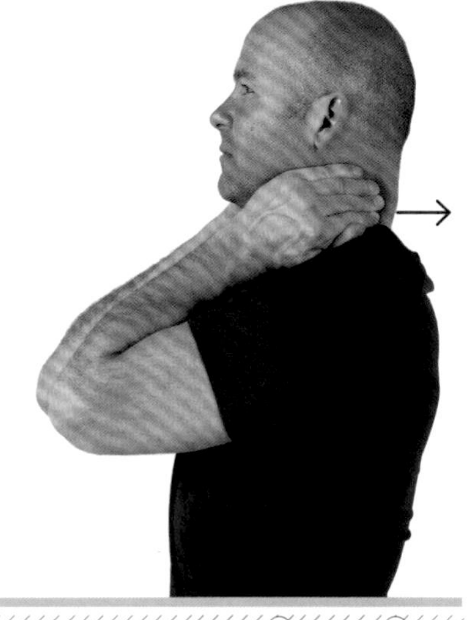

OBJECTIF

Automassage du ligament nucal et de la région cervicale.

INDICATIONS

› En position debout ou assise, porter les mains au cou.
› Faire glisser lentement les doigts sur la colonne tout en exécutant une pression avec le bout pour comprimer et pousser les tissus vers l'arrière jusqu'à ressentir une sensation d'étirement profond.
› Répéter la séquence dans toute la région cervicale.
› Maintenir une composante d'autograndissement.

ÉVITER de suivre le mouvement avec la tête.

PRESCRIPTION

1-3 x **5-15** répétitions

ÉTIREMENT

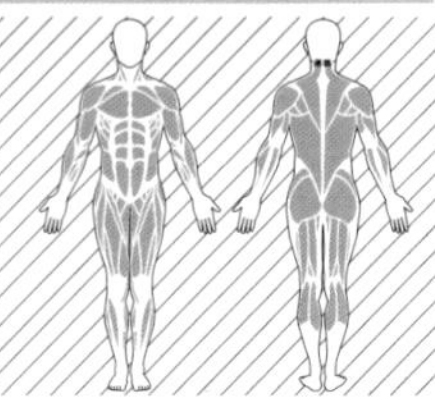

Contracté-relâché des muscles sous-occipitaux

OBJECTIF

Étirement dynamique manuel des muscles de la région cervicale haute.

INDICATIONS

› Couché sur le dos, genoux fléchis.
› Saisir la tête en englobant la base du crâne et la mâchoire dans les deux mains.
› Tracter lentement vers le haut et vers l'avant jusqu'à ressentir une sensation d'étirement.

ÉVITER de comprimer la région antérieure ou de tirer trop fort.

PRESCRIPTION

1-3 x **15-30** secondes

ÉTIREMENT

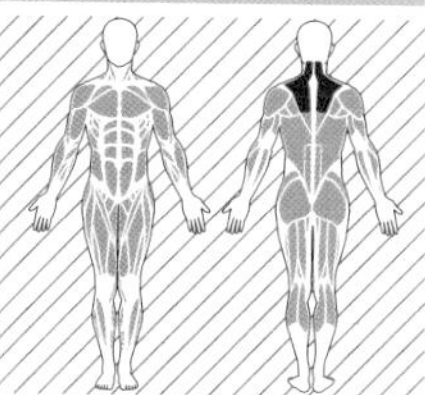

Étirement de la région postérieure du thorax au mur

OBJECTIF

Étirement global et léger des muscles trapèze et rhomboïdes.

INDICATIONS

› En position debout, dos au mur et bras tendus devant le corps, mains jointes.

› Rentrer le menton et tenter de plaquer la colonne au mur pour exécuter une composante d'autograndissement.

› Éloigner les mains vers l'avant et vers le bas jusqu'à ressentir une sensation d'étirement derrière la nuque.

ÉVITER de laisser le cou revenir en lordose.

PRESCRIPTION

1-3 x **15-30** secondes

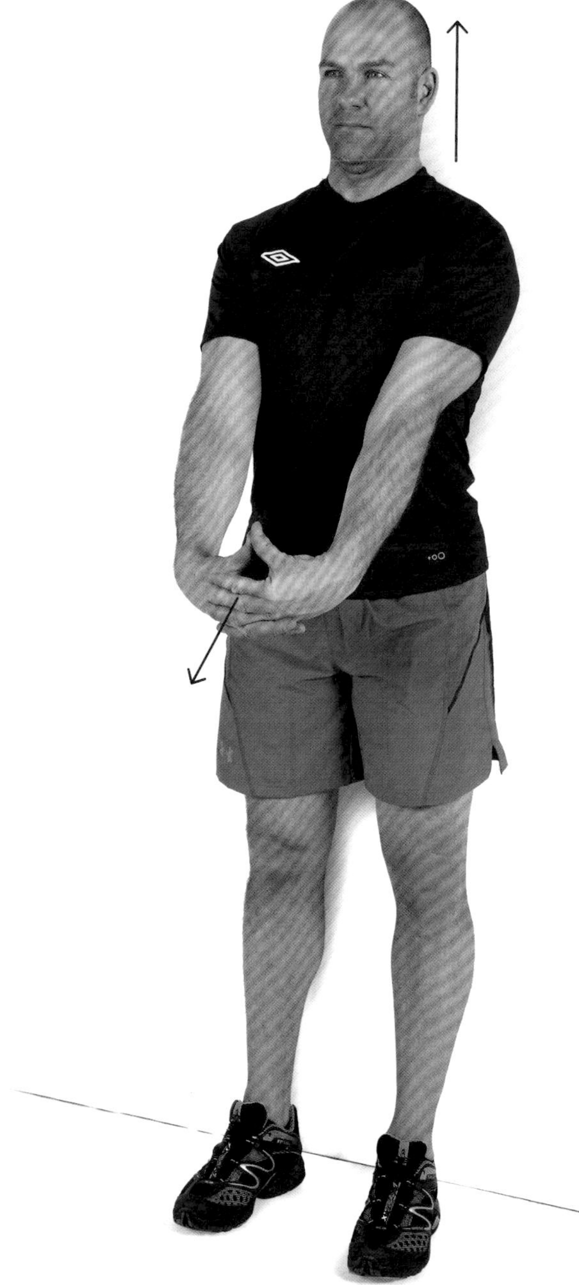

NÉVRALGIE D'ARNOLD

ÉTIREMENT

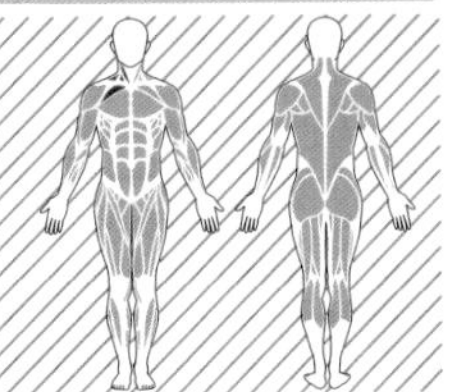

Étirement de la région cervico-thoracique antérieure

OBJECTIF

Étirement spécifique des muscles scalènes et subclavier.

INDICATIONS

› En position couchée, bras du côté cible le long du corps.
› Fléchir les genoux et plaquer la colonne vertébrale au sol.
› Tourner la tête du côté cible en prenant une grande inspiration.
› Abaisser les premières côtes vers le bas à l'aide de l'autre main tout en expirant lentement jusqu'à ressentir une sensation d'étirement à la base du cou.

ÉVITER de comprimer en poussant vers le sol.

PRESCRIPTION

1-3 x **15-30** secondes

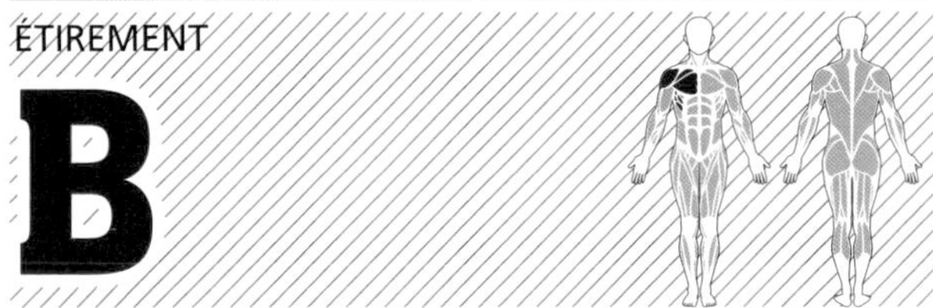

Étirement de la région antérieure du thorax en position couchée

OBJECTIF

Étirement général des muscles petit et grand pectoraux ainsi que du dentelé antérieur.

INDICATIONS

- En position couchée avec le membre cible coude fléchi en abduction (appuyer la main sur une serviette pliée si il y a manque d'amplitude).
- Fléchir les genoux puis laisser le poids des jambes entraîner lentement le thorax du côté opposé jusqu'à ressentir une sensation d'étirement.
- Maintenir la cage thoracique ouverte et dégagée.
- Accentuer l'étirement avec l'autre main si nécessaire.

ÉVITER de laisser l'épaule partir vers l'avant.

PRESCRIPTION

1-3 x **15-30** secondes

Étirement de la région latérale du cou avec une serviette

OBJECTIF

Étirement général des muscles trapèze supérieur, scalènes et élévateur de la scapula avec léger abaissement de la tête humérale.

INDICATIONS

- En position debout, tendre une serviette entre le pied et la main du côté cible.
- Rentrer le menton et incliner légèrement la tête vers le côté opposé en glissant lentement la main le long de la cuisse.
- Arrêter le mouvement lorsqu'il y a sensation d'étirement.
- Maintenir la position la tête haute (autograndissement).

ÉVITER de pencher la tête vers l'avant ou l'arrière.

PRESCRIPTION

1-3 x **15-30** secondes

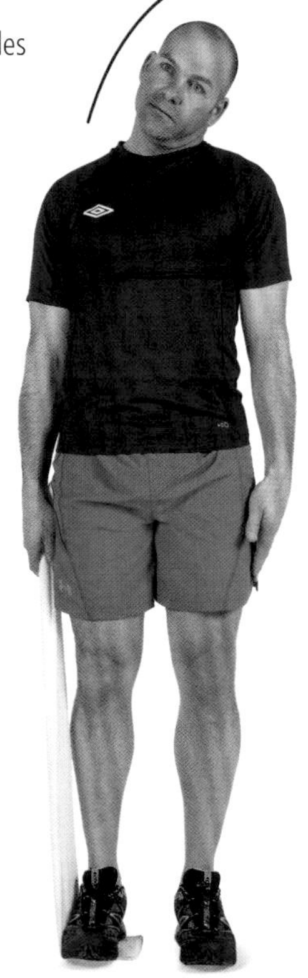

PROPRIOCEPTION

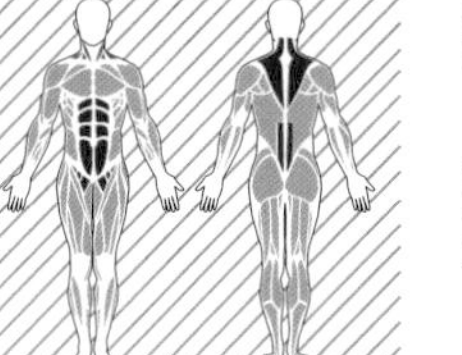

Exercice d'autograndissement en position couchée avec les bras tendus

OBJECTIF

Renforcement postural des muscles du tronc en situation de décharge.

INDICATIONS

› En position couchée, jambes tendues et bras dans le prolongement du corps.

› Rentrer le menton et exécuter une composante d'autograndissement en éloignant les mains et les talons.

› Redresser la position jusqu'à ressentir une sensation de décompression de la colonne vertébrale.

ÉVITER de compenser en creusant le bas du dos.

PRESCRIPTION

1-3 x **15-30** secondes

PROPRIOCEPTION

B

Exercice oculo-moteur

OBJECTIF

Rééducation neuro-proprioceptive du rachis cervical.

INDICATIONS

› Assis sur un ballon.

› Exécuter une composante d'autograndissement en éloignant la tête vers le haut et en ramenant les omoplates vers l'arrière (maintenir le menton rentré en tout temps).

› Fixer un point précis devant soi puis tourner lentement la tête de gauche à droite, aussi loin que possible sans quitter ce point des yeux.

ÉVITER de pencher la tête vers l'avant ou l'arrière.

PRESCRIPTION

1-3 x **5-15** répétitions

C

Exercice d'autograndissement en position assise

OBJECTIF

Renforcement postural des muscles du tronc en situation de charge.

INDICATIONS

› En position assise, jambes fléchies avec saisie derrière la cuisse.

› Exécuter une composante d'autograndissement en rentrant le menton tout en éloignant la tête vers le haut.

› Accentuer la bascule arrière ainsi que l'adduction des omoplates en s'aidant de la traction exercée sur les cuisses.

› Redresser la position jusqu'à ressentir une sensation de décompression de la colonne vertébrale.

ÉVITER de projeter la tête vers l'avant lors du mouvement.

PRESCRIPTION

1-3 x **15-30** secondes

DÉFINITION : Il s'agit d'une diminution progressive et généralisée de la densité du tissu osseux qui amène une diminution de la résistance des os. Cet effet se présente même si le rapport entre les éléments minéraux et organiques reste inchangé dans l'os. Les principales manifestations de la maladie sont la compression verticale, les fractures (col du fémur ou de l'extrémité distale du radius), le tassement vertébral et des douleurs aux articulations qui supportent le poids du corps. Les fractures peuvent survenir spontanément ou être provoquées par des traumatismes mineurs, et les probabilités augmentent avec le port de charges lourdes. Leur incidence est plus grande chez les personnes âgées et chez les gens de race blanche.

L'ostéopénie, caractérisée par une perte de la masse osseuse, en est le premier stade et se détecte de plus en plus précocement grâce à des tests préventifs (comme ceux faits aux femmes ménopausées). L'exercice physique progressif et modéré et une alimentation riche en calcium aident à maintenir la densité osseuse. L'hormonothérapie est aussi une forme de traitement utilisée.

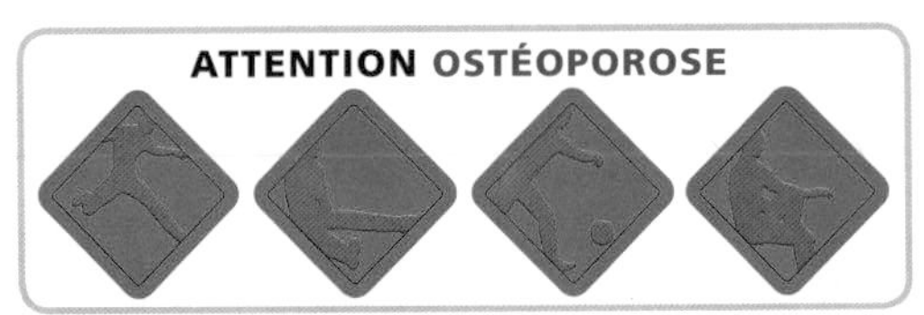

Ostéoporose
[déminéralisation osseuse]

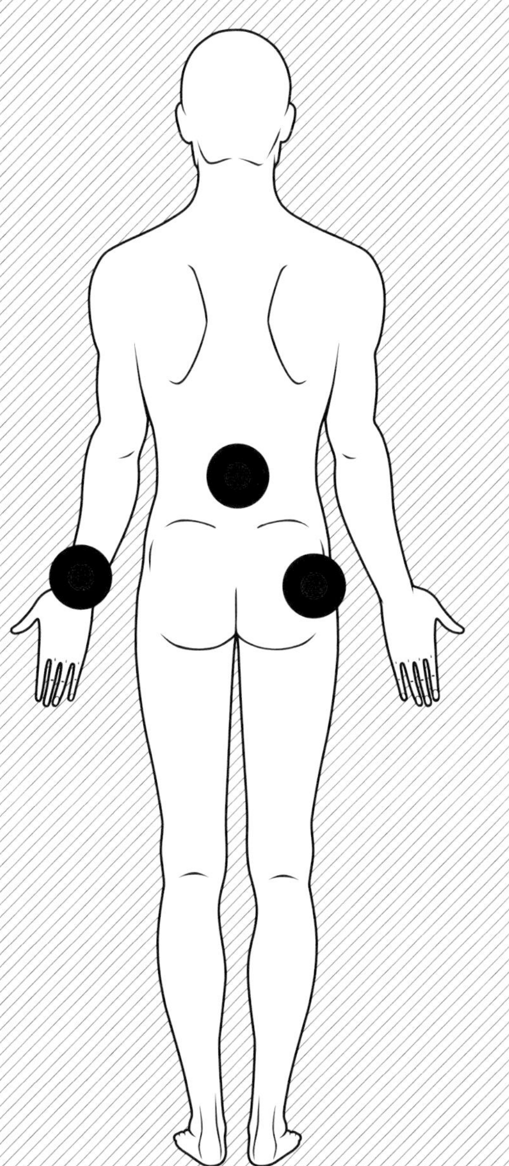

PROGRAMME DE RÉÉDUCATION

PHASE 1

Limiter la surcharge mécanique sur l'os

Il est d'abord important de prendre en considération la charge pondérale (surpoids), car il faut éviter, si possible, toute surcharge sur les articulations. Par conséquent, un programme de contrôle du poids, avec des activités cardiovasculaires légères mais fréquentes, doit être envisagé. L'aide d'un nutritionniste pour le volet alimentation et d'un kinésiologue pour la mise en forme est alors fortement conseillée. En ce qui a trait à la locomotion, il sera très important de vérifier la technique de marche ou de course.

PHASE 2

Limiter la diminution du tissu osseux

Une bonne hygiène de vie apportera la nutrition nécessaire aux tissus, ce qui permettra par la suite l'exposition progressive à des situations de contrainte : verticalisation (se tenir debout), marche.

PHASE 3

Prévenir la fracture

Des programmes d'éducation posturale et gestuelle à la prévention des chutes sont de plus en plus offerts dans les CLSC et autres organismes de prévention des problèmes de santé. De plus, la mise en appui progressive (alternance de compression-décompression de l'articulation) et le travail musculaire (entraînement avec des charges) ont pour effet d'améliorer la résistance osseuse.

Étirement des fléchisseurs de la hanche, genou au sol

OBJECTIF

Étirement combiné des muscles psoas-iliaque et droit fémoral.

INDICATIONS

› En position de fente basse, poser le genou du membre cible sur un coussin ou une serviette.
› Garder le poids sur la jambe de devant avec appui des mains au besoin (pour aider à se stabiliser).
› Amener le bassin en rétroversion (rentrer le ventre) puis en antéprojection (avancer le bassin) pour accentuer le mouvement.
› Maintenir l'alignement du corps (autograndissement).

ÉVITER de se pencher vers l'avant.

PRESCRIPTION

1-3 x **15-30** secondes

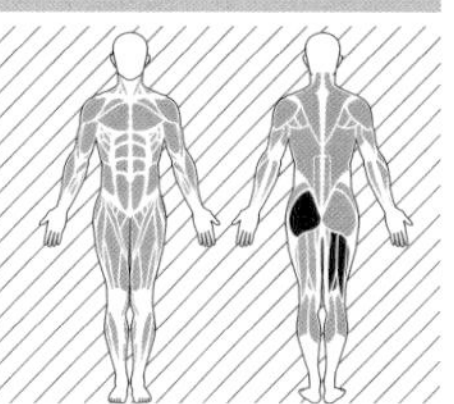

Étirement des extenseurs de la hanche en appui au mur

OBJECTIF

Étirement combiné des muscles grand fessier et ischiojambiers.

INDICATIONS

› En position assise, le bassin le plus près possible du mur.
› Faire passer la jambe cible de l'autre côté, pied au sol.
› Saisir la jambe cible à la cuisse, près du genou, et l'amener en direction de l'épaule opposée jusqu'à ressentir une sensation d'étirement dans la région fessière.
› Exécuter et maintenir une composante d'autograndissement.
› Garder l'autre jambe tendue et ramener les orteils vers soi.

ÉVITER de tourner le tronc.

PRESCRIPTION

1-3 x **15-30** secondes

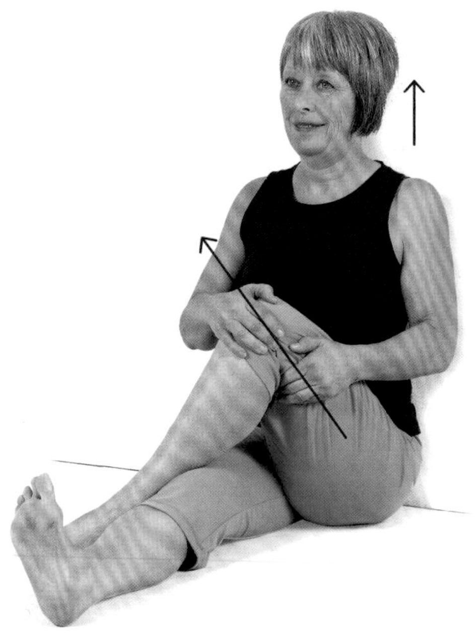

ÉTIREMENT

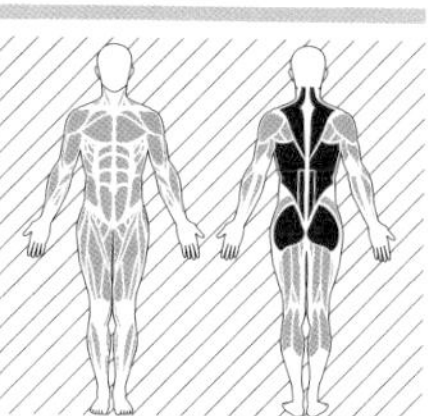

Étirement de la région lombaire au sol à genoux

OBJECTIF

Étirement général de la masse commune ainsi que des muscles dentelé postéro-inférieur, trapèze inférieur et grand dorsal.

INDICATIONS

› À genoux, bras allongés devant le corps et en appui au sol en supination (paumes vers le haut).

› Éloigner le bassin par rapport aux mains en cherchant à descendre et à allonger le corps.

ÉVITER de laisser le bassin remonter pendant l'étirement.

PRESCRIPTION

1-3 x **15-30** secondes

PROPRIOCEPTION

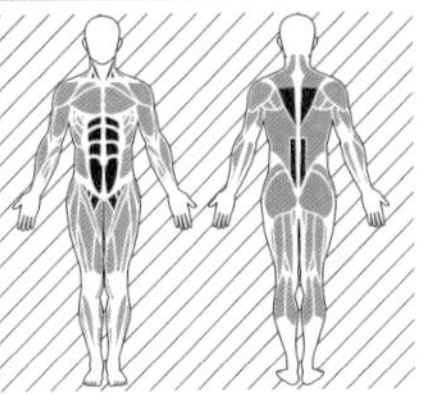

Exercice d'autograndissement en position couchée

OBJECTIF

Renforcement postural des muscles du tronc en décharge.

INDICATIONS

- En position couchée, jambes tendues et bras le long du corps en supination (paumes vers le haut).
- Exécuter une bascule arrière des omoplates en appuyant les épaules fermement au sol.
- Rentrer le menton et exécuter une composante d'autograndissement en éloignant la tête et les talons.
- Redresser la position jusqu'à ressentir une sensation de décompression de la colonne vertébrale.

ÉVITER de compenser en creusant le bas du dos.

PRESCRIPTION

1-3 x **15-30** secondes

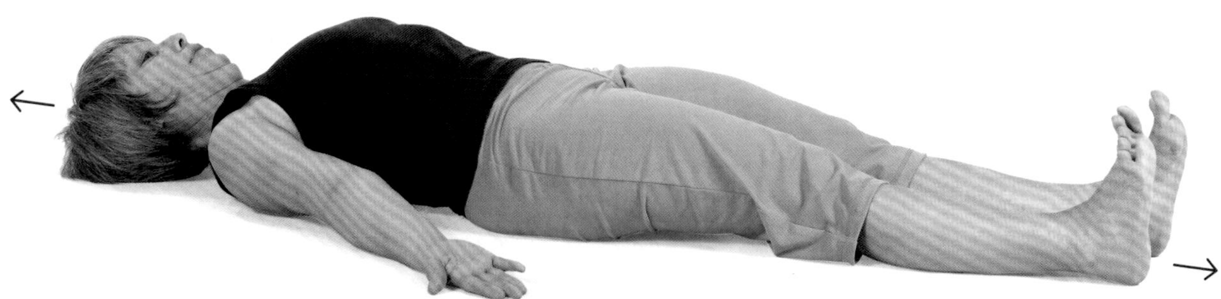

RENFORCEMENT

B

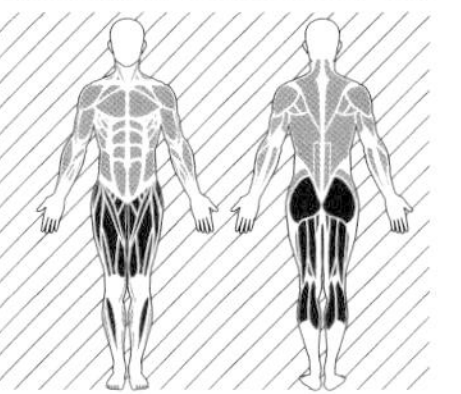

Squat avec une chaise, en position assise

OBJECTIF

Renforcement général des membres inférieurs à partir d'une surface stable.

INDICATIONS

- En position assise sur le bout d'une chaise, mains sur les cuisses.
- Se mettre debout jusqu'à l'extension complète des jambes, en exécutant une antéversion du bassin pour transférer efficacement le poids vers l'avant.
- Maintenir le poids sur les talons pendant le mouvement.

ÉVITER de projeter les genoux vers l'avant lors de la montée.

PRESCRIPTION

1-3 x **5-15** répétitions

RENFORCEMENT

C

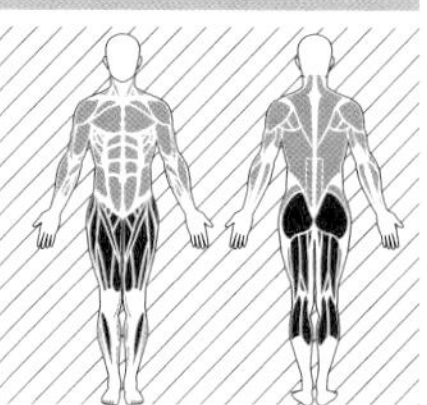

Squat au mur avec un ballon

OBJECTIF

Renforcement général des membres inférieurs en appui sur un ballon.

INDICATIONS

- En position debout, dos au mur, avec le ballon au creux du bas du dos et les pieds légèrement avancés.
- Descendre en position accroupie, aussi bas que possible, avant de compenser avec le dos ou le bassin (rétroversion).
- Garder le poids sur les talons en tout temps.
- Remonter jusqu'à l'extension complète des jambes.

ÉVITER de projeter les genoux vers l'avant lors de la descente.

PRESCRIPTION

1-3 x **5-15** répétitions

OSTÉOPOROSE [DÉMINÉRALISATION OSSEUSE]

RENFORCEMENT

A

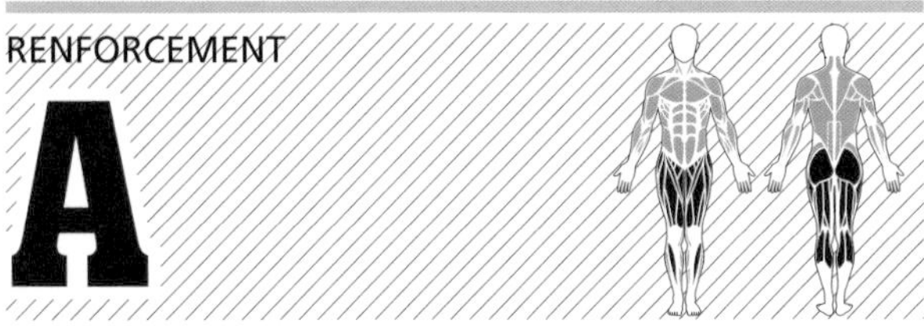

Squat profond avec une chaise

OBJECTIF

Renforcement général des membres inférieurs avec appui antérieur.

INDICATIONS

› En position debout, pieds à la largeur des hanches et mains sur le dossier (déposer un objet lourd sur la chaise si elle n'est pas assez stable).

› Descendre lentement en position accroupie, aussi bas que possible, tout en maintenant le poids sur les talons.

› Remonter jusqu'à l'extension complète des jambes, une fois le maximum d'amplitude atteint au bas du mouvement.

ÉVITER de se laisser tomber vers l'arrière lors de la descente.

PRESCRIPTION

1-3 x **5-15** répétitions

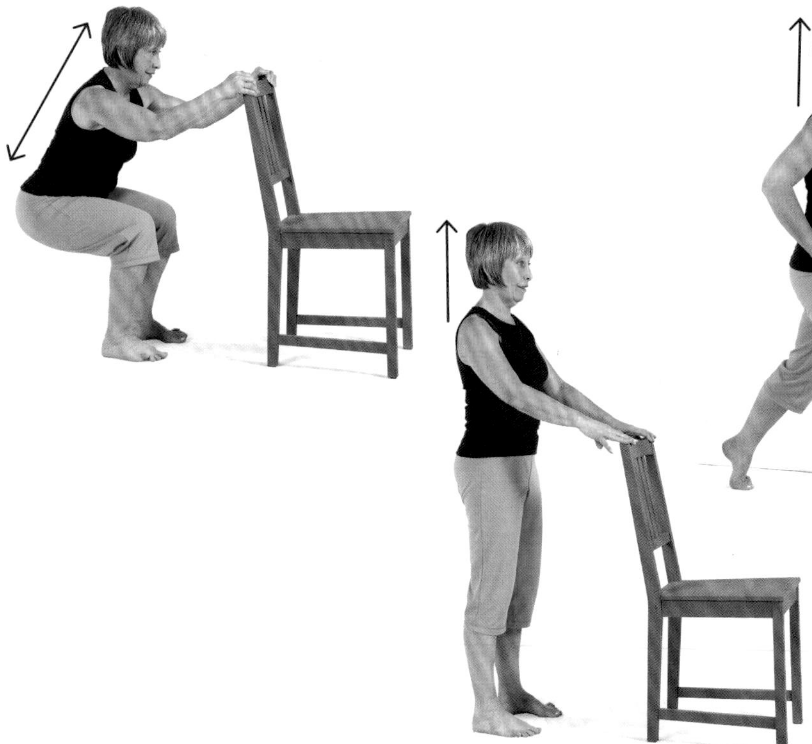

PROPRIOCEPTION

B

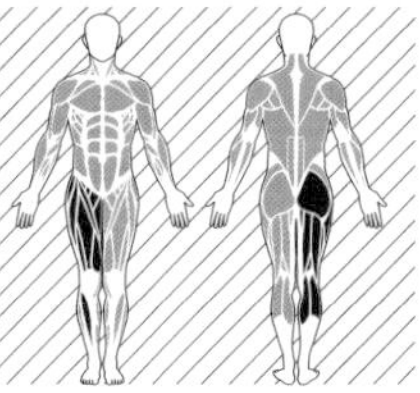

Fente avec appui au mur

OBJECTIF

Renforcement général des membres inférieurs en situation d'instabilité latérale.

INDICATIONS

› En position de fente haute, le long d'un mur, avec appui du côté opposé (le poids sur le talon de la jambe avant).

› Fléchir aussi bas que possible sans que le genou arrière touche le sol (environ 90 degrés de flexion).

› Remonter jusqu'à l'extension complète de la jambe.

› Maintenir une composante d'autograndissement en tout temps.

ÉVITER de projeter le genou vers l'avant lors de la descente.

PRESCRIPTION

1-3 x **5-15** répétitions

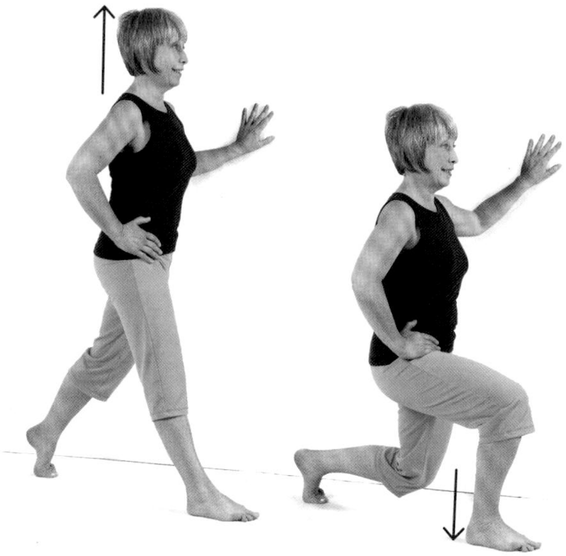

RENFORCEMENT

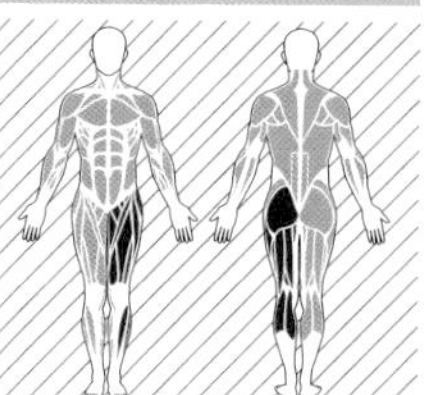

Fente sans appui

OBJECTIF

Renforcement dynamique et proprioceptif des membres inférieurs en situation de charge.

INDICATIONS

› En position de fente haute, mains sur les hanches (le poids sur le talon de la jambe avant).
› Fléchir aussi bas que possible sans que le genou arrière touche le sol (environ 90 degrés de flexion).
› Remonter jusqu'à l'extension complète de la jambe.
› Maintenir une composante d'autograndissement en tout temps.

ÉVITER de projeter le genou vers l'avant lors de la descente.

PRESCRIPTION

1-3 x **5-15** répétitions

DÉFINITION : Comme son nom l'indique, la périostite est l'inflammation du périoste, souvent causée par la traction trop grande des tendons et des aponévroses qui s'y attachent. La périostite touche plus souvent les membres inférieurs. La douleur est généralement médiale et antérieure du membre inférieur. Les sports avec sauts ou arrêts brusques sont à risque et peuvent mener à la fracture de stress ou de fatigue.

Un bandage élastique ou un *taping* fait par un professionnel peut diminuer cet effet de traction.

Périostite

PROGRAMME DE RÉÉDUCATION

PHASE 1
Étirements
Étirement des stabilisateurs latéraux du pied et des fléchisseurs plantaires.

PHASE 2
Proprioception
Travailler l'équilibre autant en antéro-postérieur qu'en latéro-médial, de même qu'en flexion-extension pour renforcer la phase d'absorption du mouvement.

PHASE 3
Renforcement
Renforcir les fléchisseurs plantaires, les éverseurs et inverseurs du pied, de même que les fléchisseurs et extenseurs du membre inférieur.

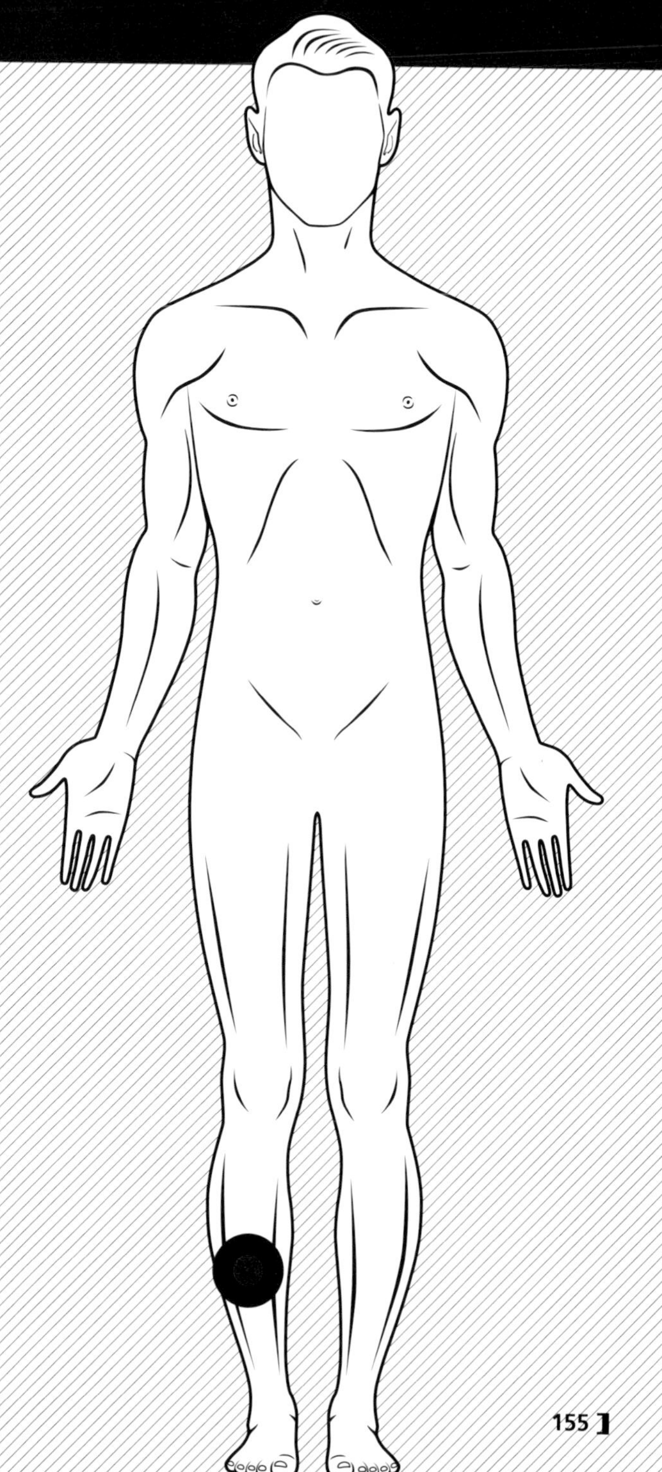

Étirement des jumeaux au mur

OBJECTIF

Étirement spécifique des muscles jumeaux ainsi que du soléaire en situation de charge avec appui.

INDICATIONS

› En position de fente avant en appui au mur (coudes fléchis).

› Projeter lentement le poids du corps sur la jambe avant tout en maintenant les talons au sol, jusqu'à ressentir une sensation d'étirement dans la jambe arrière.

› Augmenter l'extension du genou arrière ou la flexion du genou avant pour accentuer l'étirement.

› Maintenir l'alignement du corps en tout temps.

ÉVITER de laisser les talons se soulever du sol.

PRESCRIPTION

1-3 x **15-30** secondes

ÉTIREMENT

B

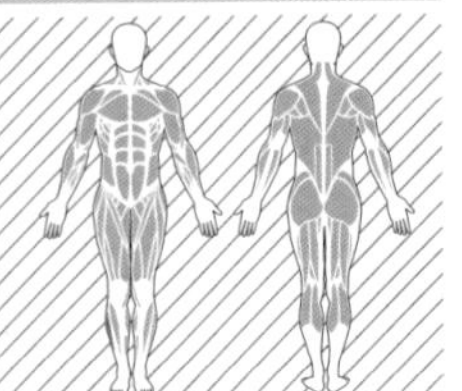

Étirement des éverseurs du pied avec une serviette

OBJECTIF

Étirement spécifique des muscles long et court fibulaires.

INDICATIONS

› En position assise au sol, entourer la partie distale du pied d'une serviette et croiser les bouts avant de les saisir.

› Exécuter une flexion de la cheville en amenant le pied d'abord vers soi avec les deux mains, puis une inversion en tractant davantage avec la main du côté cible.

› Maintenir une composante d'autograndissement.

ÉVITER de trop comprimer la cheville en tirant vers le bas.

PRESCRIPTION

1-3 x **15-30** secondes

ÉTIREMENT

C

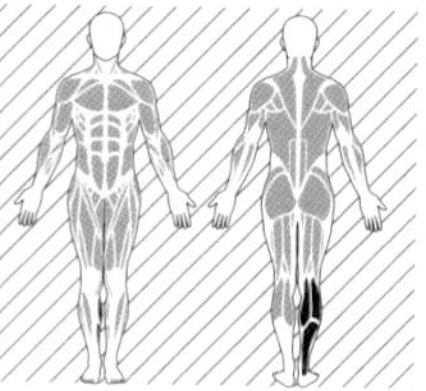

Étirement des inverseurs du pied avec une serviette

OBJECTIF

Étirement des muscles long fléchisseur de l'hallux et des orteils, du tibial postérieur ainsi que du soléaire et des jumeaux.

INDICATIONS

- En position assise au sol, entourer la partie distale du pied d'une serviette et croiser les bouts avant de les saisir.
- Exécuter une flexion de la cheville en amenant le pied d'abord vers soi avec les deux mains, puis une inversion en tractant davantage avec la main du côté opposé au membre cible.
- Maintenir une composante d'autograndissement.

ÉVITER de trop comprimer la cheville en tirant vers le bas.

PRESCRIPTION

1-3 x **15-30** secondes

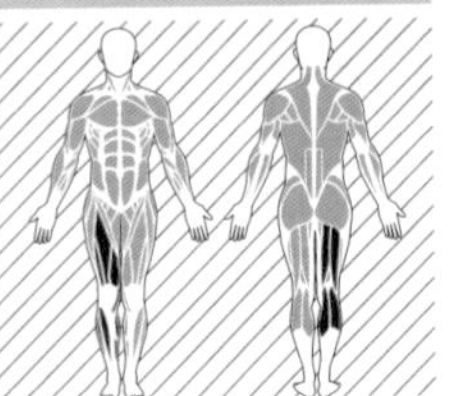

A — Étirement de la région antérieure de la jambe

OBJECTIF

Étirement manuel du muscle tibial antérieur en position assise.

INDICATIONS

› En position assise, croiser la jambe cible devant afin de la saisir à la partie supérieure du tibia et à la base du pied.

› Combiner un mouvement d'extension et de pronation de la cheville à une traction appliquée en haut du tibia.

› Chercher à éloigner les deux prises pour accentuer l'étirement.

ÉVITER de comprimer la cheville en tirant directement vers le bas.

PRESCRIPTION

1-3 x **15-30** secondes

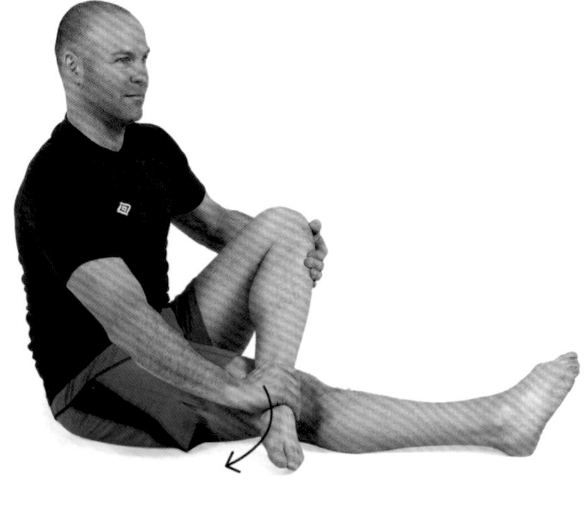

B — Extension active du genou avec un ballon

OBJECTIF

Travail proprioceptif combiné du genou et de la cheville sur une surface instable en flexion/extension.

INDICATIONS

› En position assise (surélevée) avec le pied au centre du ballon.

› Exécuter une extension active du genou en l'enfonçant vers le sol tout en exécutant une poussée du talon et une flexion du pied.

› Fléchir le genou en ramenant le talon le plus près possible tout en maintenant la plante du pied en contact avec le ballon.

ÉVITER de perdre le contact avec le ballon lors de la flexion.

PRESCRIPTION

1-3 x **5-15** répétitions

PROPRIOCEPTION

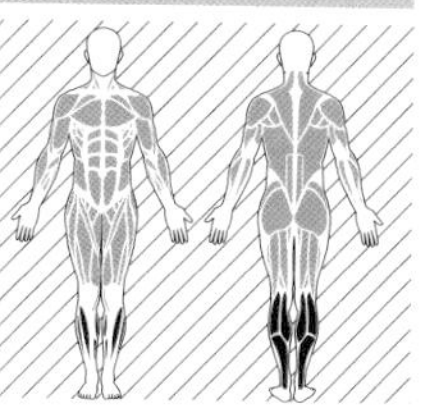

Marche proprioceptive

OBJECTIF

Stimulation des muscles du pied dans diverses positions.

INDICATIONS

› Marcher lentement et de façon contrôlée en maintenant l'appui sur les bords interne et externe des pieds, ou bien sur l'avant et l'arrière.

› Alterner les positions.

ÉVITER les pas longs ou saccadés.

PRESCRIPTION

1-3 x **5-15** répétitions

RENFORCEMENT

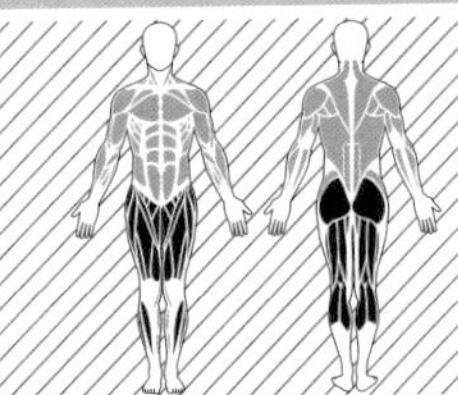

Squat avec appui et extension de la cheville

OBJECTIF

Renforcement général des membres inférieurs en appui sur un ballon.

INDICATIONS

- En position debout, dos au mur, avec le ballon au creux du bas du dos et les pieds légèrement avancés.
- Descendre en position accroupie, aussi bas que possible, avant de compenser avec le dos ou le bassin (rétroversion).
- Garder le poids sur les talons en tout temps.
- Remonter jusqu'à l'extension complète des jambes et terminer le mouvement avec une extension des chevilles.

ÉVITER de projeter les genoux vers l'avant lors de la descente.

PRESCRIPTION

1-3 x **5-15** répétitions

RENFORCEMENT

B

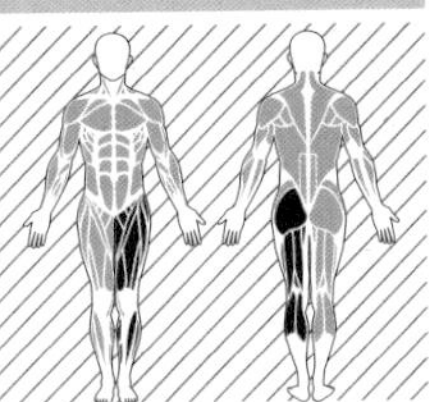

Fente avec appui au mur et extension de la cheville

OBJECTIF

Renforcement général des membres inférieurs en situation d'instabilité latérale.

INDICATIONS

- En position de fente haute, le long d'un mur, avec appui du côté opposé (le poids sur le talon de la jambe avant).
- Fléchir aussi bas que possible sans que le genou arrière touche le sol (environ 90 degrés de flexion).
- Remonter jusqu'à l'extension complète de la jambe et terminer avec l'extension de la cheville.
- Maintenir une composante d'autograndissement en tout temps.

ÉVITER de projeter le genou vers l'avant lors de la descente.

PRESCRIPTION

1-3 x **5-15** répétitions

RENFORCEMENT

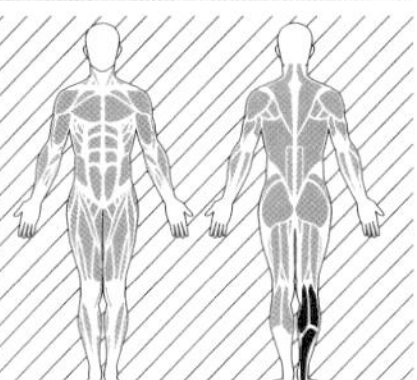

Flexion/extension de la cheville sur une marche avec appui

OBJECTIF

Renforcement anisométrique avec étirement actif des muscles extenseurs de la cheville à grande amplitude.

INDICATIONS

- En position debout, le pied sur le bord d'une surface stable et surélevée (avec appui au mur si nécessaire).
- Exécuter une flexion de la cheville en laissant lentement descendre le talon aussi bas que possible, puis pousser avec l'avant du pied jusqu'à extension complète de la cheville (sur le bout des orteils).
- Maintenir le genou en extension pendant le mouvement.

ÉVITER d'amener le genou en hyperextension.

PRESCRIPTION

1-3 x **5-15** répétitions

DÉFINITION : La scoliose est caractérisée par une déviation latérale ou transversale du rachis. On en distingue cinq types : congénitale, neuropathologique, antalgique ou cicatricielle, malpositionnement ou malformation vertébrale, non-structurale (attitude). Exemples : scolioses double majeure, lombaire gauche, dorsale droite.

Les scolioses de développement sont appelées idiopathiques (leurs causes sont inconnues) et se développent surtout à l'adolescence. Elles nécessitent un suivi orthopédique et souvent le port d'un corset.

Les scolioses posturales, quant à elles, sont davantage attribuables à des causes identifiables et modifiables (la posture) et produisent en général de moins grandes courbures.

Scoliose
[syndrome de déviation vertébrale]

PROGRAMME DE RÉÉDUCATION

PHASE 1

Prise de conscience des déséquilibres du thorax

Positionnement des épaules et du thorax sur un ballon de rééducation.

Les mains sur le ventre, coller (reculer) l'épaule droite sur le ballon et, en même temps, soulever vers le plafond (avancer) les côtes du côté droit. Maintenir la position 2 à 3 secondes.

Relâcher la position, puis recommencer.

Soulever vers le plafond (avancer) l'épaule gauche et coller au sol (reculer) les côtes du côté gauche en même temps. Maintenir la position 2 à 3 secondes. Relâcher la position, puis recommencer.

Effectuer les exercices en même temps.

Effectuer chaque exercice 10 fois.

PHASE 2

Prise de conscience des déséquilibres du bassin

Couché sur le dos, bras près du corps et jambes étendues, reculer (enfoncer dans le sol) la hanche droite et déplacer les orteils de la jambe droite vers l'intérieur en gardant la jambe droite.

Maintenir la position 2 à 3 secondes.

Relâcher la position, puis recommencer.

Avancer (surélever) la hanche gauche et déplacer les orteils de la jambe gauche vers l'extérieur en gardant la jambe droite.

Maintenir la position 2 à 3 secondes.

Relâcher la position, puis recommencer.

Faire les exercices en même temps.

Effectuer chaque exercice 10 fois.

PHASE 3

Rééquilibrage de tout le corps

Couché sur le dos, les bras près du corps et les jambes étendues, effectuer tous les exercices en même temps (position corrigée), soit :

- reculer l'épaule droite ;
- avancer l'épaule gauche ;
- avancer les côtes du côté droit ;
- reculer les côtes du côté gauche ;
- avancer la hanche gauche et tourner les orteils vers l'extérieur ;
- reculer la hanche droite et tourner les orteils vers l'intérieur.

Maintenir la position 2 à 3 secondes.

Relâcher la position, puis recommencer.

Effectuer l'exercice 10 fois.

ÉTIREMENT

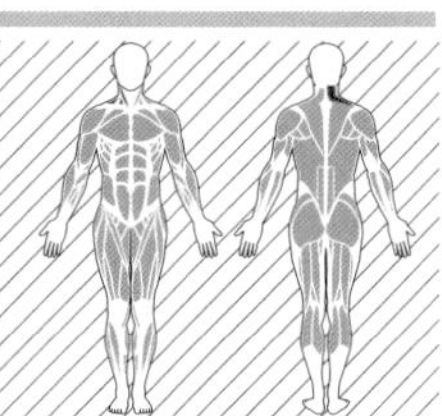

Étirement de la région latérale du cou avec une serviette

OBJECTIF

Étirement général des muscles trapèze supérieur, scalènes et élévateur de la scapula avec un léger abaissement de la tête humérale.

INDICATIONS

- En position debout, tendre une serviette entre le pied et la main du côté cible.
- Rentrer le menton et incliner légèrement la tête vers le côté opposé en glissant lentement la main le long de la cuisse.
- Arrêter le mouvement lorsqu'il y a sensation d'étirement.
- Maintenir la position la tête haute (autograndissement).

ÉVITER de pencher la tête vers l'avant ou l'arrière.

PRESCRIPTION

1-3 x **15-30** secondes

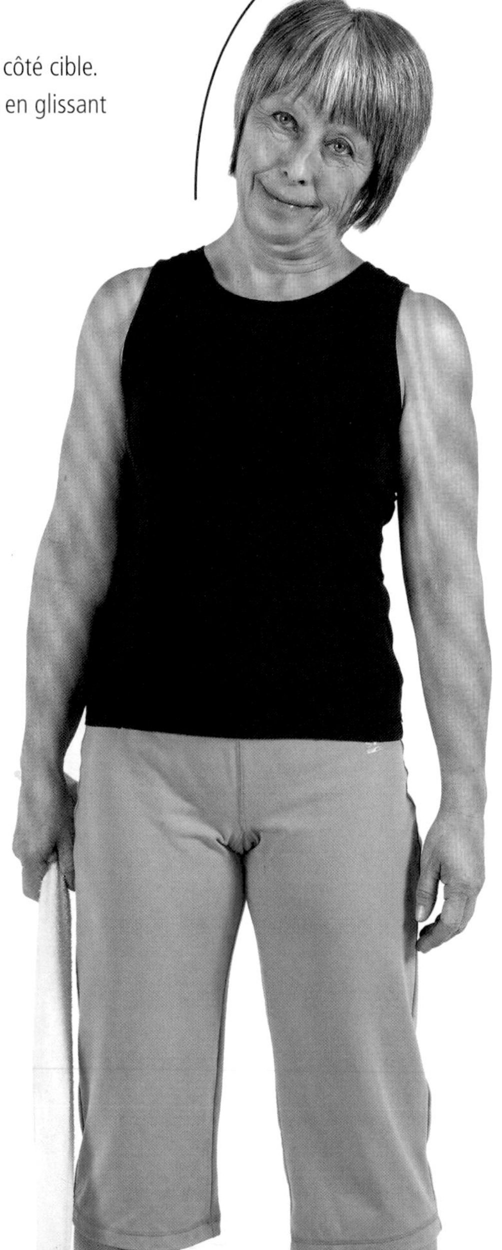

ÉTIREMENT

B

Étirement de la région antérieure du thorax au mur

OBJECTIF

Étirement général des muscles petit et grand pectoraux ainsi que du dentelé antérieur.

INDICATIONS

- En position de fente avec le membre cible au coude fléchi en abduction (appuyer l'avant-bras sur un mur ou un cadre de porte).
- Basculer l'épaule vers l'arrière et ouvrir la cage thoracique.
- Fléchir le genou avant pour faire avancer lentement le tronc, jusqu'à ressentir une sensation d'étirement.
- Maintenir la cage thoracique ouverte et dégagée.
- Accentuer l'étirement avec l'autre main, si nécessaire.

ÉVITER de laisser l'épaule monter vers le haut.

PRESCRIPTION

1-3 x **15-30** secondes

ÉTIREMENT

C

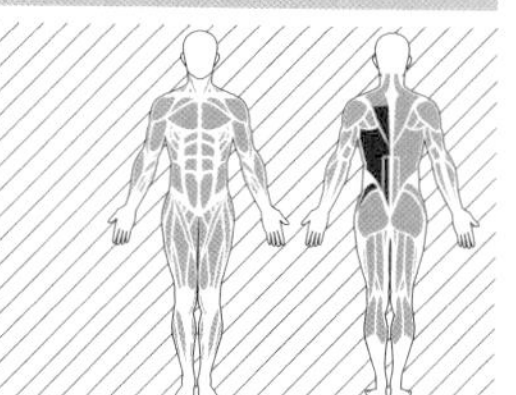

Étirement de la région postérieure du thorax en suspension

OBJECTIF

Étirement unilatéral des muscles dentelé postéro-inférieur, trapèze inférieur et grand dorsal.

INDICATIONS

- En position debout, le bras cible accroché à un cadre de porte.
- Descendre lentement en position accroupie, en reculant le bassin et en terminant avec une légère déviation du côté opposé, jusqu'à ressentir une sensation d'étirement dans la région latérale.
- Saisir le thorax avec la main opposée et laisser le poids du corps accentuer l'étirement.

ÉVITER de retenir le mouvement en contractant le membre cible.

PRESCRIPTION

1-3 x **15-30** secondes

SCOLIOSE [SYNDROME DE DÉVIATION VERTÉBRALE]

Étirement profond de la région latérale du tronc avec un ballon

OBJECTIF

Étirement prononcé des muscles carré des lombes et obliques internes et externes sur ballon.

INDICATIONS

- Couché de côté sur le ballon, genou et main du côté opposé en appui au sol (épouser la forme du ballon).
- Tenter de porter la jambe et le bras du côté cible vers le sol jusqu'à ressentir une sensation d'étirement.
- Maintenir l'allongement du corps.

ÉVITER de perdre le contact avec le ballon.

PRESCRIPTION

1-3 x **15-30** secondes

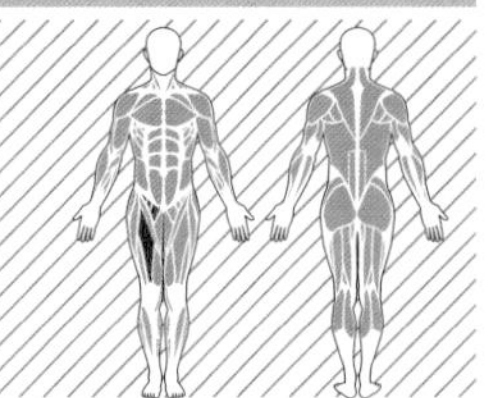

Étirement des fléchisseurs de la hanche, genou au sol

OBJECTIF

Étirement combiné des muscles psoas-iliaque et droit fémoral.

INDICATIONS

- En position de fente basse, poser le genou de la jambe cible sur un coussin ou une serviette.
- Garder le poids sur la jambe de devant en s'appuyant sur les mains au besoin (pour aider à se stabiliser).
- Amener le bassin en rétroversion (rentrer le ventre) puis en antéprojection (avancer le bassin) pour accentuer le mouvement.
- Maintenir l'alignement du corps (autograndissement).

ÉVITER de se pencher vers l'avant.

PRESCRIPTION

1-3 x **15-30** secondes

ÉTIREMENT

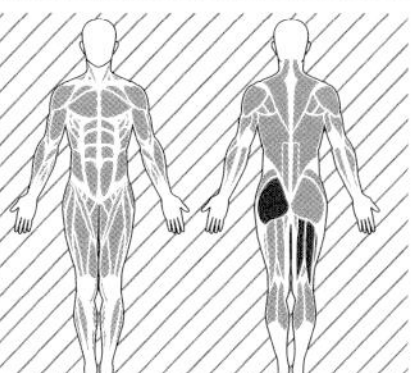

Étirement des extenseurs de la hanche en appui au mur

OBJECTIF

Étirement combiné des muscles grand fessier et ischiojambiers.

INDICATIONS

› En position assise, le bassin le plus près possible du mur.
› Faire passer la jambe cible de l'autre côté, le pied au sol.
› Saisir la jambe cible à la cuisse, près du genou, et l'amener en direction de l'épaule opposée jusqu'à ressentir une sensation d'étirement dans la région fessière.
› Exécuter et maintenir une composante d'autograndissement.
› Garder l'autre jambe tendue et ramener les orteils vers soi.

ÉVITER de tourner le tronc.

PRESCRIPTION

1-3 x **15-30** secondes

SCOLIOSE [SYNDROME DE DÉVIATION VERTÉBRALE]

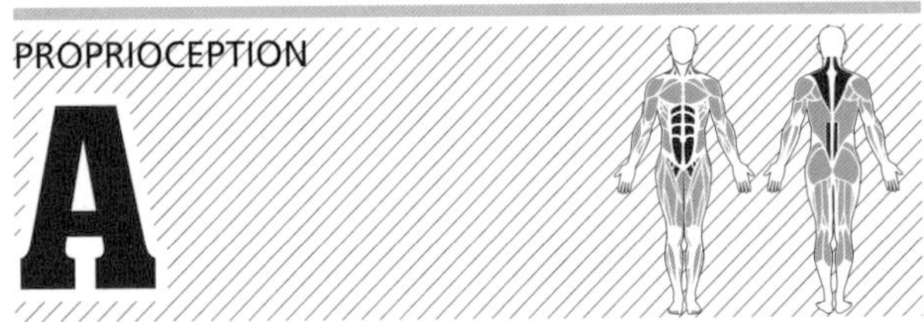

Exercice d'autograndissement en position couchée

OBJECTIF

Renforcement postural des muscles du tronc en situation de décharge.

INDICATIONS

- En position couchée, jambes tendues et bras le long du corps en supination (paumes vers le haut).
- Exécuter une bascule arrière des omoplates en appuyant les épaules fermement au sol.
- Rentrer le menton et exécuter une composante d'autograndissement en éloignant la tête et les talons.
- Redresser la position jusqu'à ressentir une sensation de décompression de la colonne vertébrale.

ÉVITER de compenser en creusant le bas du dos.

PRESCRIPTION

1-3 x **15-30** secondes

Exercice de rééquilibre postural général

OBJECTIF

Travail postural et renforcement proprioceptif des muscles stabilisateurs et posturaux en situation de décharge.

INDICATIONS

- En position couchée, menton rentré et jambes tendues.
- Placer le bras d'enroulement en extension et en supination (paume vers le haut) le long du corps, et le bras de bascule en flexion du coude sur le ventre.
- Exécuter une composante d'autograndissement avec prise de conscience des appuis au sol.

ÉVITER de compenser en creusant le bas du dos.

PRESCRIPTION

1-3 x **15-30** secondes

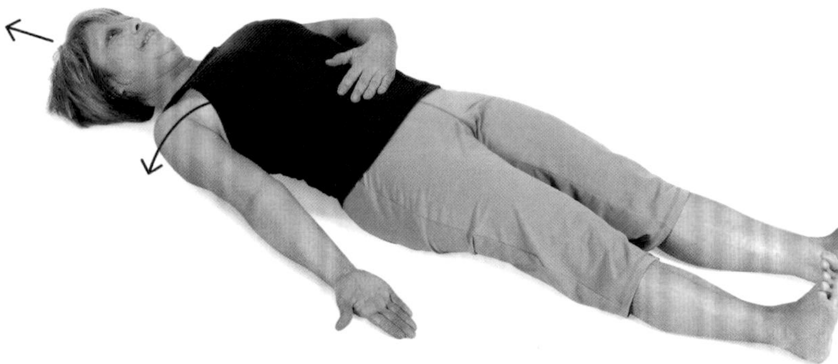

RENFORCEMENT

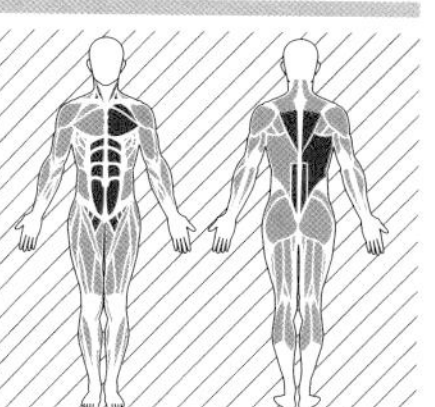

Exercice de rééquilibre postural spécifique

OBJECTIF

Travail postural et renforcement proprioceptif des muscles stabilisateurs et posturaux en situation de décharge.

INDICATIONS

- En position couchée, menton rentré et jambes tendues.
- Placer le bras d'enroulement en extension et en supination (paume vers le haut) le long du corps, et le bras de bascule en flexion du coude sur le ventre.
- Accentuer l'attitude posturale inversée en tentant de séparer l'épaule du thorax tout en augmentant l'appui des omoplates au sol.
- Tenter de rééquilibrer les appuis en réajustant aux endroits où l'appui des omoplates est moins prononcé.

ÉVITER de perdre la composante d'autograndissement.

PRESCRIPTION

1-3 x **15-30** secondes

DÉFINITION : Compression des structures situées entre l'arche coraco-acromiale et la partie latérale du bras (tubérosité de l'humérus). Cette compression peut être antéro-interne (impliquant le muscle subscapulaire, la bourse sous-coracoïdienne et la longue portion du biceps), antéro-supérieure (impliquant le supra-épineux, la bourse sous-acromiale, l'infra-épineux et la longue portion du biceps) ou encore postéro-supérieure (impliquant la bourse sous-acromiale, l'infra-épineux et le petit rond).

Le syndrome de l'accrochage fait partie des atteintes de la coiffe des rotateurs et est souvent une conséquence d'une atteinte préalable, comme une tendinite ou une bursite. Il peut limiter grandement la mobilité.

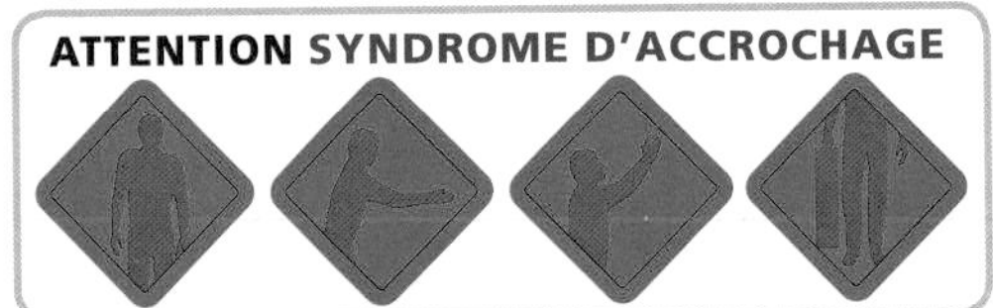

Syndrome d'accrochage [coiffe des rotateurs]

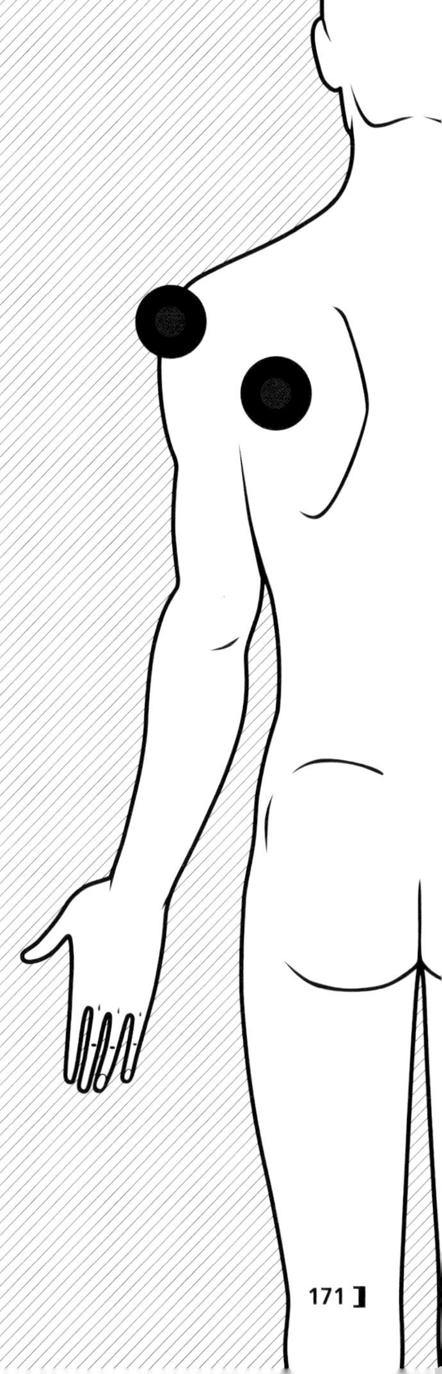

PROGRAMME DE RÉÉDUCATION

PHASE 1
Dégager l'épaule
Étirement des migrateurs de l'épaule (triceps, petit et grand ronds, subscapulaire, deltoïde postérieur, biceps).

PHASE 2
Renforcer les muscles périarticulaires de l'épaule
Les stabilisateurs scapulaires (trapèzes supérieur et inférieur, rhomboïdes, dentelé antérieur).

Les dépresseurs huméraux (subscapulaire, infra-épineux, petit rond).

Les positionneurs huméraux primaires (deltoïde, grand pectoral, grand dorsal).

PHASE 3
Stabiliser la dynamique et la mobilité de l'épaule
Corrections posturales.
Recentrage de la tête humérale.

ÉTIREMENT

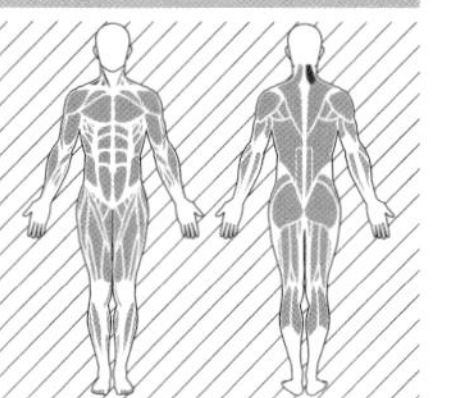

Étirement du trapèze supérieur avec une serviette

OBJECTIF

Étirement spécifique des muscles trapèze supérieur et des rhomboïdes.

INDICATIONS

- En position debout, tendre une serviette devant, entre le pied du côté opposé et la main du côté cible.
- Rentrer le menton et incliner doucement vers le côté opposé en tournant légèrement la tête vers le côté cible.
- Arrêter le mouvement lorsqu'il y a sensation d'étirement.
- Maintenir la position la tête haute (autograndissement).

ÉVITER de pencher la tête vers l'avant ou l'arrière.

PRESCRIPTION

1-3 x **15-30** secondes

ÉTIREMENT

B

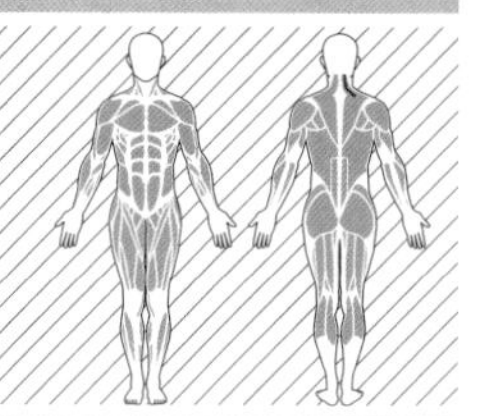

Étirement de l'élévateur de la scapula avec une serviette

OBJECTIF

Étirement spécifique du muscle élévateur de la scapula.

INDICATIONS

- En position debout, tendre une serviette derrière soi, entre le pied du côté opposé et la main du côté cible.
- Rentrer le menton et incliner doucement vers le côté opposé en tournant légèrement la tête vers le côté opposé au membre cible.
- Arrêter le mouvement lorsqu'il y a sensation d'étirement.
- Maintenir la position la tête haute (autograndissement).

ÉVITER de pencher la tête vers l'avant ou l'arrière.

PRESCRIPTION

1-3 x **15-30** secondes

ÉTIREMENT

C

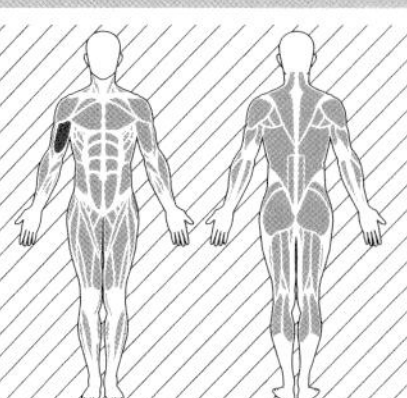

Étirement du biceps debout

OBJECTIF

Étirement spécifique du muscle biceps brachial.

INDICATIONS

› En position debout, épaule et coude cible en extension légèrement derrière le corps.
› Agripper la main en pronation à une surface stable (bureau, chaise, etc.).
› Avancer la cage thoracique et le bassin en prenant une grande inspiration jusqu'à ressentir une sensation d'étirement.
› Maintenir l'alignement du corps.

ÉVITER de laisser basculer l'épaule vers l'avant.

PRESCRIPTION

1-3 x **15-30** secondes

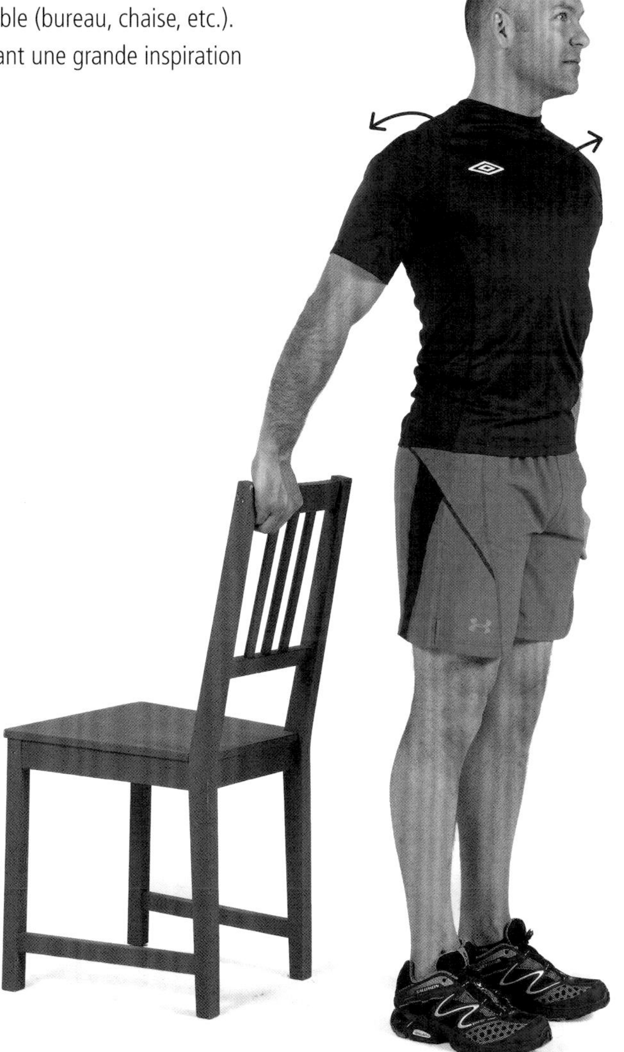

PROPRIOCEPTION

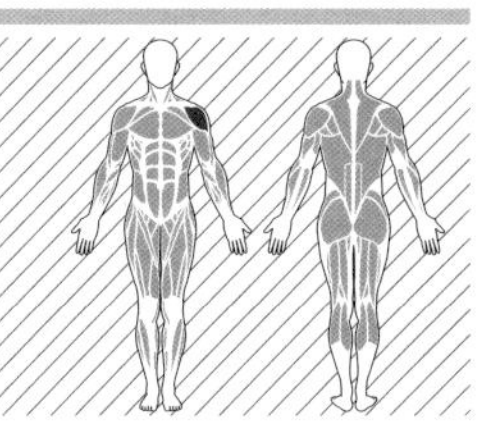

Décompression humérale avec une serviette

OBJECTIF

Décompression de la tête humérale en position de sustentation.

INDICATIONS

› En position debout, coude fléchi à 90 degrés et poing fermé, insérer une serviette roulée entre le bras cible et le tronc.

› Stabiliser l'avant-bras avec l'autre main par-dessous.

› Saisir l'avant-bras près du coude et exécuter un mouvement forcé de traction vers le coude opposé jusqu'à ressentir une sensation de décompression à l'épaule.

› Maintenir la position quelques secondes, puis recommencer.

ÉVITER de contracter le membre cible.

PRESCRIPTION

1-3 x **5-15** répétitions

ÉTIREMENT

B

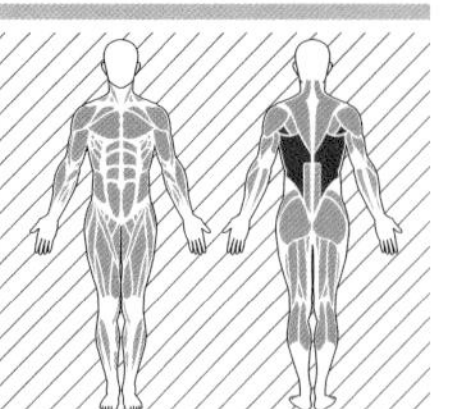

Étirement des rotateurs médiaux du bras en appui

OBJECTIF

Étirement dynamique des muscles grand rond, grand dorsal et subscapulaire en position d'antépulsion.

INDICATIONS

› À genoux devant un ballon, les bras en rotation latérale avec un poids dans les mains (paumes vers le haut).

› Ouvrir l'amplitude des épaules en reculant le bassin vers les pieds tout en cherchant à ouvrir la cage thoracique vers le bas.

› Maintenir une composante d'autograndissement en tout temps.

ÉVITER de se laisser tomber vers le sol.

PRESCRIPTION

1-3 x **15-30** secondes

PROPRIOCEPTION

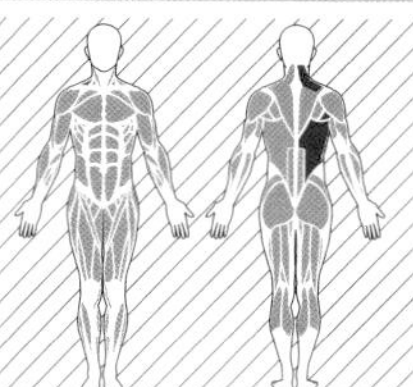

Étirement actif de la région latérale du cou avec abaissement de la tête humérale

OBJECTIF

Étirement dynamique des muscles trapèze supérieur, scalènes et élévateur de la scapula avec abaissement actif de la tête humérale.

INDICATIONS

› En position debout, menton rentré.

› Incliner la tête du côté opposé tout en maintenant l'autograndissement.

› Exécuter un abaissement actif de la tête humérale par l'action combinée d'une remontée des doigts et d'une poussée de la paume légèrement vers l'avant et l'extérieur.

› Maintenir la position.

ÉVITER de pencher la tête vers l'avant ou l'arrière.

PRESCRIPTION

1-3 x **15-30** secondes

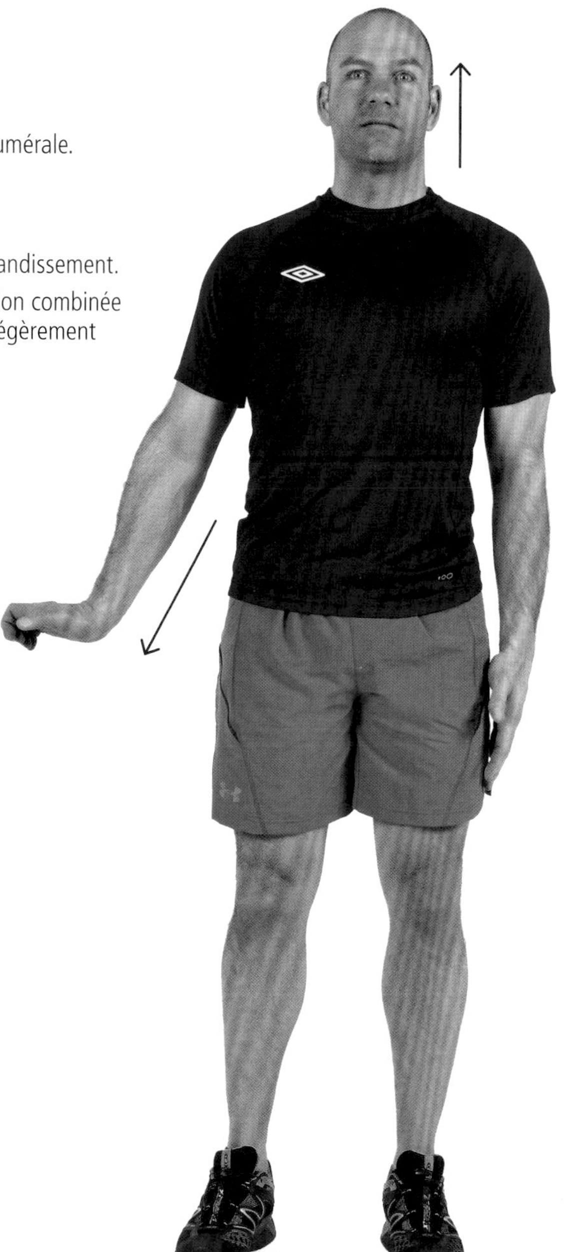

PROPRIOCEPTION

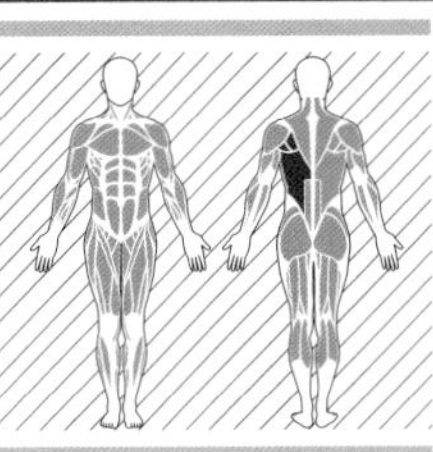

Recentrage de la tête humérale

OBJECTIF

Recentrage actif de la tête humérale en position assise avec appui.

INDICATIONS

- En position assise, coude en appui sur une surface plane avec le bras en rotation latérale et la main en inclinaison ulnaire (poing vers l'extérieur).
- Exécuter un mouvement combiné de glissement ou d'éloignement et de flexion du coude avec une rotation latérale du bras.
- Se concentrer sur la sensation d'abaissement de la tête humérale.
- Maintenir une composante d'autograndissement en tout temps.

ÉVITER de compenser avec le reste du corps.

PRESCRIPTION

1-3 x **5-15** secondes

RENFORCEMENT

B

Abduction du bras au mur avec abaissement huméral

OBJECTIF

Renforcement isométrique des muscles supra-épineux et deltoïde.

INDICATIONS

- En position debout, membre cible en appui en extension.
- Basculer l'épaule vers l'arrière et exécuter une poussée en abduction en combinant un abaissement de la tête humérale contre le mur.
- Maintenir la position aussi longtemps que possible.
- Varier la distance avec le mur pour travailler dans diverses amplitudes.

ÉVITER de lever les épaules lors de l'exercice.

PRESCRIPTION

1-3 x **15-30** secondes

RENFORCEMENT

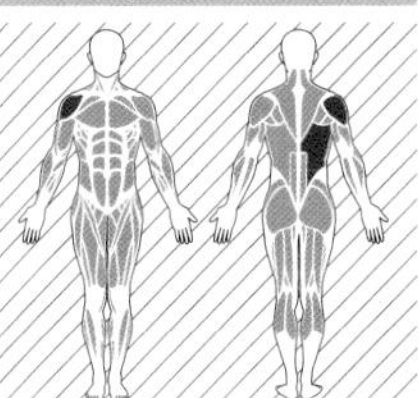

Abduction du bras et abaissement huméral avec charge

OBJECTIF

Renforcement anisométrique des muscles supra-épineux et deltoïde.

INDICATIONS

› En position debout, le membre cible en extension tenant une charge.
› Exécuter une abduction lente et contrôlée légèrement vers l'avant en combinant un abaissement de la tête humérale.
› Penser à éloigner le poids vers le bas puis vers l'extérieur.
› Arrêter le mouvement au niveau des épaules.
› Retourner à la position de départ en contrôlant la descente.

ÉVITER de lever le poids vers le haut.

PRESCRIPTION

1-3 x **5-15** répétitions

DÉFINITION: Il s'agit d'une sensibilité du muscle tenseur du fascia lata, causée par une friction au niveau de sa structure tendineuse (tractus ilio-tibial) et de la partie latérale du fémur (condyle). Elle est souvent due à un trouble postural des membres inférieurs, comme les genoux en varus (qui pointent vers l'extérieur), ou à une utilisation mauvaise ou excessive des fléchisseurs de la hanche (sports ou activités de course). Des membres inférieurs de longueur inégale peuvent également causer ce syndrome, aussi appelé « syndrome Rice Krispies » à cause du bruit de crépitement qu'il peut engendrer. Il est important de bien identifier et de régler ce problème, car il peut entraîner des atteintes des articulations sus-jacentes ou sous-jacentes.

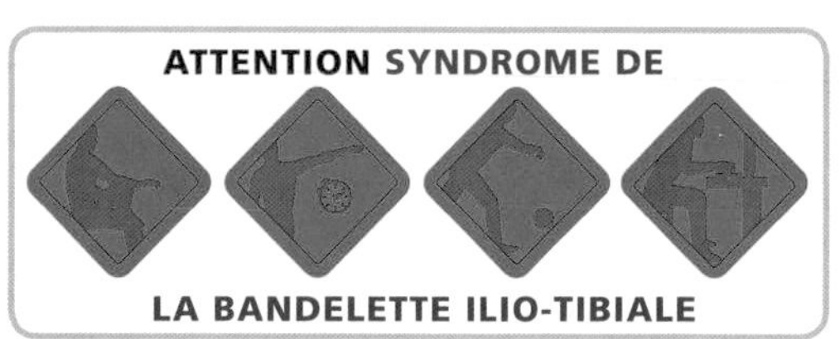

Syndrome de la bandelette ilio-tibiale

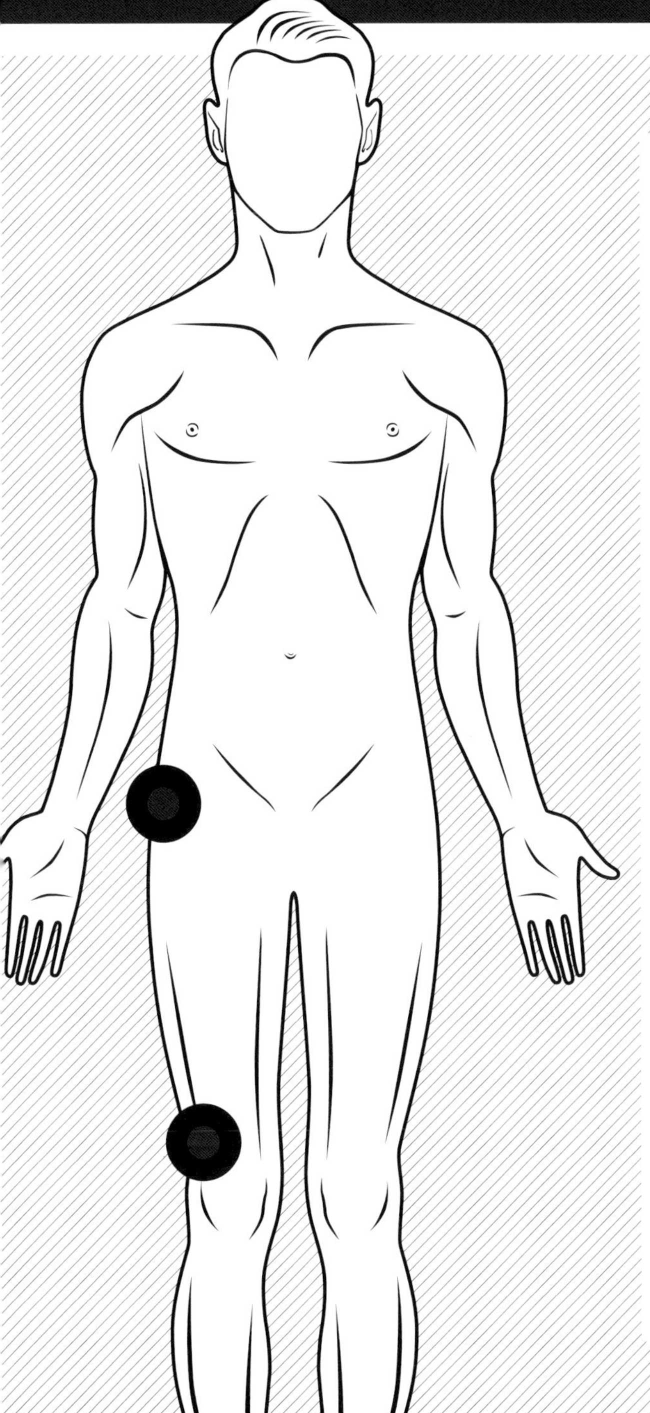

PROGRAMME DE RÉÉDUCATION

PHASE 1

Diminuer la tension et la rétraction

Débuter le programme par des exercices d'étirement des muscles pouvant présenter des tensions ou de la résistance comme les abducteurs (tenseur du fascia lata, petit et moyen fessiers) et les fléchisseurs (quadriceps et psoas) de la hanche.

PHASE 2

Redonner de l'amplitude de mouvement et tonifier les antagonistes

Une fois la résistance diminuée à l'aide d'exercices passifs, des exercices à composante plus dynamique pourront être intégrés pour améliorer la mobilité active de la hanche. Les muscles antagonistes pouvant également être la cause de déséquilibres posturaux, des exercices d'étirement des muscles adducteurs ou extenseurs (grand fessier) peuvent être exécutés.

PHASE 3

Rétablir l'équilibre entre les abducteurs et les adducteurs

Des exercices proprioceptifs ou de renforcement plus difficiles (plateformes instables, déplacements latéraux, appuis uni ou bipodal) et à plus grande amplitude permettront de rééduquer la hanche à travailler en situation de désavantage et de résister aux futures expositions à risque. Dans le cas de pratique d'activités intenses, il sera important de vérifier les éléments biomécaniques, comme la technique de course, et d'accompagner chaque séance d'exercices d'étirement actifs (avant) et passifs (après).

Étirement du psoas-iliaque en position debout

OBJECTIF

Étirement spécifique du muscle psoas-iliaque en situation de charge.

INDICATIONS

› En position de fente haute, poser le pied du membre cible derrière le corps (talon au sol).
› Garder le poids sur la jambe de devant avec les mains sur les hanches au besoin (pour aider à se stabiliser).
› Amener le bassin en rétroversion (rentrer le bas du ventre) puis en antéprojection (avancer légèrement le bassin) pour accentuer l'étirement.
› Maintenir l'alignement du corps (autograndissement).

ÉVITER de se pencher vers l'avant.

PRESCRIPTION

1-3 x **15-30** secondes

ÉTIREMENT

B

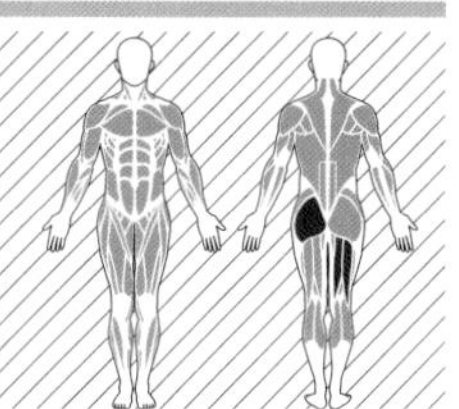

Étirement des extenseurs de la hanche en appui au mur

OBJECTIF

Étirement combiné des muscles grand fessier et ischiojambiers.

INDICATIONS

› En position assise, le bassin le plus près possible du mur.
› Faire passer la jambe cible de l'autre côté, le pied au sol.
› Saisir la jambe cible à la cuisse, près du genou, et l'amener en direction de l'épaule opposée jusqu'à ressentir une sensation d'étirement dans la région fessière.
› Exécuter et maintenir une composante d'autograndissement.
› Garder l'autre jambe tendue et ramener les orteils vers soi.

ÉVITER de tourner le tronc.

PRESCRIPTION

1-3 x **15-30** secondes

ÉTIREMENT

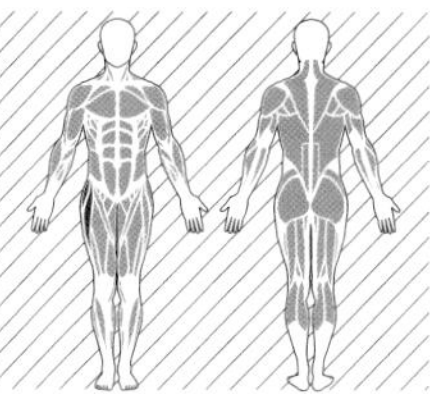

Étirement des abducteurs de la hanche en position couchée

OBJECTIF

Étirement des muscles petit et moyen fessiers et tenseur du fascia lata en situation de décharge.

INDICATIONS

› Couché sur le dos, la main sur la hanche du côté opposé (pour stabiliser le bassin).

› Amener la jambe cible en adduction et passer la jambe opposée par-dessus.

› Forcer le mouvement d'adduction en se servant de l'appui du pied au bas de la cuisse et pousser avec la main sur le bassin pour accentuer l'étirement.

› Garder le bassin en rétroversion (rentrer le bas du ventre).

ÉVITER de compenser en inclinant le tronc.

PRESCRIPTION

1-3 x **15-30** secondes

SYNDROME DE LA **BANDELETTE ILIO-TIBIALE**

Étirement des abducteurs de la hanche en appui au mur

OBJECTIF

Étirement des muscles petit et moyen fessiers et tenseur du fascia lata en situation de charge.

INDICATIONS

› En position debout, membre cible près du mur.
› Faire passer l'autre jambe devant tout en gardant le poids sur la jambe cible.
› Garder une main sur la hanche au besoin pour aider à stabiliser le bassin.
› Laisser tomber le poids du corps vers la hanche du côté du mur en inclinant légèrement le tronc dans le sens opposé.
› Maintenir l'alignement du corps (autograndissement) et une rétroversion du bassin (rentrer le bas du ventre).

ÉVITER de laisser le bassin basculer vers l'avant.

PRESCRIPTION

1-3 x **15-30** secondes

PROPRIOCEPTION

B

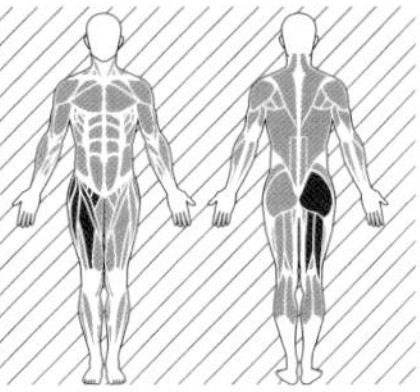

Balancement sagittal du membre inférieur avec appui

OBJECTIF

Étirement actif des muscles fléchisseurs de la hanche.

INDICATIONS

› En position debout avec appui au mur (ou sur une chaise).
› Garder l'autre main sur la hanche pour stabiliser le bassin.
› Exécuter un balancement lent et contrôlé de la jambe cible d'avant en arrière, tout en maintenant le bassin stable.
› Maintenir une composante d'autograndissement en tout temps.
› Limiter le mouvement lorsqu'il y a sensation d'étirement dans les deux sens.

ÉVITER de compenser avec le bas du dos.

PRESCRIPTION

1-3 x **5-15** répétitions

PROPRIOCEPTION

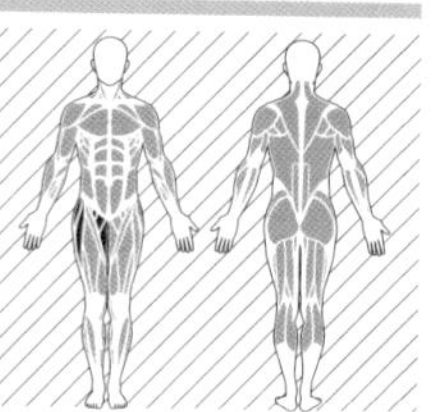

Balancement latéral du membre inférieur avec appui

OBJECTIF

Étirement actif des muscles abducteurs de la hanche.

INDICATIONS

- En position debout avec appui au mur ou sur une chaise.
- Garder l'autre main sur la hanche pour stabiliser le bassin.
- Exécuter un balancement lent et contrôlé de la jambe cible de l'intérieur vers l'extérieur tout en maintenant le bassin stable.
- Maintenir une composante d'autograndissement en tout temps.
- Limiter le mouvement lorsqu'il y a sensation d'étirement dans les deux sens.

ÉVITER de compenser avec une inclinaison du bassin.

PRESCRIPTION

1-3 x **5-15** répétitions

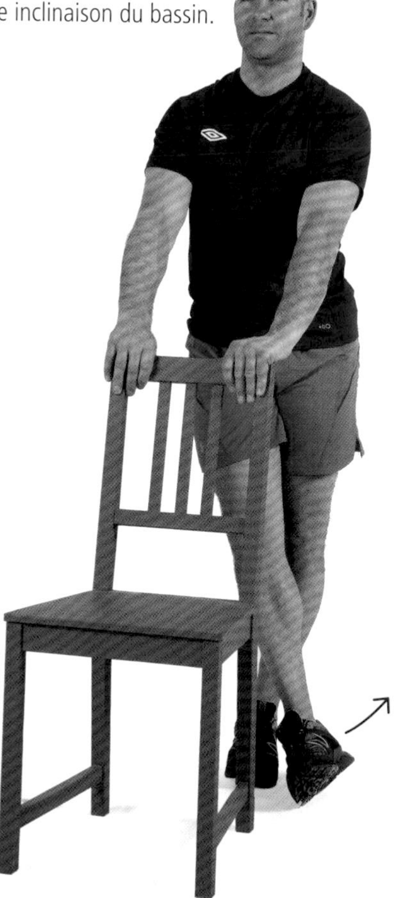

SYNDROME DE LA **BANDELETTE ILIO-TIBIALE**

PROPRIOCEPTION

A

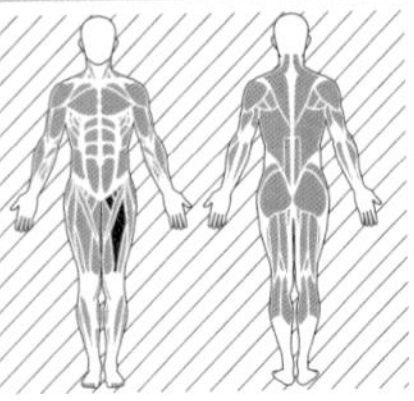

Étirement actif des fléchisseurs de la hanche en bord de lit

OBJECTIF

Étirement dynamique des muscles psoas-iliaque et droit fémoral par contraction antagoniste.

INDICATIONS

› En bord de lit, saisir la cuisse opposée par-dessous puis laisser lentement tomber le membre cible dans le vide.

› Maintenir la cuisse le plus près possible du corps et tenter de porter la jambe cible vers le sol jusqu'à ressentir une sensation d'étirement dans la région antérieure de la hanche.

ÉVITER de laisser creuser le bas du dos pendant l'étirement.

PRESCRIPTION

1-3 x **15-30** secondes

RENFORCEMENT

B

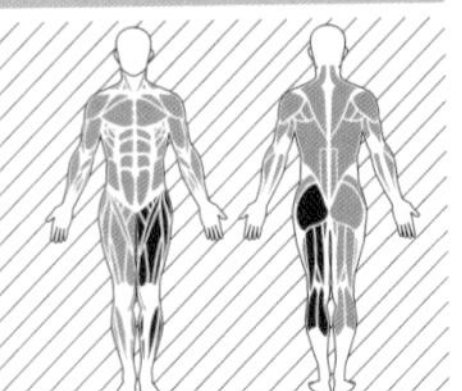

Fente avec appui au mur

OBJECTIF

Renforcement général des membres inférieurs en situation d'instabilité latérale.

INDICATIONS

› En position de fente haute, le long d'un mur, avec appui du côté opposé (poids sur le talon de la jambe avant).

› Fléchir aussi bas que possible sans que le genou arrière touche le sol (environ 90 degrés de flexion).

› Remonter jusqu'à l'extension complète du genou.

› Maintenir une composante d'autograndissement en tout temps.

ÉVITER de projeter le genou vers l'avant lors de la descente.

PRESCRIPTION

1-3 x **5-15** répétitions

RENFORCEMENT

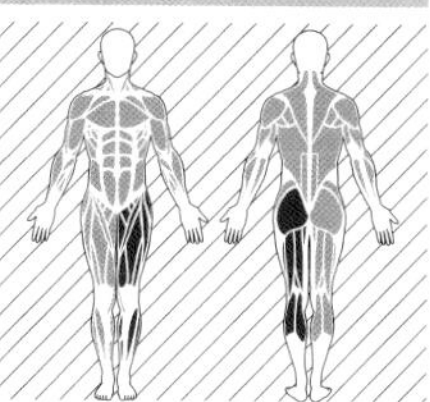

Fente arrière

OBJECTIF

Renforcement dynamique des membres inférieurs en situation de charge.

INDICATIONS

- En position debout (avec appui au mur au besoin).
- Faire un pas en arrière et descendre en position de fente.
- Fléchir aussi bas que possible sans que le genou arrière touche le sol (environ 90 degrés de flexion).
- Remonter à la position de départ jusqu'à l'extension complète de la jambe.
- Maintenir le poids sur le talon de la jambe avant en tout temps.

ÉVITER de se pencher vers l'avant.

PRESCRIPTION

1-3 x **5-15** répétitions

DÉFINITION : Il s'agit d'une compression du paquet vasculo-nerveux qui passe dans la partie supérieure de la cage thoracique. Le trajet cible est en fait délimité en avant par la clavicule et les côtes, et se poursuit vers le bras. C'est principalement la musculature environnante (surtout les scalènes) qui bloque en quelque sorte la circulation et cause différents syndromes selon la région atteinte (cou, thorax, épaule, bras).

Parmi les signes et symptômes, on retrouve des paresthésies (troubles de sensibilité jusqu'aux doigts 3, 4 et 5), de l'œdème ou de la froideur, des cervicalgies ou céphalées de tension (maux de tête), ou des douleurs au niveau du cou qui s'étendent vers le membre supérieur médialement. Le signe le plus significatif reste une perte de la sensibilité et du pouls lorsque le bras est levé au-dessus des épaules (surtout en rotation latérale).

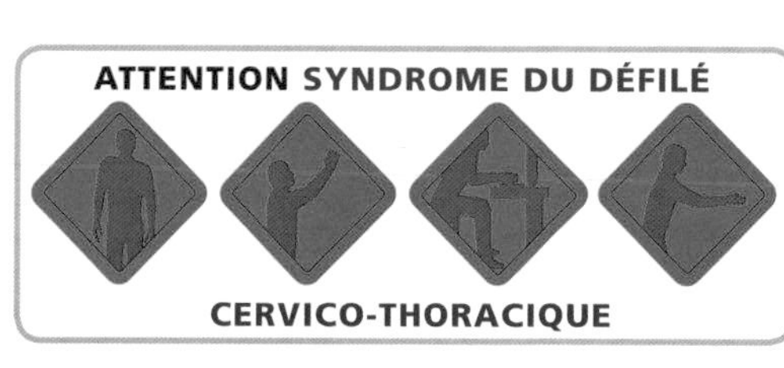

Syndrome du défilé cervico-thoracique

PROGRAMME DE RÉÉDUCATION

PHASE 1

Libérer les muscles superficiels du thorax et du cou

Exercices d'étirement des muscles longeant le plexus brachial et qui referment les espaces costo-claviculaire (entre la clavicule et les côtes) et et scapulo-costal (entre l'omoplate et les côtes). Parmi les muscles superficiels, on compte les scalènes, le grand pectoral, le trapèze supérieur et les muscles fléchisseurs du bras comme le biceps.

PHASE 2

Libérer les muscles profonds du thorax et du cou

Libérer le plexus brachial et les muscles cervicaux plus profonds qui referment les espaces costo-claviculaire et scapulo-costal, comme le sub-clavier, le petit pectoral, les rhomboïdes.

PHASE 3

Renforcer les muscles qui font l'extension et la stabilisation du rachis

Une fois le plexus bien dégagé, il sera important de poursuivre avec des exercices de rééducation posturale et respiratoire afin de maintenir le thorax souple et fonctionnel. Par ailleurs, il serait avantageux de renforcer les muscles qui assistent le travail des membres supérieurs en élévation, comme les extenseurs du rachis (muscles profonds de la colonne vertébrale) et les muscles stabilisateurs de l'omoplate.

ÉTIREMENT

A

Étirement de la région latérale du cou avec une serviette

OBJECTIF

Étirement général des muscles trapèze supérieur, scalènes et élévateur de la scapula avec léger abaissement de la tête humérale.

INDICATIONS

› En position debout, tendre une serviette entre le pied et la main du côté cible.
› Rentrer le menton et incliner légèrement la tête vers le côté opposé en glissant lentement la main le long de la cuisse.
› Arrêter le mouvement lorsqu'il y a sensation d'étirement.
› Maintenir la position en gardant la tête haute (autograndissement).

ÉVITER de pencher la tête vers l'avant ou l'arrière.

PRESCRIPTION

1-3 x **15-30** secondes

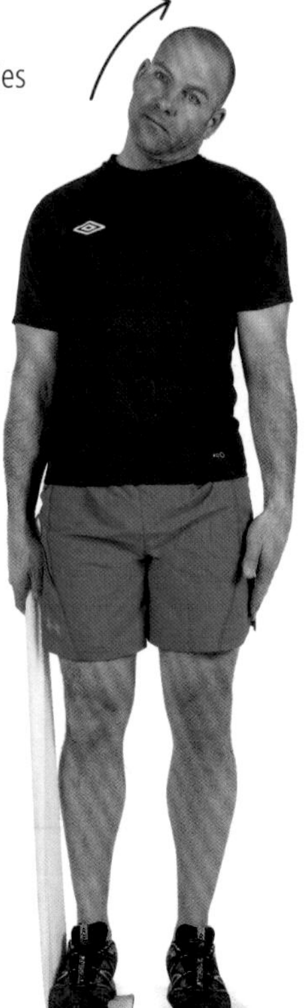

ÉTIREMENT

B

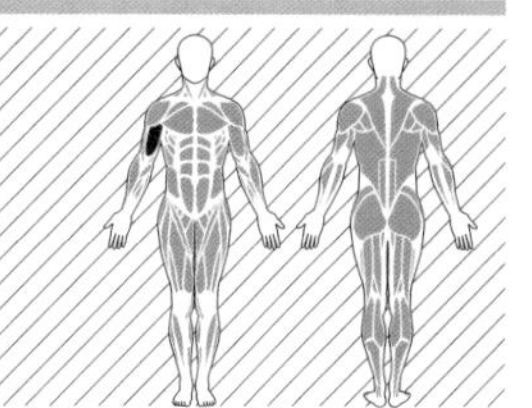

Étirement du biceps debout

OBJECTIF

Étirement spécifique du muscle biceps brachial.

INDICATIONS

› En position debout, épaule et coude cible en extension légèrement derrière le corps.
› Agripper la main en pronation à une surface stable (bureau, chaise, etc.).
› Avancer la cage thoracique et le bassin en prenant une grande inspiration jusqu'à ressentir une sensation d'étirement.
› Maintenir l'alignement du corps.

ÉVITER de laisser basculer l'épaule vers l'avant.

PRESCRIPTION

1-3 x **15-30** secondes

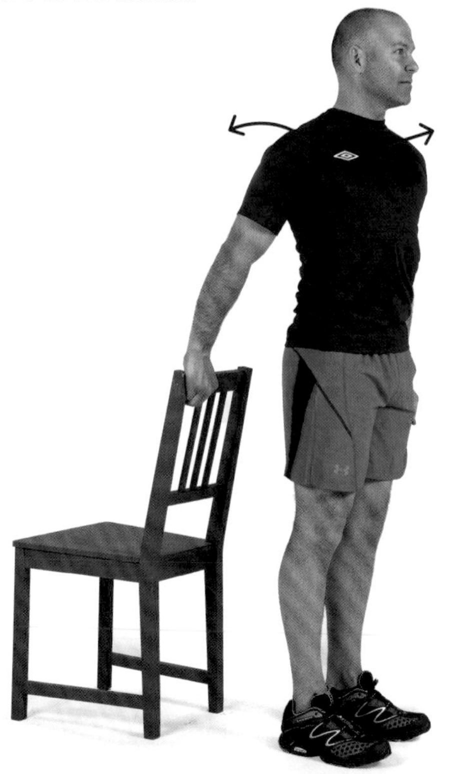

ÉTIREMENT

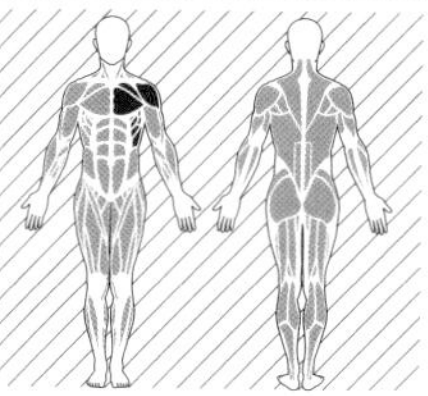

Étirement de la région antérieure du thorax au mur

OBJECTIF

Étirement général des muscles petit et grand pectoraux ainsi que du dentelé antérieur.

INDICATIONS

› En position de fente, avec le membre cible au coude fléchi en abduction (appuyer l'avant-bras sur un mur ou un cadre de porte).
› Basculer l'épaule vers l'arrière et ouvrir la cage thoracique.
› Fléchir le genou avant pour faire avancer lentement le tronc jusqu'à ressentir une sensation d'étirement.
› Maintenir la cage thoracique ouverte et dégagée.
› Accentuer l'étirement avec l'autre main, si nécessaire.

ÉVITER de laisser l'épaule monter vers le haut.

PRESCRIPTION

1-3 x **15-30** secondes

ÉTIREMENT

A

Étirement de la région cervico-thoracique antérieure

OBJECTIF

Étirement spécifique des muscles scalènes et sub-clavier.

INDICATIONS

› En position couchée, le bras du côté cible le long du corps.
› Fléchir les genoux et plaquer la colonne vertébrale au sol.
› Tourner la tête du côté cible en prenant une grande inspiration.
› Abaisser les premières côtes à l'aide de l'autre main tout en expirant lentement jusqu'à ressentir une sensation d'étirement à la base du cou.

ÉVITER de comprimer en poussant vers le sol.

PRESCRIPTION

1-3 x **15-30** secondes

ÉTIREMENT

B

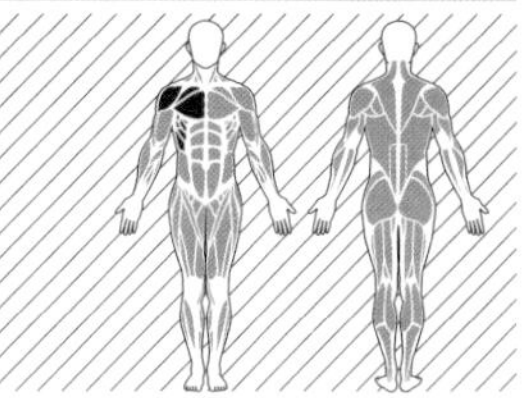

Étirement de la région antérieure du thorax en position couchée

OBJECTIF

Étirement général des muscles petit et grand pectoraux ainsi que du dentelé antérieur.

INDICATIONS

› En position couchée avec le membre cible au coude fléchi en abduction (appuyer la main sur une serviette pliée, si il y a manque d'amplitude).
› Fléchir les genoux, puis laisser le poids des jambes entraîner lentement le thorax du côté opposé, jusqu'à ressentir une sensation d'étirement.
› Maintenir la cage thoracique ouverte et dégagée.
› Accentuer l'étirement avec l'autre main, si nécessaire.

ÉVITER de laisser l'épaule partir vers l'avant.

PRESCRIPTION

1-3 x **15-30** secondes

ÉTIREMENT

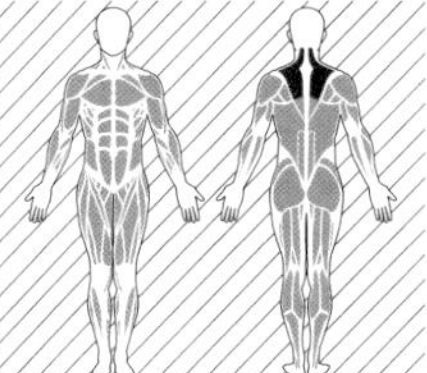

Étirement de la région postérieure du thorax en position debout

OBJECTIF

Étirement global et léger des muscles trapèze et rhomboïdes.

INDICATIONS

› En position debout, bras tendus devant le corps, mains jointes.
› Rentrer le menton pour exécuter une composante d'autograndissement.
› Éloigner les mains vers l'avant et vers le bas jusqu'à ressentir une sensation d'étirement derrière la nuque.

ÉVITER de pencher la tête vers l'avant.

PRESCRIPTION

1-3 x **15-30** secondes

PROPRIOCEPTION

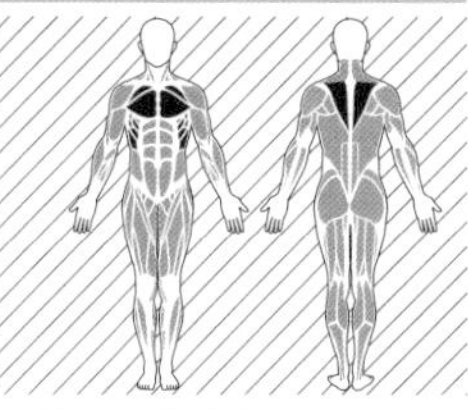

Mouvement scapulaire

OBJECTIF

Mobilisation générale de la région scapulaire.

INDICATIONS

- En position debout, bras le long du corps.
- Exécuter des mouvements lents et contrôlés de haut en bas ou d'avant en arrière avec les omoplates.
- Maintenir une composante d'autograndissement en tout temps.

ÉVITER de bouger la région cervicale en même temps.

PRESCRIPTION

1-3 x **5-15** répétitions

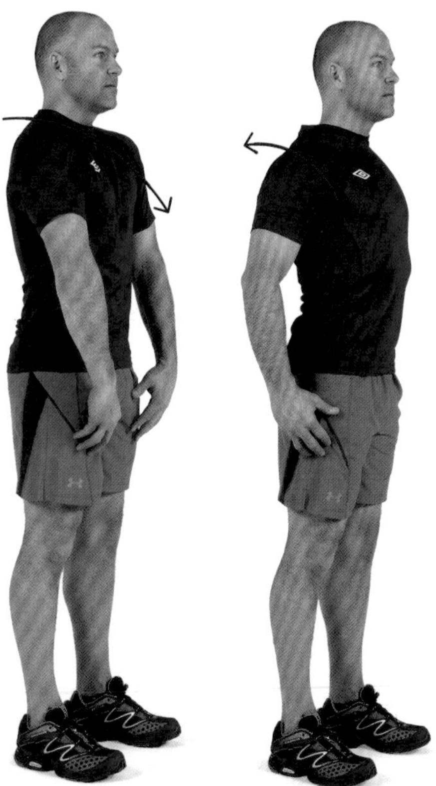

PROPRIOCEPTION

B

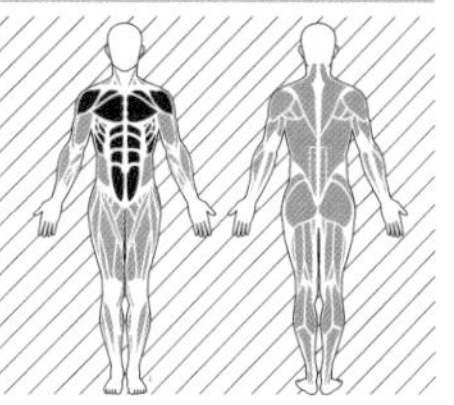

Étirement actif de la région antérieure du thorax sur ballon

OBJECTIF

Étirement prononcé des muscles de la région antérieure du thorax sur ballon.

INDICATIONS

- Couché sur le dos (en appui complet sur le ballon).
- Les bras en ouverture vers l'extérieur en rotation latérale.
- Prendre une grande inspiration et chercher à ouvrir la cage thoracique, puis relâcher tout en éloignant les mains vers les côtés jusqu'à ressentir une sensation d'étirement.
- Possibilité de varier les angles au-dessus de la tête.

ÉVITER de perdre le contact du bassin ou de la tête.

PRESCRIPTION

1-3 x **15-30** secondes

RENFORCEMENT

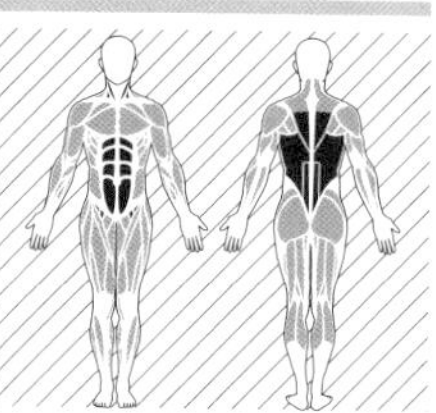

Exercice d'autograndissement en position assise

OBJECTIF

Renforcement postural des muscles du tronc en charge.

INDICATIONS

- En position assise, jambes fléchies avec saisie derrière les cuisses.
- Exécuter une composante d'autograndissement en rentrant le menton tout en éloignant la tête vers le haut.
- Accentuer la bascule arrière ainsi que l'adduction des omoplates en s'aidant de la traction exercée sur les cuisses.
- Redresser la position jusqu'à ressentir une sensation de décompression de la colonne vertébrale.

ÉVITER de projeter la tête vers l'avant lors du mouvement.

PRESCRIPTION

1-3 x **15-30** secondes

DÉFINITION : Il s'agit d'une compression du nerf médian dans le canal composé antérieurement par le rétinaculum (bande de tissus fibreux recouvrant les tendons des muscles fléchisseurs) et postérieurement par les os du carpe (poignet). Cette compression est souvent causée par des mouvements répétitifs exécutés avec le membre supérieur dans des positions contraignantes ou exigeant une certaine force de préhension.

La tension ainsi générée dans les muscles de l'avant-bras et la résistance qui en découle ont comme effet d'augmenter la friction dans le canal carpien, ce qui se traduira par des symptômes comme de l'inflammation locale ou des engourdissements et des pertes de sensibilité dans les doigts.

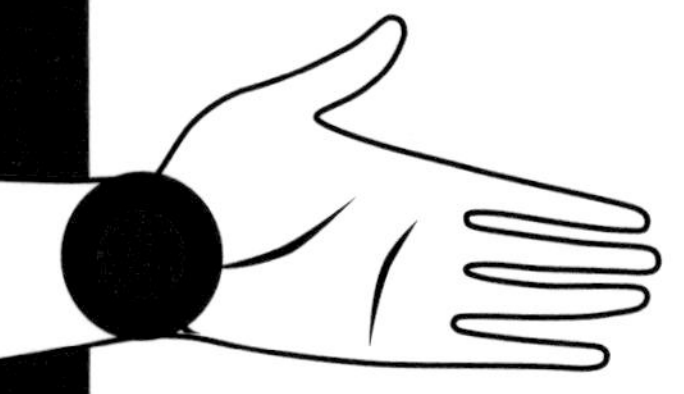

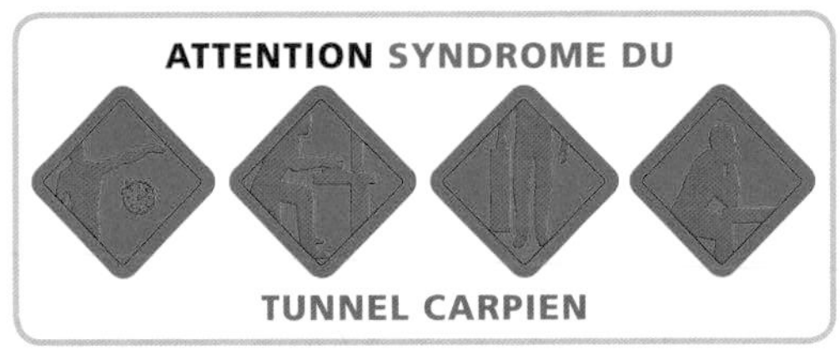

Syndrome du tunnel carpien

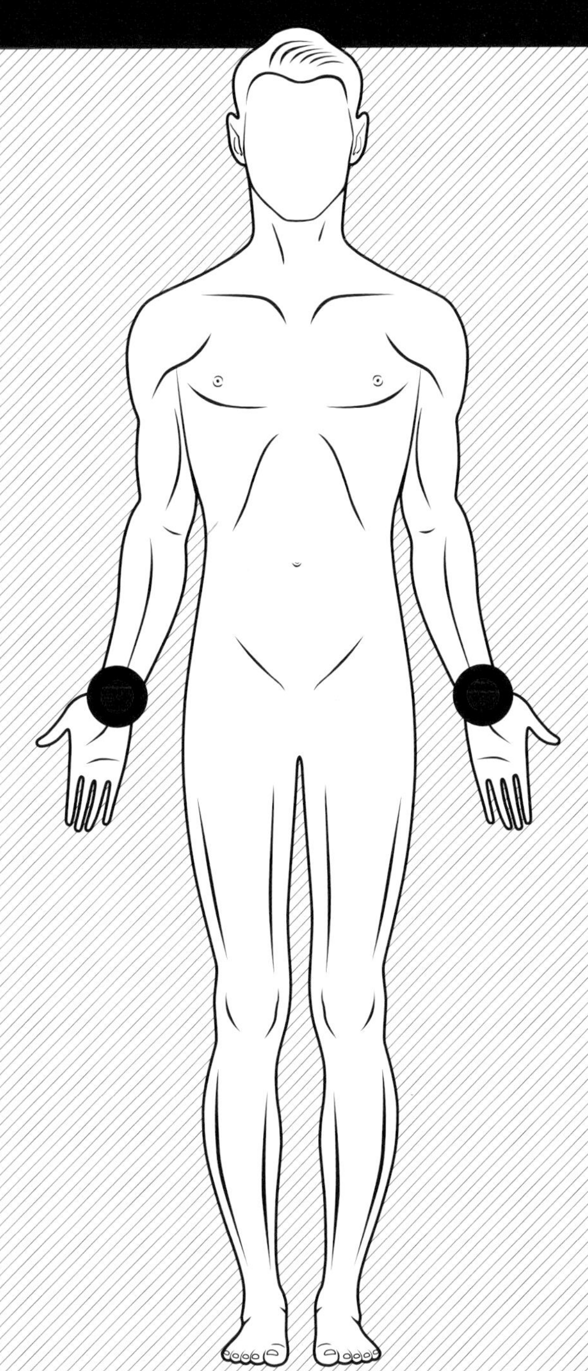

PROGRAMME DE RÉÉDUCATION

PHASE 1

Étirement des fléchisseurs

Il faut d'abord diminuer le tonus résiduel des muscles fléchisseurs de l'avant-bras par des exercices d'étirement. La pratique de l'automassage aidera également à améliorer la circulation.

PHASE 2

Renforcement des extenseurs

Une fois les muscles de la loge antérieure détendus, on pourra passer aux muscles de la loge postérieure de l'avant-bras (extenseurs), ainsi qu'à des exercices simples de mobilité et de dextérité.

PHASE 3

Proprioception, dextérité et sensibilité

Finalement, afin d'augmenter le seuil de tolérance des muscles de l'avant-bras et de diminuer les risques de récidive, il sera important de renforcer la musculature dans les positions de raccourcissement d'abord, puis dans des amplitudes de plus en plus grandes. Il importe évidemment de prendre en considération les facteurs externes (travail, positions adoptées).

ÉTIREMENT

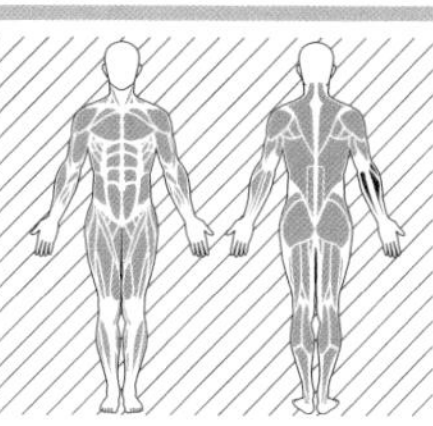

Étirement manuel des extenseurs du poignet et de la main

OBJECTIF

Étirement général des muscles court et long extenseurs radiaux du carpe, extenseur ulnaire du carpe et extenseur commun des doigts.

INDICATIONS

- Bras tendu devant le corps en pronation (paume vers le bas) et coude en extension.
- Saisir la main avec les doigts devant et le pouce derrière.
- Exécuter une traction en faisant basculer la main et les doigts vers le bas jusqu'à ressentir une sensation d'étirement.

ÉVITER de comprimer le poignet.

PRESCRIPTION

1-3 x **15-30** secondes

ÉTIREMENT

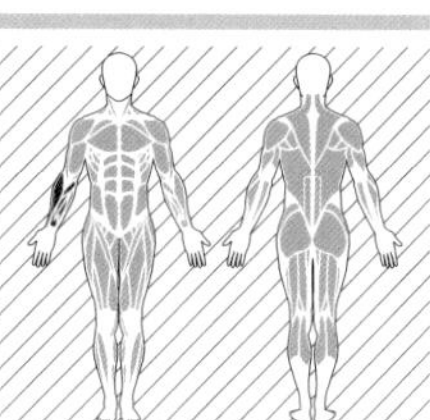

Étirement manuel du fléchisseur superficiel des doigts

OBJECTIF

Étirement spécifique du muscle fléchisseur superficiel des doigts.

INDICATIONS

- Bras tendu devant le corps en supination (paume vers le haut) et coude en extension.
- Saisir la main avec le pouce derrière et les doigts tout juste avant la dernière phalange (laisser dépasser le bout des doigts).
- Exécuter une traction en faisant basculer la main et les doigts vers le bas jusqu'à ressentir une sensation d'étirement.

ÉVITER de comprimer le poignet.

PRESCRIPTION

1-3 x **15-30** secondes

ÉTIREMENT

C

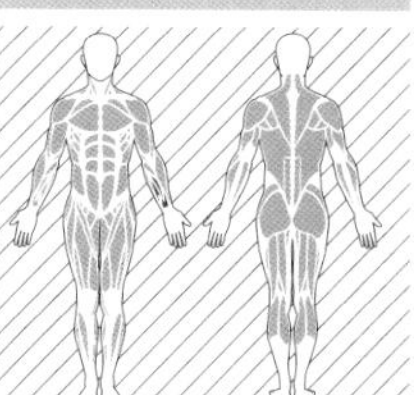

Étirement manuel du fléchisseur profond des doigts

OBJECTIF

Étirement spécifique du muscle fléchisseur profond des doigts.

INDICATIONS

› Coude fléchi devant le corps, paume vers le bas.
› Saisir la main au complet à partir du centre jusqu'au bout des doigts avec l'autre main.
› Ouvrir les doigts et la main en la faisant basculer vers le haut.

ÉVITER de comprimer le poignet.

PRESCRIPTION

1-3 x **15-30** secondes

ÉTIREMENT

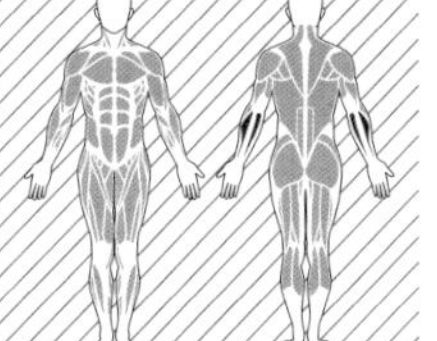

Étirement actif des extenseurs du poignet et de la main au mur

OBJECTIF

Étirement général et dynamique des muscles court et long extenseurs radiaux du carpe, extenseur ulnaire du carpe et extenseur commun des doigts en appui.

INDICATIONS

› Bras tendus devant le corps, mains refermées en pronation (paumes vers le bas), en appui au mur.

› Exécuter une flexion active des poignets et des doigts (fermer les mains) jusqu'à ressentir une sensation d'étirement.

ÉVITER de comprimer les poignets.

PRESCRIPTION

1-3 x **15-30** secondes

ÉTIREMENT

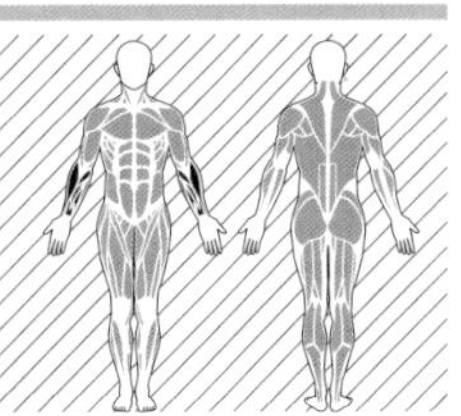

Étirement actif du fléchisseur superficiel des doigts au mur

OBJECTIF

Étirement spécifique et dynamique du muscle fléchisseur superficiel des doigts en appui.

INDICATIONS

› Bras tendu devant le corps, mains et les doigts ouverts en supination (paumes vers le haut) en appui au mur.

› Exécuter une extension active des poignets et des doigts (ouvrir les mains) jusqu'à ressentir une sensation d'étirement.

ÉVITER de comprimer les poignets.

PRESCRIPTION

1-3 x **15-30** secondes

ÉTIREMENT

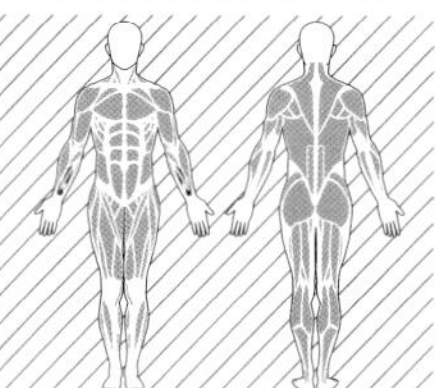

Étirement du fléchisseur profond des doigts au mur

OBJECTIF

Étirement spécifique et dynamique du muscle fléchisseur profond des doigts en appui.

INDICATIONS

› Bras le long du corps et coudes fléchis, mains et doigts ouverts en supination (paumes vers le haut) en appui au mur.

› Exécuter une extension active des poignets et des doigts (ouvrir les mains) jusqu'à ressentir une sensation d'étirement.

ÉVITER de comprimer les poignets.

PRESCRIPTION

1-3 x **15-30** secondes

PROPRIOCEPTION

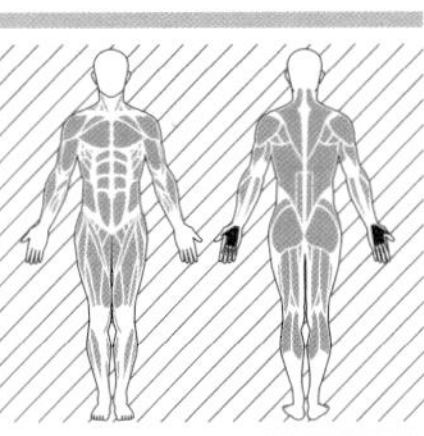

Extension des doigts avec de la pâte à modeler

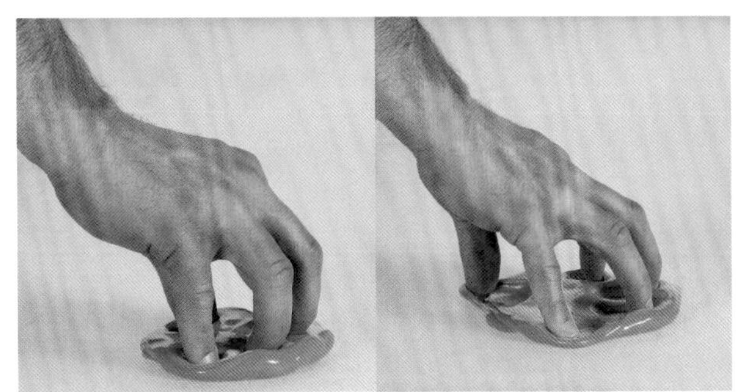

OBJECTIF

Renforcement proprioceptif des muscles extenseurs des doigts.

INDICATIONS

- Étendre de la pâte à modeler sur une surface plane et stable et y planter le bout des doigts.
- Stabiliser les doigts et tenter de les ouvrir autant que possible en travaillant contre la résistance de la pâte.
- Varier les angles et la position des doigts.

ÉVITER d'amener les jointures en hyperextension.

PRESCRIPTION

1-3 x **5-15** répétitions

RENFORCEMENT

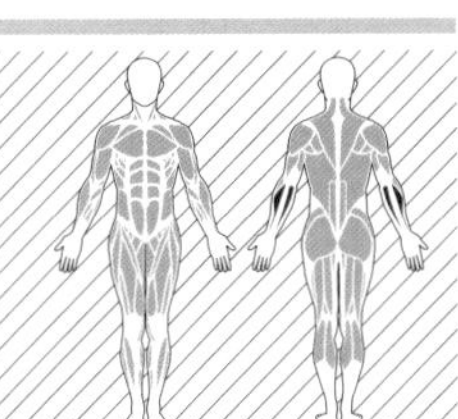

Extension du poignet avec un poids

OBJECTIF

Renforcement anisométrique de la chaîne postérieure de l'avant-bras avec charge.

INDICATIONS

- En position assise, avant-bras en appui sur les cuisses, paumes vers le bas avec une charge dans chaque main.
- Partir de la position basse en flexion au niveau des poignets.
- Exécuter une extension complète sans chercher à comprimer les poignets.
- Retourner lentement à la position de départ.

ÉVITER de serrer les poids trop fort.

PRESCRIPTION

1-3 x **5-15** répétitions

RENFORCEMENT

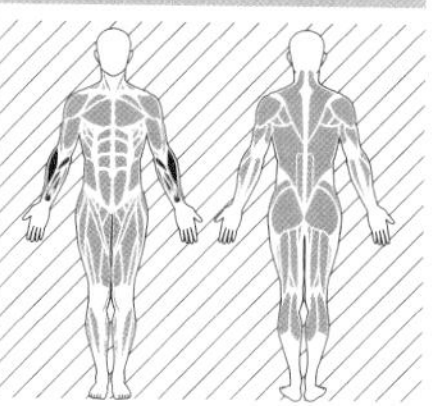

Flexion du poignet et de la main avec un poids

OBJECTIF

Renforcement anisométrique de la chaîne antérieure de l'avant-bras avec charge.

INDICATIONS

› En position assise, avant-bras en appui sur les cuisses, paumes vers le bas avec une charge dans la main.
› Partir de la position basse en extension au niveau des poignets avec le poids au bout des doigts.
› Exécuter une flexion complète sans chercher à comprimer les poignets.
› Retourner lentement à la position de départ.

ÉVITER de serrer trop fort le poids dans la main.

PRESCRIPTION

1-3 x **5-15** répétitions

DÉFINITION : Il s'agit d'une irritation du cartilage situé entre la rotule (patella) et la partie antérieure du fémur (trochlée), irritation due à un mauvais alignement du genou ou à une tension maintenue au niveau des muscles extenseurs ou fléchisseurs du genou (quadriceps, ischiojambiers, jumeaux). La douleur et l'inflammation sont donc attribuables à la friction infligée par ces troubles mécaniques. C'est pourquoi il importe de s'attaquer à ces causes plus qu'aux symptômes eux-mêmes en misant sur la flexibilité et la posture des membres inférieurs.

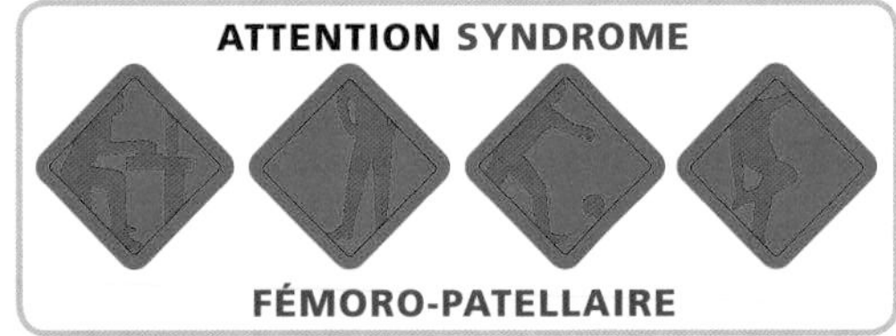

Syndrome fémoro-patellaire

PROGRAMME DE RÉÉDUCATION

PHASE 1

Diminuer la friction articulaire

Il faut dans un premier temps diminuer le frottement articulaire par des exercices d'étirement. Selon la problématique, il s'agira des fléchisseurs et extenseurs de la hanche et du genou (quadriceps, ischiojambiers, jumeaux) ou des abducteurs et adducteurs de la hanche.

PHASE 2

Assurer une bonne mobilité articulaire

Une fois le tonus résiduel diminué et l'amplitude articulaire retrouvée, il sera temps d'incorporer des exercices proprioceptifs qui permettront de récupérer la mobilité naturelle du genou. S'il y a un trouble postural quelconque (varus), des exercices posturaux plus spécifiques devront également être exécutés.

PHASE 3

Rééduquer le membre inférieur

Pour poursuivre la rééducation du genou, il sera important de rétablir l'équilibre entre les muscles antagonistes (ex. : quadriceps/ischio-jambiers), mais aussi d'améliorer le travail articulaire dans des amplitudes encore plus grandes ou avec des charges plus importantes.

ÉTIREMENT

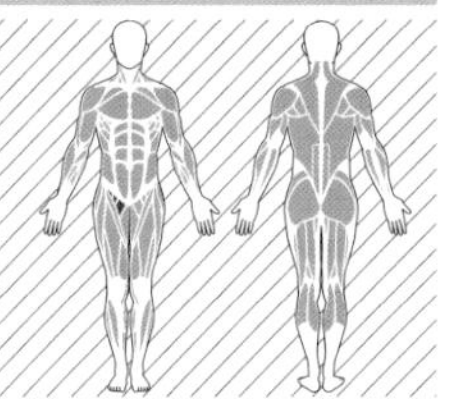

Étirement du psoas-iliaque en position debout

OBJECTIF

Étirement spécifique du muscle psoas-iliaque en situation de charge.

INDICATIONS

› En position de fente haute, poser le pied de la jambe cible derrière le corps (talons au sol).

› Garder le poids sur la jambe de devant avec les mains sur les hanches au besoin (pour aider à se stabiliser).

› Amener le bassin en rétroversion (rentrer le bas du ventre) puis en antéprojection (avancer légèrement le bassin) pour accentuer l'étirement.

› Maintenir l'alignement du corps (autograndissement).

ÉVITER de se pencher vers l'avant.

PRESCRIPTION

1-3 x **15-30** secondes

ÉTIREMENT

B

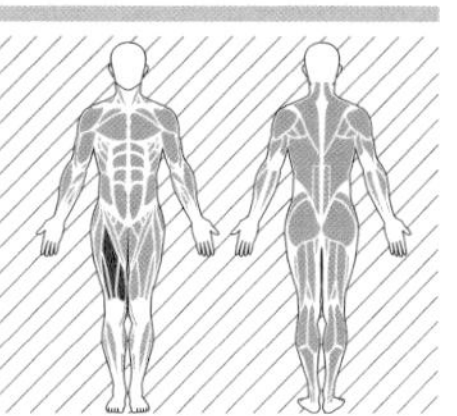

Étirement du droit fémoral en position debout avec appui

OBJECTIF

Étirement spécifique du muscle droit fémoral en position debout.

INDICATIONS

› En position debout, genou cible en flexion avec prise du même côté au niveau de la cheville, et autre main en appui.

› Exécuter une composante d'autograndissement avec rétroversion du bassin (rentrer le bas du ventre) et amener doucement la jambe vers l'arrière jusqu'à ressentir une sensation d'étirement dans la région antérieure de la cuisse.

ÉVITER de compenser avec le bas du dos ou de ramener le talon aux fesses.

PRESCRIPTION

1-3 x **15-30** secondes

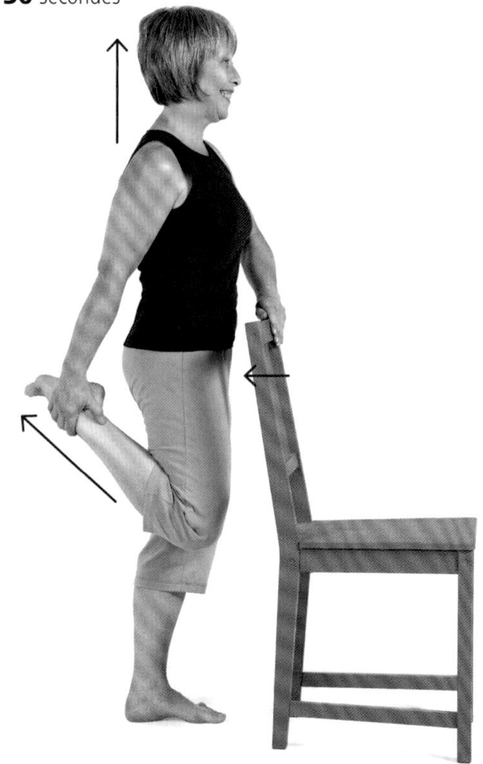

ÉTIREMENT

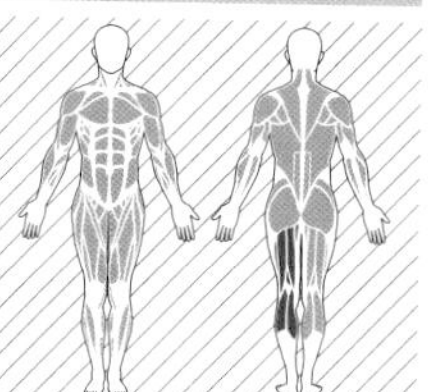

Étirement des ischiojambiers au mur

OBJECTIF

Étirement spécifique des muscles biceps fémoral, semi-tendineux et semi-membraneux, ainsi que des jumeaux en appui.

INDICATIONS

- En position couchée avec appui de la jambe cible sur un mur ou un cadre de porte.
- Maintenir le genou en extension et la cheville en flexion jusqu'à ressentir une sensation d'étirement à l'arrière de la jambe.
- Tourner le pied vers l'intérieur pour accentuer l'étirement du biceps fémoral ou vers l'extérieur pour l'étirement des semi-membraneux et semi-tendineux.

ÉVITER de compenser avec le bassin.

PRESCRIPTION

1-3 x **15-30** secondes

SYNDROME **FÉMORO-PATELLAIRE**

PROPRIOCEPTION

A

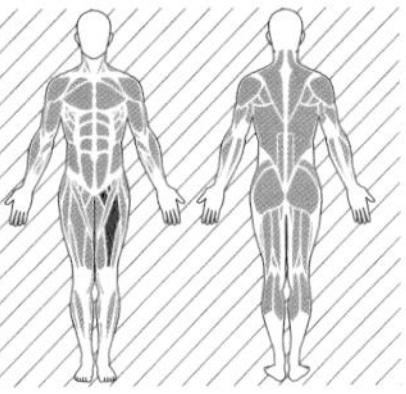

Étirement actif des fléchisseurs de la hanche en bord de lit

OBJECTIF

Étirement dynamique des muscles psoas-iliaque et droit fémoral par contraction antagoniste.

INDICATIONS

› En bord de lit, saisir la cuisse opposée par-dessous, puis laisser lentement tomber le membre cible dans le vide.

› Maintenir la cuisse le plus près possible du corps et tenter de porter la jambe cible vers le sol jusqu'à ressentir une sensation d'étirement dans la région antérieure de la hanche.

ÉVITER de laisser creuser le bas du dos pendant l'étirement.

PRESCRIPTION

1-3 x **15-30** secondes

PROPRIOCEPTION

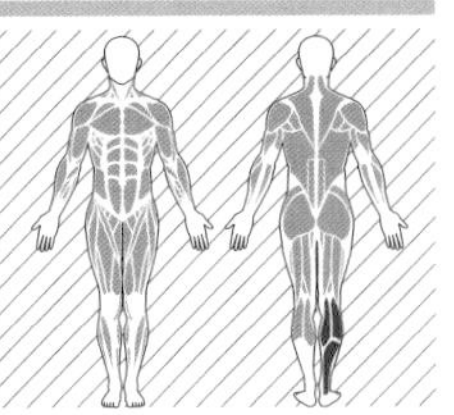

B

Étirement actif des jumeaux au mur

OBJECTIF

Étirement dynamique des muscles jumeaux ainsi que du soléaire.

INDICATIONS

› En position de fente avant en appui au mur (coudes fléchis).

› Projeter lentement le poids du corps sur la jambe avant, tout en maintenant les talons au sol jusqu'à ressentir une sensation d'étirement dans la jambe arrière.

› Amener le genou davantage vers l'arrière pour accentuer l'étirement.

› Maintenir l'alignement du corps en tout temps.

ÉVITER de laisser les talons se soulever du sol.

PRESCRIPTION

1-3 x **15-30** secondes

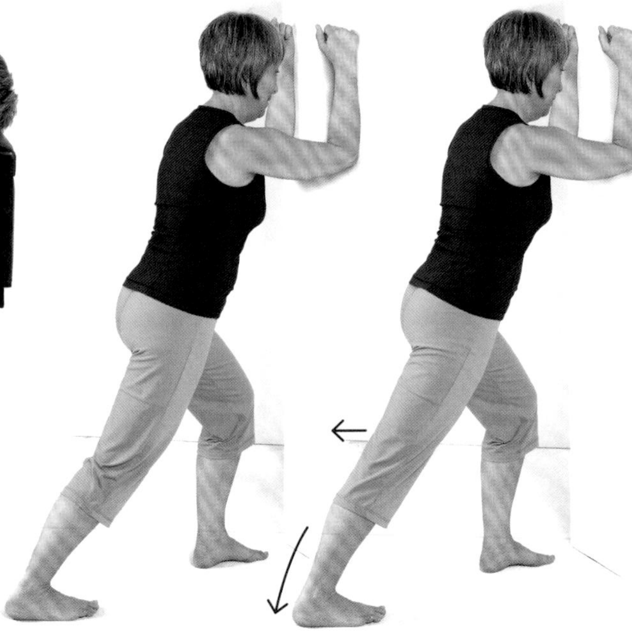

RENFORCEMENT

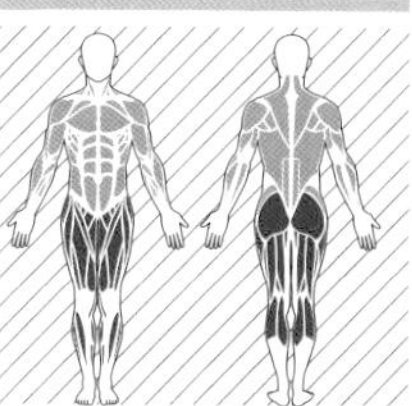

Squat profond avec chaise

OBJECTIF

Renforcement général des membres inférieurs avec appui antérieur.

INDICATIONS

› En position debout, pieds à la largeur des hanches et mains sur le dossier (déposer un objet lourd sur la chaise si elle n'est pas assez stable).

› Descendre lentement en position accroupie, aussi bas que possible, tout en maintenant le poids sur les talons.

› Remonter jusqu'à l'extension complète de la jambe, une fois le maximum d'amplitude atteint au bas du mouvement.

ÉVITER de se laisser tomber vers l'arrière lors de la descente.

PRESCRIPTION

1-3 x **5-15** répétitions

RENFORCEMENT

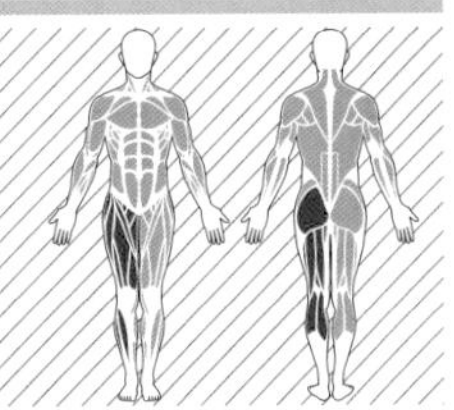

Fente avec appui sur une chaise

OBJECTIF

Renforcement général des membres inférieurs en situation d'instabilité latérale.

INDICATIONS

- En position de fente haute, avec appui sur le dossier de la chaise du côté opposé (le poids sur le talon de la jambe avant).
- Fléchir aussi bas que possible sans que le genou arrière touche le sol (environ 90 degrés de flexion).
- Remonter jusqu'à l'extension complète de la jambe.
- Maintenir une composante d'autograndissement en tout temps.

ÉVITER de projeter le genou vers l'avant lors de la descente.

PRESCRIPTION

1-3 x **5-15** répétitions

RENFORCEMENT

B

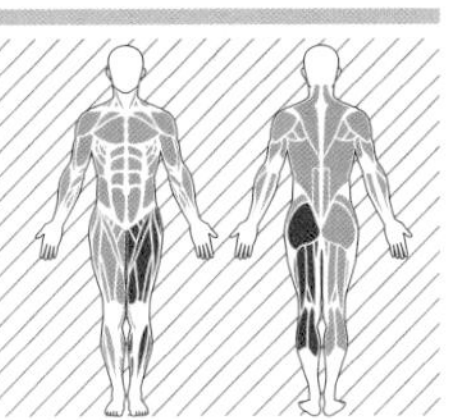

Fente arrière

OBJECTIF

Renforcement dynamique des membres inférieurs en situation de charge.

INDICATIONS

- En position debout (avec appui au mur au besoin).
- Faire un pas en arrière et descendre en position de fente.
- Fléchir aussi bas que possible sans que le genou arrière touche le sol (environ 90 degrés de flexion).
- Remonter à la position de départ jusqu'à l'extension complète de la jambe.
- Maintenir le poids sur le talon de la jambe avant en tout temps.

ÉVITER de pencher vers l'avant.

PRESCRIPTION

1-3 x **5-15** répétitions

RENFORCEMENT

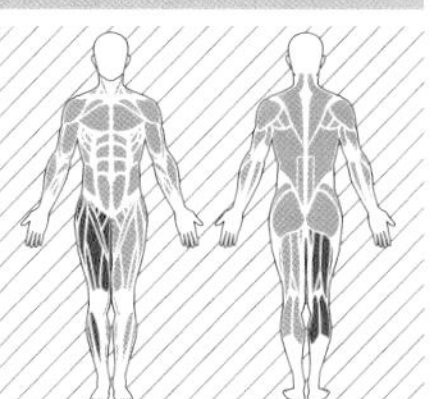

Montée de banc avec appui au mur

OBJECTIF

Renforcement général des membres inférieurs en situation d'instabilité latérale à grande amplitude.

INDICATIONS

› En position debout, membre cible sur une surface surélevée et stable (membre opposé près de l'appui).

› Monter jusqu'à extension complète en poussant avec le talon de la jambe cible.

› Redescendre lentement en retenant toujours le mouvement avec la jambe cible.

› Maintenir une composante d'autograndissement en tout temps.

ÉVITER de projeter le corps vers l'avant lors du mouvement.

PRESCRIPTION

1-3 x **5-15** répétitions

DÉFINITION : Dysfonction de l'articulation sacro-iliaque secondaire à une entorse de la structure ligamentaire retenant le sacrum aux crêtes iliaques. Très peu mobile, cette articulation est plus difficile à traiter, mais comme plusieurs structures neurologiques avoisinantes peuvent en être affectées, il est important de consulter son médecin pour un suivi concerté.

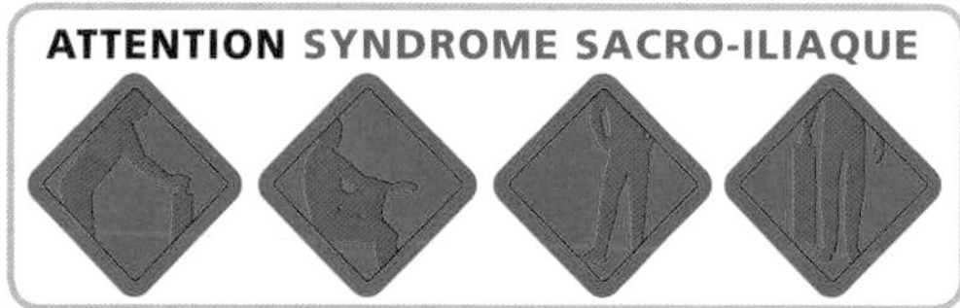

Syndrome sacro-iliaque

PROGRAMME DE RÉÉDUCATION

PHASE 1
Stabiliser le bassin
Exercices sur ballon, bassin fixe/tronc mobile.

PHASE 2
Renforcer le plancher pelvien
Exercices de contraction des muscles fessiers et pelvitrochantériens.

PHASE 3
Mobiliser le bassin
Exercices de mobilité antéro-postérieure et latérale du bassin.

Exercices de mobilité sur ballon, tronc fixe/bassin mobile.

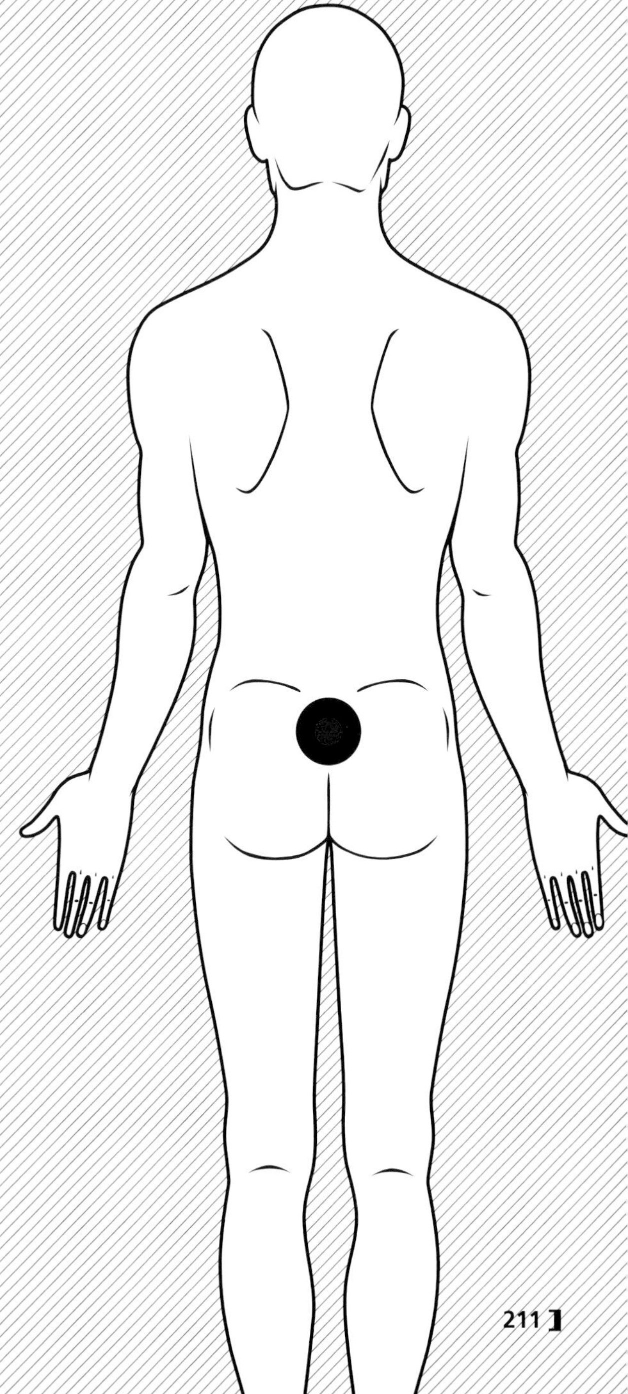

SYNDROME **SACRO-ILIAQUE**

Étirement des extenseurs de la hanche en position couchée

OBJECTIF

Étirement général des muscles grand fessier et grand adducteur.

INDICATIONS

› Couché sur le dos, saisir la jambe cible derrière le genou avec les deux mains.

› Amener lentement le genou vers l'épaule du même côté, jusqu'à ressentir une sensation d'étirement à l'arrière de la cuisse.

› Maintenir la jambe au sol, bien allongée en tout temps.

ÉVITER de laisser le bassin remonter pendant l'étirement.

PRESCRIPTION

1-3 x **15-30** secondes

ÉTIREMENT

B

Étirement du grand fessier en position couchée

OBJECTIF

Étirement plus spécifique du muscle grand fessier.

INDICATIONS

› Couché sur le dos, saisir la jambe cible au genou avec la main opposée et stabiliser le bassin avec l'autre.

› Amener lentement le genou vers l'épaule opposée tout en cherchant à éloigner les deux prises, jusqu'à ressentir une sensation d'étirement dans la région fessière.

› Maintenir la jambe au sol, bien allongée en tout temps.

ÉVITER de comprimer la hanche ou de tourner le bassin.

PRESCRIPTION

1-3 x **15-30** secondes

ÉTIREMENT

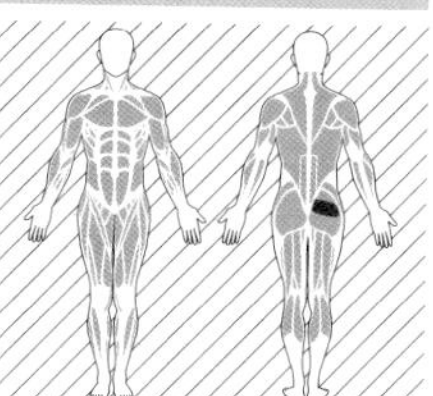

Étirement des pelvitrochantériens en position couchée

OBJECTIF

Étirement plus spécifique du muscle piriforme.

INDICATIONS

› Couché sur le dos, saisir la jambe cible au genou avec la main opposée et stabiliser le bassin avec l'autre main.

› Amener lentement le genou vers la hanche opposée tout en cherchant à éloigner les deux prises, jusqu'à ressentir une sensation d'étirement dans la région fessière.

› Maintenir la jambe au sol, bien allongée en tout temps.

ÉVITER de comprimer la hanche ou de tourner le bassin.

PRESCRIPTION

1-3 x **15-30** secondes

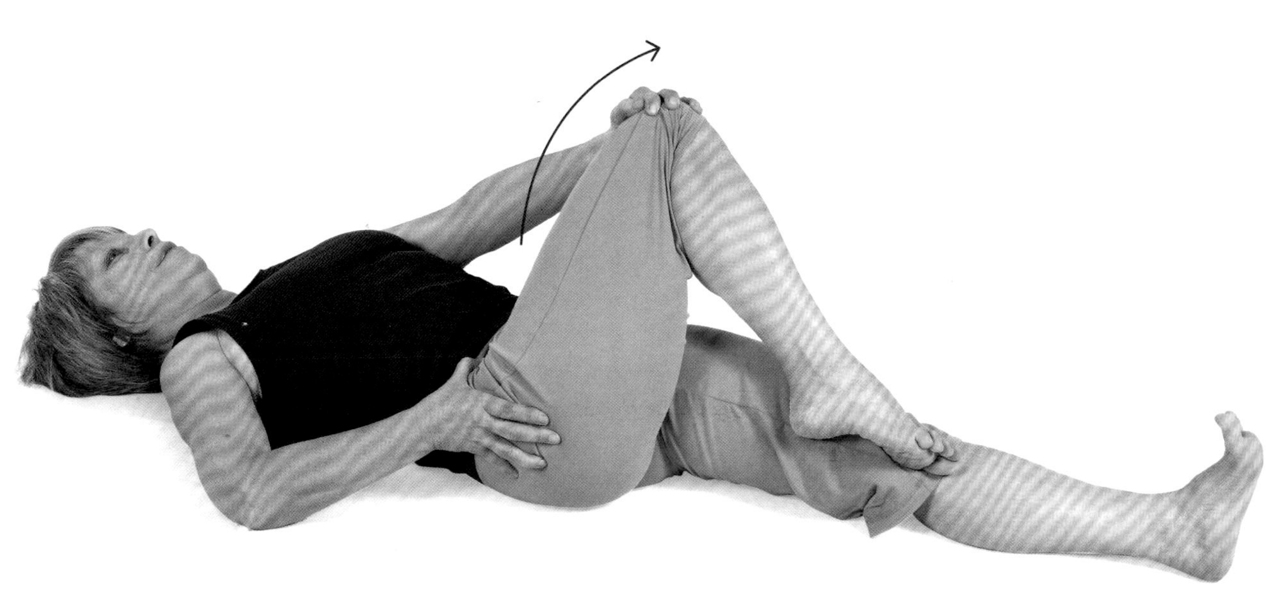

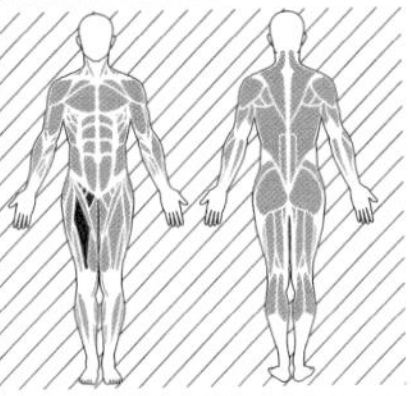

Étirement des fléchisseurs de la hanche, genou au sol

OBJECTIF

Étirement combiné des muscles psoas-iliaque et droit fémoral.

INDICATIONS

› En position de fente basse, poser le genou du membre cible sur un coussin ou une serviette.

› Garder le poids sur la jambe de devant en s'appuyant sur les mains au besoin (pour aider à se stabiliser).

› Amener le bassin en rétroversion (rentrer le ventre) puis en antéprojection (avancer le bassin) pour accentuer le mouvement.

› Maintenir l'alignement du corps (autograndissement).

ÉVITER de se pencher vers l'avant.

PRESCRIPTION

1-3 x **15-30** secondes

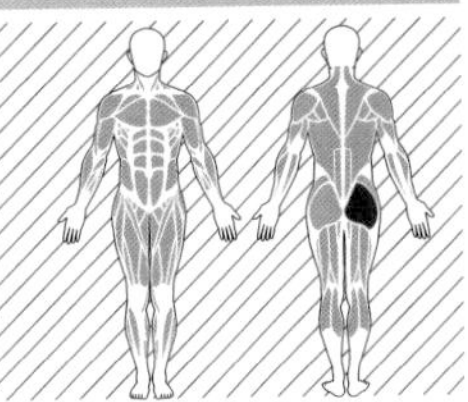

Étirement de la région lombaire au sol à genoux

OBJECTIF

Étirement général de la masse commune ainsi que des muscles dentelé postéro-inférieur, trapèze inférieur et grand dorsal.

INDICATIONS

› À genoux, bras allongés devant le corps et en appui au sol en supination (paumes vers le haut).

› Éloigner le bassin par rapport aux mains en cherchant à descendre et à allonger le corps.

ÉVITER de laisser le bassin remonter pendant l'étirement.

PRESCRIPTION

1-3 x **15-30** secondes

PROPRIOCEPTION

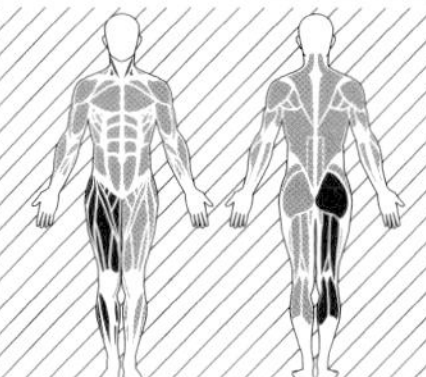

Antéversion/rétroversion du bassin avec mouvement vertébral

OBJECTIF

Travail proprioceptif du système vertébral complet.

INDICATIONS

- En position quadrupède, les mains à la largeur des épaules.
- Amener lentement le bassin en antéversion en inspirant (chercher à sortir les fesses, gonfler le thorax et creuser le dos).
- Ramener le bassin en rétroversion en expirant (chercher à rentrer le ventre, serrer les fesses et arrondir le dos).
- Poursuivre le mouvement jusqu'à la tête.

ÉVITER d'exagérer le mouvement dans la région thoracique.

PRESCRIPTION

1-3 x **5-15** répétitions

PROPRIOCEPTION

A

Autograndissement au sol avec flexion croisée

OBJECTIF

Travail postural et proprioceptif en chaîne croisée en situation de décharge.

INDICATIONS

- En position couchée, jambes tendues et bras dans le prolongement du corps.
- Rentrer le menton et exécuter une composante d'autograndissement en éloignant les mains et les talons.
- Monter ensuite le bras et la cuisse opposés aussi haut que possible sans perdre l'appui des deux autres membres au sol, puis retourner à la position de départ et alterner.

ÉVITER de compenser en creusant le bas du dos.

PRESCRIPTION

1-3 x **5-15** répétitions

PROPRIOCEPTION

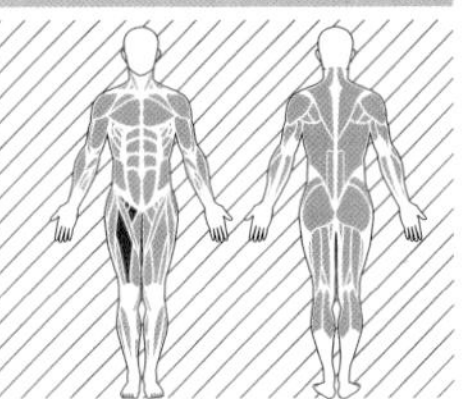

B

Antéversion/rétroversion du bassin en position de fente au sol

OBJECTIF

Étirement dynamique des muscles psoas-iliaque et droit fémoral.

INDICATIONS

- En position de fente basse, poser le genou du membre cible sur un coussin ou une serviette.
- Garder le poids sur la jambe de devant en s'appuyant sur les mains au besoin (pour aider à se stabiliser).
- Amener le bassin en antéversion (sortir les fesses) puis en rétroversion (rentrer le ventre) jusqu'à ressentir une sensation d'étirement.
- Maintenir l'alignement du corps (autograndissement).

ÉVITER de se pencher vers l'avant.

PRESCRIPTION

1-3 x **5-15** répétitions

RENFORCEMENT

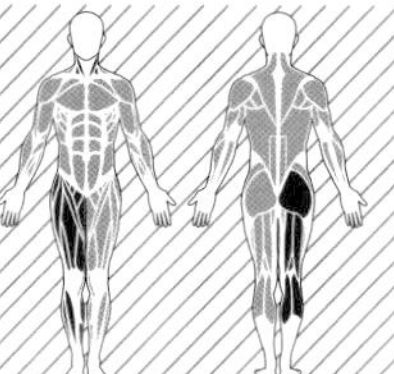

Fente avec appui sur une chaise

OBJECTIF

Renforcement général des membres inférieurs en situation d'instabilité latérale.

INDICATIONS

- En position de fente haute, avec appui sur le dossier de la chaise du côté opposé (poids sur le talon de la jambe avant).
- Fléchir aussi bas que possible sans que le genou arrière touche le sol (environ 90 degrés de flexion).
- Remonter jusqu'à l'extension complète de la jambe.
- Maintenir une composante d'autograndissement en tout temps.

ÉVITER de projeter le genou vers l'avant lors de la descente.

PRESCRIPTION

1-3 x **5-15** répétitions

DÉFINITION : Les tendinopathies sont des désordres courants souvent dus à des surutilisations, à de mauvaises utilisations, à des traumatismes, etc. On observe les tendinopathies à différents sites et elles portent plusieurs noms, mais leur pronostic est favorable.

Tendinite : Inflammation des structures périarticulaires (autour de l'articulation touchée) suite à un traumatisme ou à un surmenage des tendons. Peut être consécutive à certaines maladies rhumatismales (arthrite rhumatoïde).

Ténosynovite : Inflammation de la gaine synoviale du tendon (structure entourant le tendon et lui permettant de glisser) ou du tendon lui-même. Les deux ont l'habitude de survenir simultanément.

Ténobursite : Inflammation de la gaine synoviale, du tendon et de la bourse (une sorte de coussin qui aide à la fluidité du mouvement articulaire).

Ténopériostite : Inflammation tendineuse au niveau de l'insertion sur le périoste (partie superficielle de l'os sur laquelle s'insère le tendon).

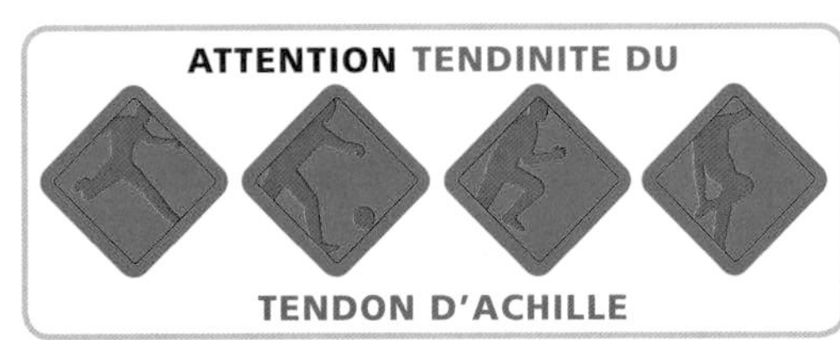

Tendinites
[tendinopathies]

PROGRAMME DE RÉÉDUCATION

Tendinite de l'**épaule**
Tendinite du **coude**
Tendinite du **tendon d'Achille**

PHASE 1

Atténuer les phénomènes inflammatoires

Dans un premier temps, il faut atténuer les phénomènes inflammatoires avec la cryothérapie (thérapie par le froid), en appliquant de la glace (12 à 15 minutes aux 2 à 3 heures). On peut aussi placer le segment atteint en position de raccourcissement musculaire afin de diminuer le plus possible la tension sur le tendon. Les exercices d'étirement ciblant les muscles autour du site douloureux limiteront les contraintes mécaniques pouvant être redirigées vers la région cible.

PHASE 2

Favoriser le métabolisme et la réorganisation structurale du tendon

Une fois l'inflammation contrôlée et la mobilité périarticulaire améliorée, il est temps d'intégrer des exercices d'étirement spécifiques aux muscles atteints. Une technique comme l'étirement centimétrique manuel au niveau du tendon peut être utilisée pour aider à maintenir l'alignement naturel des fibres. Par ailleurs, si elles sont non douloureuses, des contractions musculaires isométriques du muscle cible à faible résistance et dans plusieurs angles préviendront la perte de contractilité et de masse musculaire, et elles apporteront les éléments nécessaires à une guérison efficace.

PHASE 3

Prévenir la récidive

Une fois l'amplitude globale retrouvée, des exercices à composante plus dynamique pourront être exécutés dans le but de s'assurer d'une rééducation fonctionnelle de l'articulation. Encore une fois, l'éducation posturale et gestuelle est des plus importantes dans la prévention des récidives, car l'articulation blessée doit souvent réapprendre à fonctionner de façon optimale. Le maintien de l'extensibilité des muscles entourant la région cible sera assuré par des exercices d'étirement ou de renforcement de nature proprioceptive et dans des amplitudes de plus en plus grandes. La tonification des muscles agonistes et antagonistes assurera quant à elle un équilibre entre les muscles stabilisateurs.

ÉTIREMENT

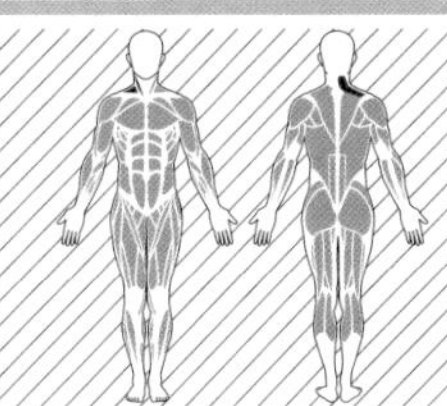

Étirement du trapèze supérieur avec une serviette

OBJECTIF

Étirement spécifique des muscles trapèze supérieur et rhomboïdes.

INDICATIONS

› En position debout, tendre une serviette devant soi, entre le pied du côté opposé et la main du côté cible.

› Rentrer le menton et incliner doucement la tête vers le côté opposé en la tournant légèrement vers le côté cible.

› Arrêter le mouvement lorsqu'il y a sensation d'étirement.

› Maintenir la position la tête haute (autograndissement).

ÉVITER de pencher la tête vers l'avant ou l'arrière.

PRESCRIPTION

1-3 x **15-30** secondes

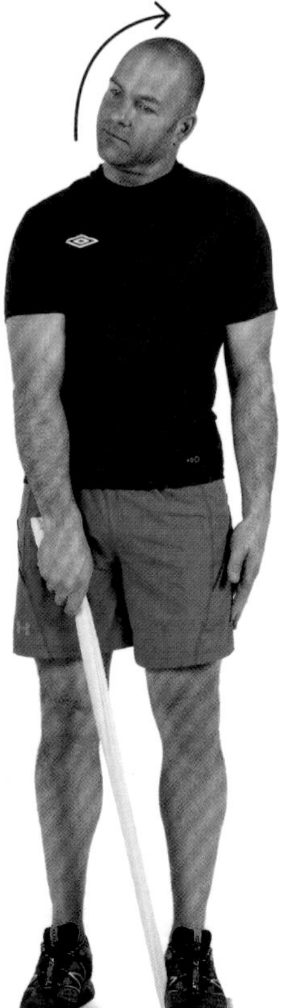

ÉTIREMENT

B

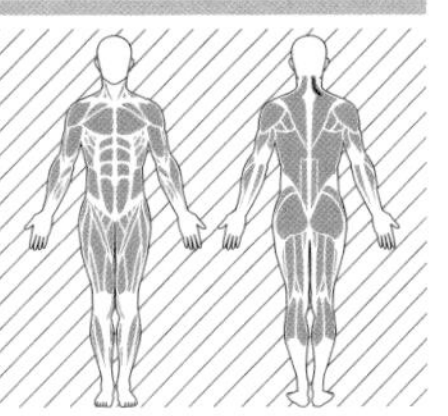

Étirement de l'élévateur de la scapula avec une serviette

OBJECTIF

Étirement spécifique du muscle élévateur de la scapula.

INDICATIONS

› En position debout, tendre une serviette derrière soi, entre le pied du côté opposé et la main du côté cible.

› Rentrer le menton et incliner doucement la tête vers le côté opposé en la tournant vers le côté opposé au membre cible.

› Arrêter le mouvement lorsqu'il y a sensation d'étirement.

› Maintenir la position la tête haute (autograndissement).

ÉVITER de pencher la tête vers l'avant ou l'arrière.

PRESCRIPTION

1-3 x **15-30** secondes

ÉTIREMENT

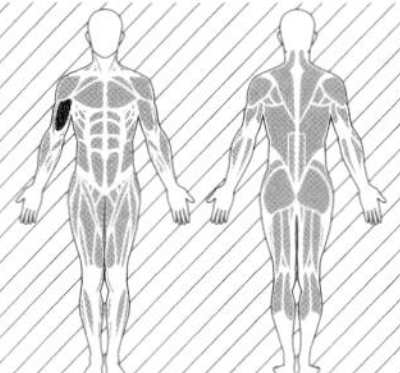

Étirement du biceps debout

OBJECTIF

Étirement spécifique du muscle biceps brachial.

INDICATIONS

- En position debout, épaule et coude cible en extension légèrement derrière le corps.
- Agripper la main en pronation à une surface stable (bureau, chaise, etc.).
- Avancer la cage thoracique et le bassin en prenant une grande inspiration, jusqu'à ressentir une sensation d'étirement.
- Maintenir l'alignement du corps.

ÉVITER de laisser basculer l'épaule vers l'avant.

PRESCRIPTION

1-3 x **15-30** secondes

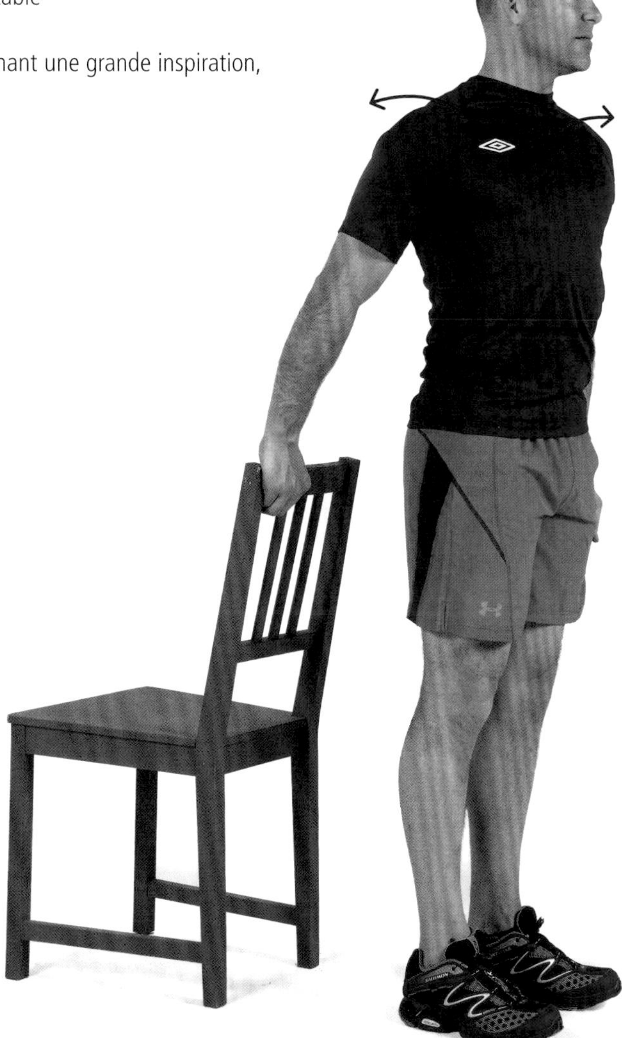

TENDINITE DE L'**ÉPAULE**

ÉTIREMENT

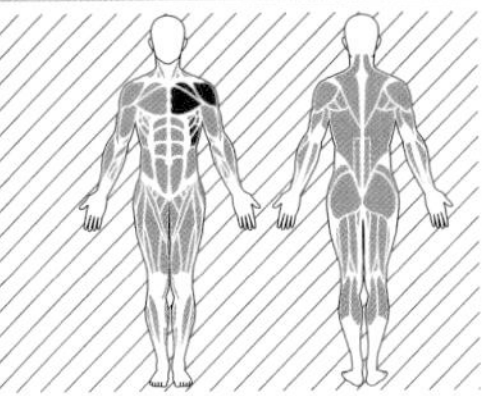

Étirement de la région antérieure du thorax au mur

OBJECTIF

Étirement général des muscles petit et grand pectoraux ainsi que du dentelé antérieur.

INDICATIONS

› En position de fente avec le membre cible au coude fléchi en abduction (appuyer l'avant-bras sur un mur ou un cadre de porte).

› Basculer l'épaule vers l'arrière et ouvrir la cage thoracique.

› Fléchir le genou avant pour faire avancer lentement le tronc jusqu'à ressentir une sensation d'étirement.

› Maintenir la cage thoracique ouverte et dégagée.

› Accentuer l'étirement avec l'autre main, si nécessaire.

ÉVITER de laisser l'épaule monter.

PRESCRIPTION

1-3 x **15-30** secondes

PROPRIOCEPTION

B

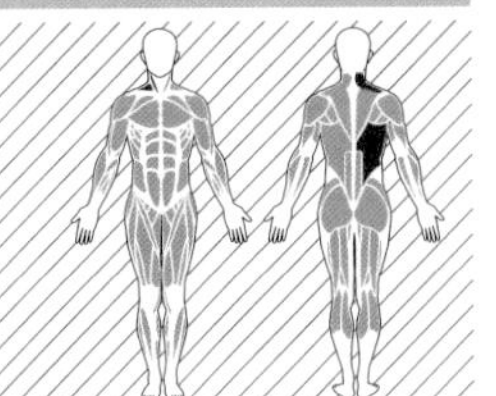

Étirement actif de la région latérale du cou avec abaissement de la tête humérale

OBJECTIF

Étirement général des muscles trapèze supérieur, scalènes et élévateur de la scapula avec abaissement actif de la tête humérale.

INDICATIONS

› En position debout, menton rentré.

› Incliner la tête du côté opposé tout en maintenant l'autograndissement.

› Exécuter un abaissement actif de la tête humérale par l'action combinée d'une remontée des doigts et d'une poussée de la paume légèrement vers l'avant et l'extérieur.

› Maintenir la position.

ÉVITER de pencher la tête vers l'avant ou l'arrière.

PRESCRIPTION

1-3 x **15-30** secondes

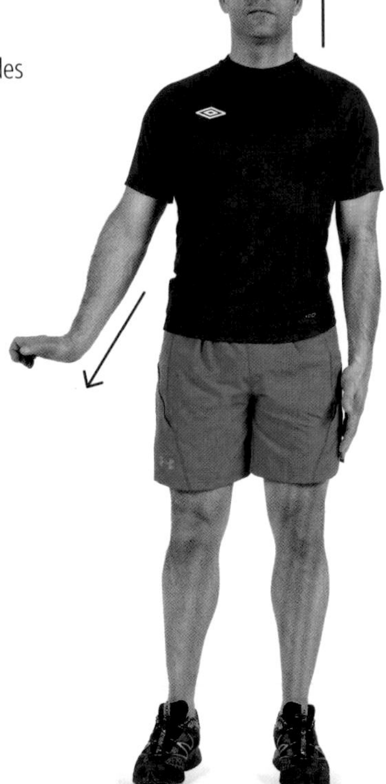

RENFORCEMENT

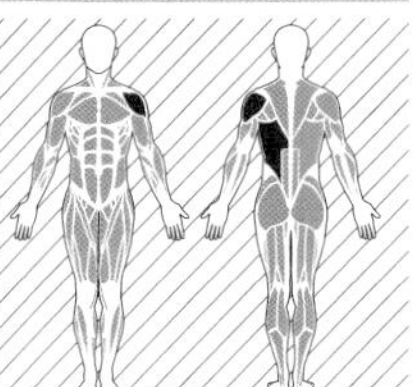

Abduction du bras au mur avec abaissement huméral

OBJECTIF

Renforcement isométrique des muscles supra-épineux et deltoïde.

INDICATIONS

› En position debout, membre cible en extension en appui.
› Basculer l'épaule vers l'arrière et exécuter une poussée en abduction en combinant un abaissement de la tête humérale contre le mur.
› Maintenir la position aussi longtemps que possible.
› Varier la distance avec le mur afin de travailler dans diverses amplitudes.

ÉVITER de lever les épaules lors de l'exercice.

PRESCRIPTION

1-3 x **15-30** secondes

RENFORCEMENT

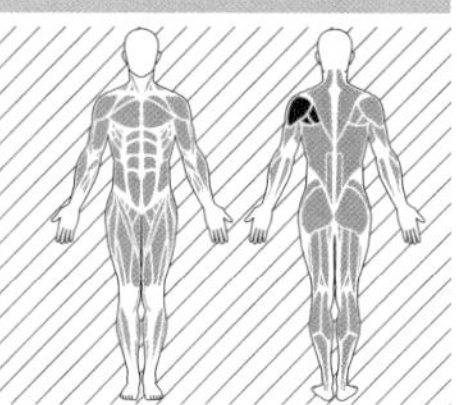

Rotation latérale du bras au mur avec abaissement huméral

OBJECTIF

Renforcement isométrique des muscles deltoïde postérieur, infra-épineux et petit rond.

INDICATIONS

› En position debout, membre cible en appui coude fléchi.

› Basculer l'épaule vers l'arrière et exécuter un abaissement du coude le long du corps, combiné à une rotation latérale contre le mur.

› Maintenir la position aussi longtemps que possible.

› Varier la distance avec le mur afin de travailler dans diverses amplitudes.

ÉVITER de laisser l'épaule basculer vers l'avant pendant l'exercice.

PRESCRIPTION

1-3 x **15-30** secondes

RENFORCEMENT

B

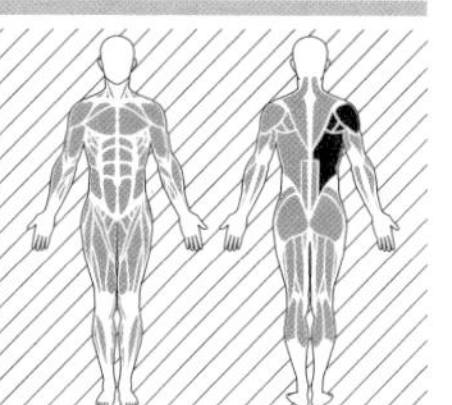

Rotation latérale du bras en adduction avec un élastique

OBJECTIF

Renforcement anisométrique des muscles deltoïde postérieur, infra-épineux et petit rond en position de sustentation.

INDICATIONS

› En position debout, le membre cible tenant un élastique et le coude fléchi à 90 degrés.

› Basculer l'épaule vers l'arrière et exécuter un abaissement du coude le long du corps contre une serviette roulée.

› Exécuter une rotation latérale contre la résistance de l'élastique tout en maintenant le contact avec la serviette.

› Chercher à atteindre lentement les amplitudes maximales dans les deux sens, sans compenser avec l'omoplate.

ÉVITER de laisser l'épaule basculer vers l'avant pendant l'exercice.

PRESCRIPTION

1-3 x **5-15** répétitions

RENFORCEMENT

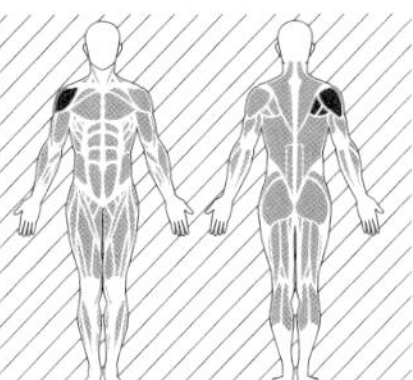

Rotation latérale du bras en abduction avec un élastique

OBJECTIF

Renforcement anisométrique des muscles infra-épineux et petit rond en position d'instabilité articulaire.

INDICATIONS

› En position debout, le membre cible tenant un élastique et le coude fléchi en abduction à 90 degrés.
› Basculer l'épaule vers l'arrière et exécuter une rotation latérale contre la résistance de l'élastique.
› Chercher à atteindre lentement les amplitudes maximales dans les deux sens, sans compenser avec l'omoplate.

ÉVITER de laisser l'épaule basculer vers l'avant pendant l'exercice.

PRESCRIPTION

1-3 x **5-15** répétitions

ÉTIREMENT

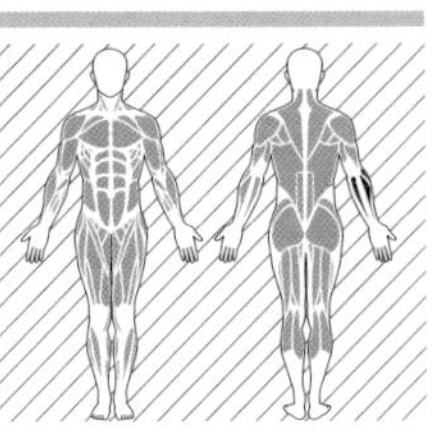

Étirement manuel des extenseurs du poignet et de la main

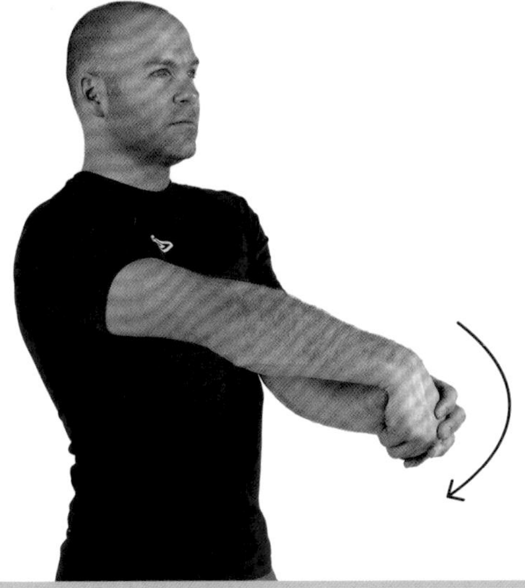

OBJECTIF

Étirement général des muscles court et long extenseurs radiaux du carpe, extenseur ulnaire du carpe et extenseur commun des doigts.

INDICATIONS

› Bras tendu devant le corps en pronation (paume vers le bas) et coude en extension.
› Saisir la main avec les doigts devant et le pouce derrière.
› Exécuter une traction en faisant basculer la main et les doigts vers le bas jusqu'à ressentir une sensation d'étirement.

ÉVITER de comprimer le poignet.

PRESCRIPTION

1-3 x **15-30** secondes

ÉTIREMENT

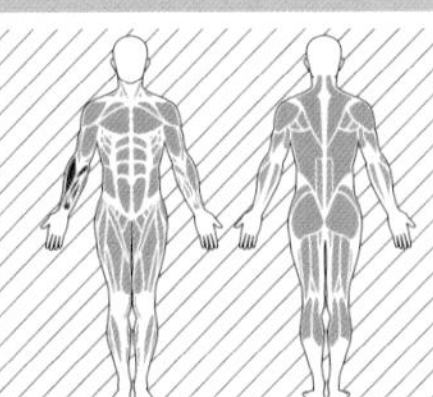

Étirement manuel du fléchisseur superficiel des doigts

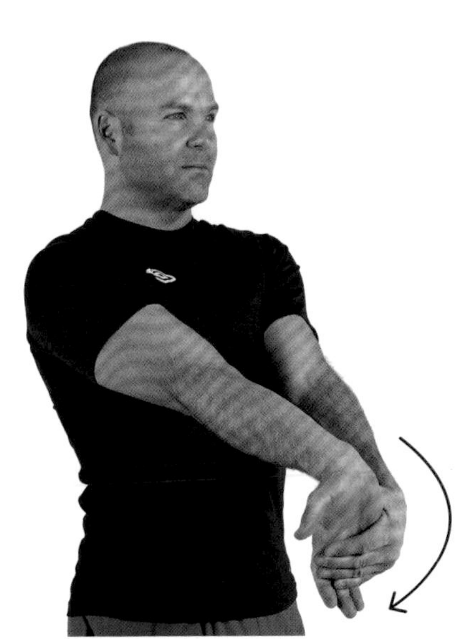

OBJECTIF

Étirement spécifique du muscle fléchisseur superficiel des doigts.

INDICATIONS

› Bras tendu devant le corps en supination (paume vers le haut) et coude en extension.
› Saisir la main avec le pouce derrière et les doigts tout juste avant la dernière phalange (laisser dépasser le bout des doigts).
› Exécuter une traction en faisant basculer la main et les doigts vers le bas jusqu'à ressentir une sensation d'étirement.

ÉVITER de comprimer le poignet.

PRESCRIPTION

1-3 x **15-30** secondes

ÉTIREMENT

C

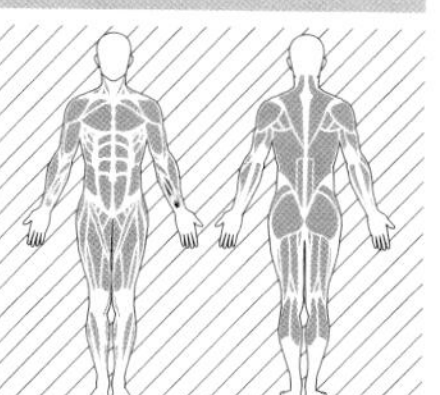

Étirement manuel du fléchisseur profond des doigts

OBJECTIF

Étirement spécifique du muscle fléchisseur profond des doigts.

INDICATIONS

- Coude fléchi devant le corps, paume vers le bas.
- Saisir la main au complet à partir du centre jusqu'au bout des doigts avec l'autre main.
- Ouvrir les doigts et la main en la faisant basculer vers le haut.

ÉVITER de comprimer le poignet.

PRESCRIPTION

1-3 x **15-30** secondes

ÉTIREMENT

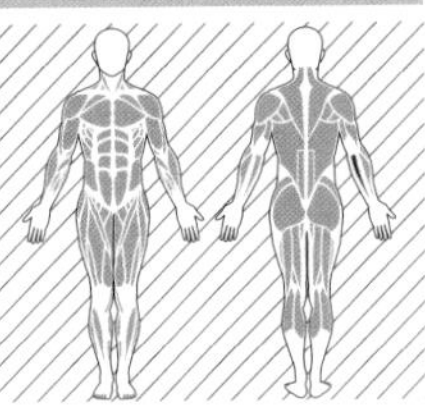

Étirement manuel de l'extenseur ulnaire du carpe

OBJECTIF

Étirement spécifique du muscle extenseur ulnaire du carpe.

INDICATIONS

› Bras devant le corps, coude et poignet fléchis.

› Saisir le poignet avec la main opposée, pouce sur le dessus, et exécuter simultanément une poussée du pouce et une traction des doigts (couple de force) jusqu'à ressentir une sensation d'étirement le long de l'avant-bras du côté du petit doigt.

ÉVITER de comprimer le poignet.

PRESCRIPTION

1-3 x **15-30** secondes

PROPRIOCEPTION

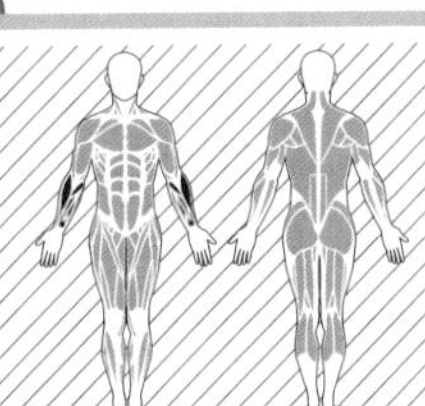

Étirement actif des fléchisseurs du poignet et de la main sur table

OBJECTIF

Étirement dynamique et prononcé des muscles ulnaire et radial du carpe et fléchisseur superficiel des doigts.

INDICATIONS

› En position de fente, bras tendus devant le corps, paume vers le haut avec le bout des doigts en bord de table.

› Exécuter une extension active des poignets et des mains en reculant lentement le corps jusqu'à ressentir une sensation d'étirement.

› Maintenir l'alignement du corps pendant l'exercice.

ÉVITER de comprimer les poignets contre la table.

PRESCRIPTION

1-3 x **15-30** secondes

PROPRIOCEPTION

C

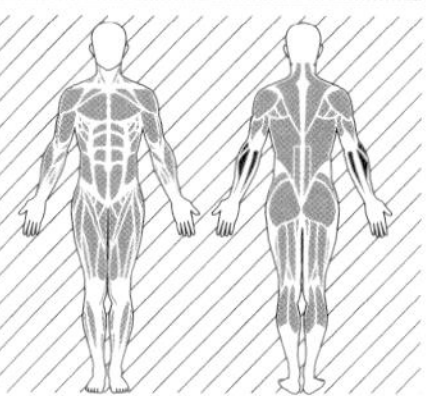

Étirement actif des extenseurs du poignet et de la main au mur

OBJECTIF

Étirement dynamique des muscles court et long extenseurs radiaux du carpe, extenseur ulnaire du carpe et extenseur commun des doigts en appui.

INDICATIONS

› Bras tendus devant le corps, mains refermées en pronation (paumes vers le bas) en appui au mur.

› Exécuter une flexion active des poignets et des doigts (fermer les mains) jusqu'à ressentir une sensation d'étirement.

ÉVITER de comprimer les poignets.

PRESCRIPTION

1-3 x **15-30** secondes

TENDINITE DU **COUDE** [EXTENSEURS DU POIGNET ET DE LA MAIN]

PROPRIOCEPTION

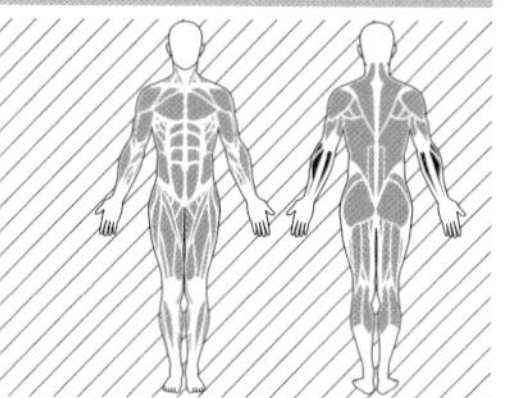

A

Extension du poignet et de la main avec un élastique

OBJECTIF

Renforcement anisométrique de la chaîne postérieure de l'avant-bras avec stabilisation du membre supérieur.

INDICATIONS

- En position debout, bras tendus devant le corps et coudes en extension.
- Basculer et stabiliser les épaules vers l'arrière et maintenir une composante d'autograndissement.
- Partir de la position basse en flexion au niveau des poignets et exécuter une extension complète sans chercher à monter les bras vers le haut, puis retourner à la position de départ.

ÉVITER de serrer trop fort les poignées de l'élastique.

PRESCRIPTION

1-3 x **5-15** répétitions

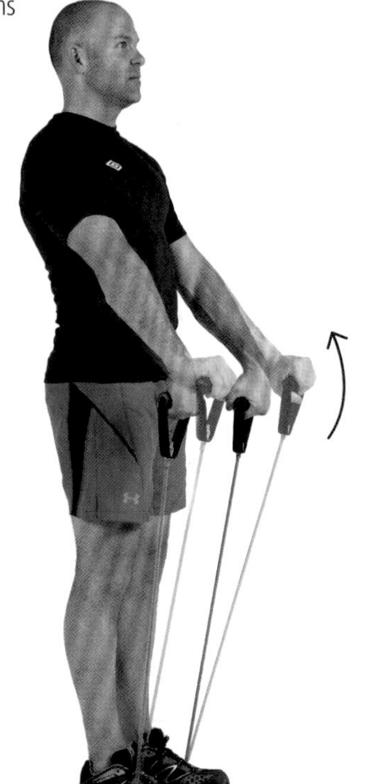

RENFORCEMENT

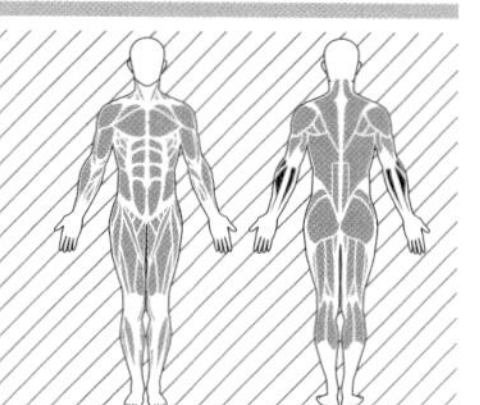

B

Extension du poignet avec un poids

OBJECTIF

Renforcement anisométrique de la chaîne postérieure de l'avant-bras avec une charge.

INDICATIONS

- En position assise, avant-bras en appui sur les cuisses, paumes vers le bas avec une charge dans chaque main.
- Partir de la position basse en flexion au niveau des poignets.
- Exécuter une extension complète sans chercher à comprimer les poignets.
- Retourner lentement à la position de départ.

ÉVITER de serrer les poids trop fort.

PRESCRIPTION

1-3 x **5-15** répétitions

RENFORCEMENT

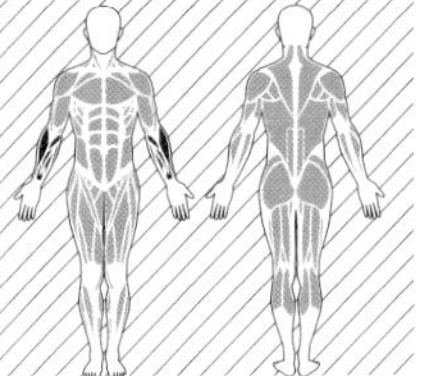

Flexion du poignet et de la main avec un poids

OBJECTIF

Renforcement anisométrique de la chaîne antérieure de l'avant-bras avec une charge.

INDICATIONS

› En position assise, avant-bras en appui sur les cuisses, paumes vers le haut avec une charge dans chaque main.
› Partir de la position basse en extension au niveau des poignets avec les poids au bout des doigts.
› Exécuter une flexion complète sans chercher à comprimer les poignets.
› Retourner lentement à la position de départ.

ÉVITER de serrer les poids trop fort.

PRESCRIPTION

1-3 x **5-15** répétitions

Étirement des jumeaux au mur

OBJECTIF

Étirement spécifique des muscles jumeaux ainsi que du soléaire en situation de charge avec appui.

INDICATIONS

- En position de fente avant en appui au mur (coudes fléchis).
- Projeter lentement le poids du corps sur la jambe avant, tout en maintenant les talons au sol jusqu'à ressentir une sensation d'étirement dans la jambe arrière.
- Augmenter l'extension de la jambe arrière ou la flexion de la jambe avant pour accentuer l'étirement.
- Maintenir l'alignement du corps en tout temps.

ÉVITER de laisser les talons se soulever du sol.

PRESCRIPTION

1-3 x **15-30** secondes

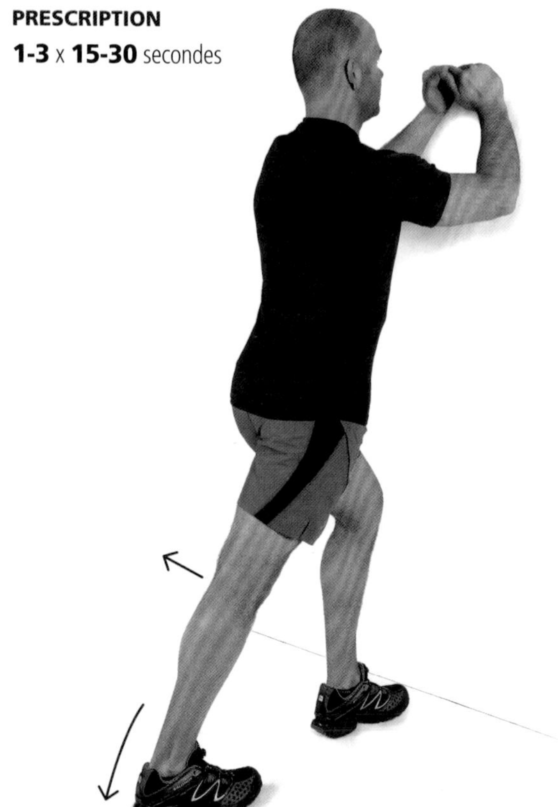

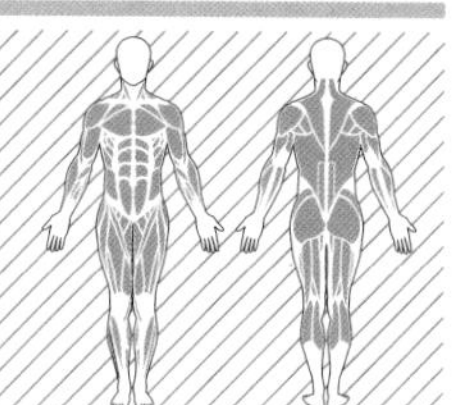

ÉTIREMENT

B

Étirement des éverseurs du pied avec une serviette

OBJECTIF

Étirement spécifique des muscles court et long fibulaires.

INDICATIONS

- En position assise au sol, entourer la partie distale du pied d'une serviette et croiser les bouts avant de les saisir.
- Exécuter une flexion de la cheville en amenant le pied d'abord vers soi avec les deux mains, puis une inversion en tractant davantage avec la main du côté cible.
- Maintenir une composante d'autograndissement.

ÉVITER de trop comprimer la cheville en tirant vers le bas.

PRESCRIPTION

1-3 x **15-30** secondes

ÉTIREMENT

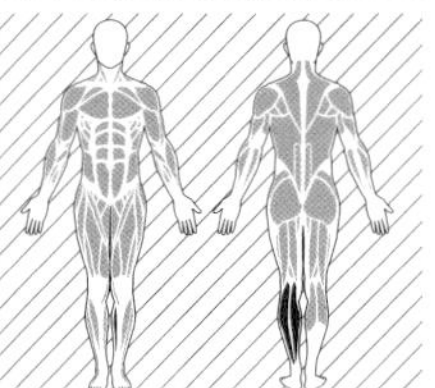

Étirement des inverseurs du pied avec une serviette

OBJECTIF

Étirement spécifique des muscles long fléchisseur de l'hallux et tibial postérieur.

INDICATIONS

› En position assise au sol, entourer d'une serviette la partie distale du pied et croiser les bouts avant de les saisir.

› Exécuter une flexion de la cheville en amenant le pied d'abord vers soi avec les deux mains, puis une inversion en tractant davantage avec la main du côté opposé au membre cible.

› Maintenir une composante d'autograndissement.

ÉVITER de trop comprimer la cheville en tirant vers le bas.

PRESCRIPTION

1-3 x **15-30** secondes

ÉTIREMENT

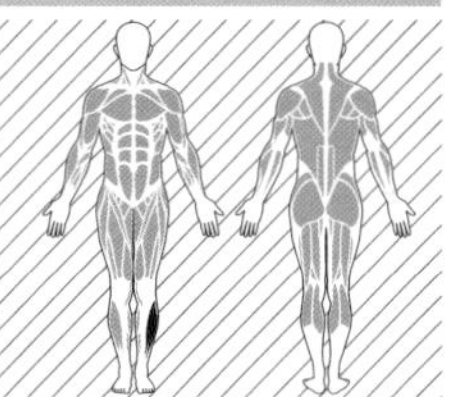

Étirement des muscles antérieurs du pied

OBJECTIF

Étirement manuel des muscles tibial antérieur, longs extenseurs de l'hallux et des orteils en position assise.

INDICATIONS

› En position assise, croiser la jambe cible devant pour pouvoir la saisir à la partie supérieure du tibia et au bout des orteils.

› Combiner un mouvement d'extension de la cheville à une traction appliquée sur les orteils.

› Chercher à éloigner les deux prises pour accentuer l'étirement.

ÉVITER de comprimer la cheville en tirant directement vers le bas.

PRESCRIPTION

1-3 x **15-30** secondes

ÉTIREMENT

B

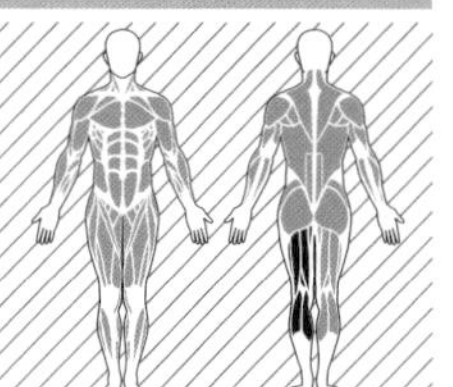

Étirement des ischiojambiers en appui au mur

OBJECTIF

Étirement unilatéral des muscles biceps fémoral, semi-tendineux, semi-membraneux ainsi que des jumeaux avec appui.

INDICATIONS

› En position couchée avec appui de la jambe cible sur un mur ou un cadre de porte.

› Exécuter une extension complète des jambes tout en amenant la cheville en flexion jusqu'à ressentir une sensation d'étirement à l'arrière de la jambe.

› Maintenir le bassin en antéversion (creuser le bas du dos) pour accentuer l'étirement.

ÉVITER de laisser le bassin se soulever du sol.

PRESCRIPTION

1-3 x **15-30** secondes

PROPRIOCEPTION

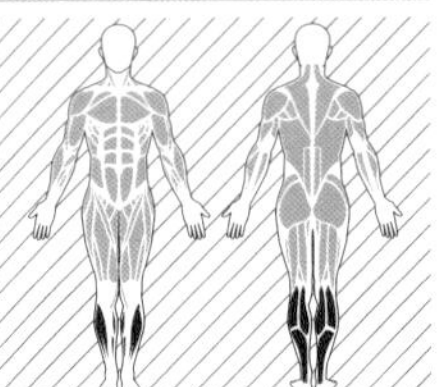

Marche proprioceptive

OBJECTIF

Stimulation des muscles du pied dans diverses positions.

INDICATIONS

› Marcher lentement et de façon contrôlée en maintenant l'appui sur les bords interne et externe ou sur l'avant et l'arrière des pieds.

› Alterner les positions.

ÉVITER les pas longs ou saccadés.

PRESCRIPTION

1-3 x **5-15** répétitions

TENDINITE DU **TENDON D'ACHILLE**

Renforcement excentrique des extenseurs de la cheville au mur

OBJECTIF

Renforcement isométrique des muscles jumeaux et soléaire en position d'étirement.

INDICATIONS

› En position de fente avant en appui au mur (coudes fléchis).

› Projeter lentement le poids du corps sur la jambe avant, tout en maintenant les talons au sol jusqu'à ressentir une sensation d'étirement dans la jambe arrière.

› Pousser ensuite contre le sol avec le pied arrière, sans que le talon quitte le sol, et maintenir la contraction.

› Augmenter l'extension du genou arrière pour accentuer l'étirement.

ÉVITER de laisser les talons se soulever du sol.

PRESCRIPTION

1-3 x **15-30** secondes

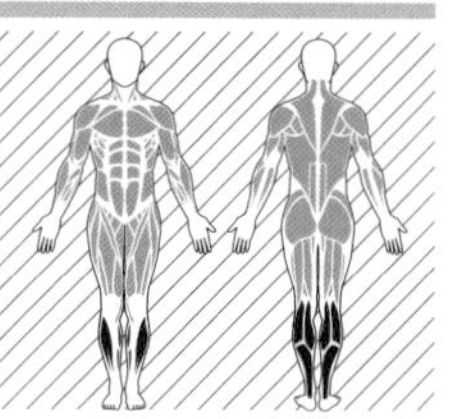

Flexion/extension de la cheville au sol

OBJECTIF

Renforcement anisométrique avec étirement actif des muscles extenseurs de la cheville.

INDICATIONS

› En position debout, avec appui au mur si nécessaire.

› Fléchir les chevilles en remontant les orteils aussi haut que possible, puis pousser avec l'avant des pieds jusqu'à extension complète (sur le bout des orteils).

› Maintenir les genoux en extension pendant le mouvement.

ÉVITER d'amener les genoux en hyperextension.

PRESCRIPTION

1-3 x **5-15** répétitions

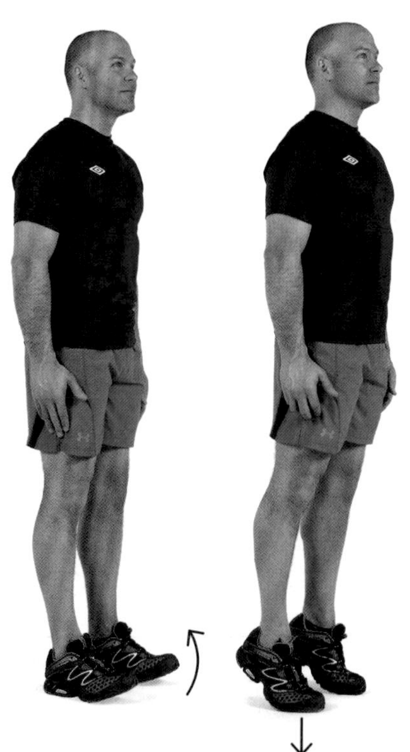

RENFORCEMENT

C

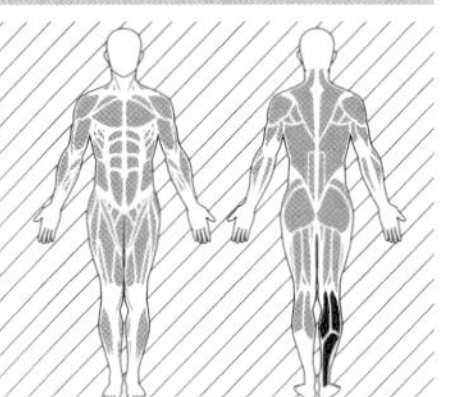

Flexion/extension de la cheville sur une marche avec appui

OBJECTIF

Renforcement anisométrique avec étirement actif des muscles extenseurs de la cheville à grande amplitude.

INDICATIONS

› En position debout, le pied sur le bord d'une surface stable et surélevée (avec appui au mur si nécessaire).

› Exécuter une flexion de la cheville en laissant lentement descendre le talon aussi bas que possible, puis pousser avec l'avant du pied jusqu'à extension complète de la cheville (sur le bout des orteils).

› Maintenir le genou en extension pendant le mouvement.

ÉVITER d'amener le genou en hyperextension.

PRESCRIPTION

1-3 x **5-15** répétitions

Syndrome d'accélération : Créé lors d'un impact arrière, ce syndrome est caractérisé par des blessures aux structures de la partie antérieure de la région cervicale, comme le ligament longitudinal antérieur, les muscles sterno-cléido-mastoïdiens et scalènes.

Syndrome de décélération : Créé lors d'un impact avant, ce syndrome est caractérisé par des blessures aux structures de la partie postérieure de la région cervicale, comme le ligament nucal, les muscles sous-occipitaux et splénius.

L'impact latéral provoque un syndrome d'accélération avec atteinte aux structures latérales du cou.

Parmi les différents signes et symptômes, mentionnons des raideurs cervicales, des maux de tête, des troubles visuels, des paresthésies (engourdissements), des vertiges, des troubles de concentration, des troubles de mémoire ou de l'équilibre, et des restrictions de mobilité cervicale.

Whiplash
[syndrome d'accélération ou de décélération]

PROGRAMME DE RÉÉDUCATION

PHASE 1
Limiter l'instabilité cervicale (hypermobilité)
Dans un premier temps, solliciter de façon active, mais modérée, les muscles cervicaux antérieurs ou postérieurs (selon le type d'impact).

PHASE 2
Prise de conscience spatio-temporelle
Stabiliser la région cervicale et la posture du cou par des exercices d'autograndissement avec ou sans charge. Récupérer les fonctions oculomotrices avec des exercices simples sur ballon.

PHASE 3
Améliorer la stabilité articulaire, assis et allongé
Proprioception et stabilisation segmentaire.

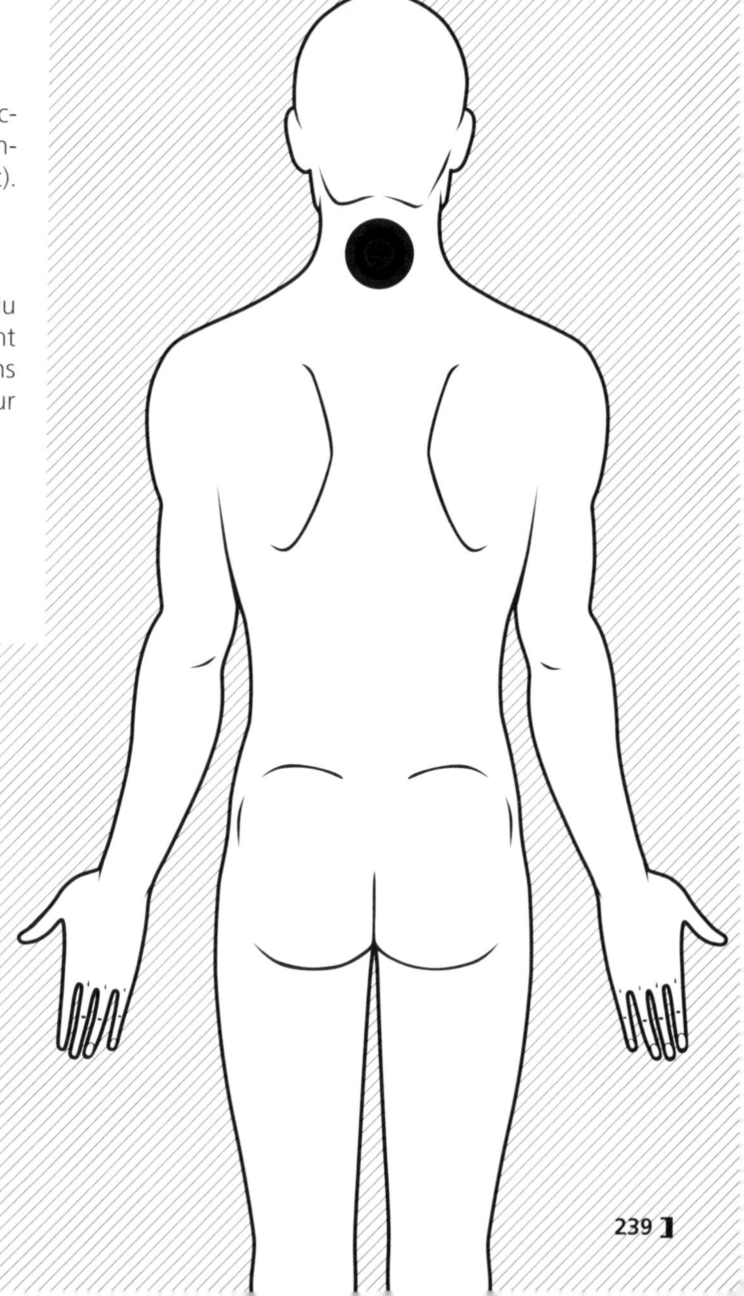

Étirement de la région postérieure du thorax au mur

OBJECTIF

Étirement global et léger des muscles trapèze et rhomboïdes.

INDICATIONS

› En position debout, dos au mur et bras tendus devant le corps, mains jointes.
› Rentrer le menton et tenter de plaquer la colonne au mur pour exécuter une composante d'autograndissement.
› Éloigner les mains vers l'avant et vers le bas jusqu'à ressentir une sensation d'étirement derrière la nuque.

ÉVITER de laisser le cou revenir en lordose.

PRESCRIPTION

1-3 x **15-30** secondes

ÉTIREMENT

B

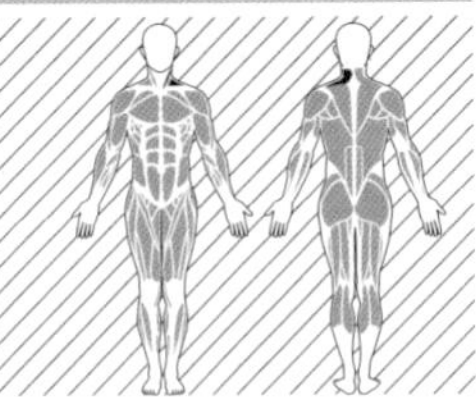

Étirement manuel de la région latérale du cou

OBJECTIF

Étirement prononcé des muscles scalènes, trapèze supérieur et élévateur de la scapula en décharge.

INDICATIONS

› Couché sur le dos.
› Saisir la tête à la base du crâne avec la main opposée.
› Rentrer le menton et tracter lentement vers l'extérieur jusqu'à ressentir une sensation d'étirement au niveau du cou.
› Maintenir l'épaule du côté cible bien abaissée, en tout temps.

ÉVITER de tirer trop fort et de comprimer la région cervicale ou encore de perdre la composante d'autograndissement.

PRESCRIPTION

1-3 x **15-30** secondes

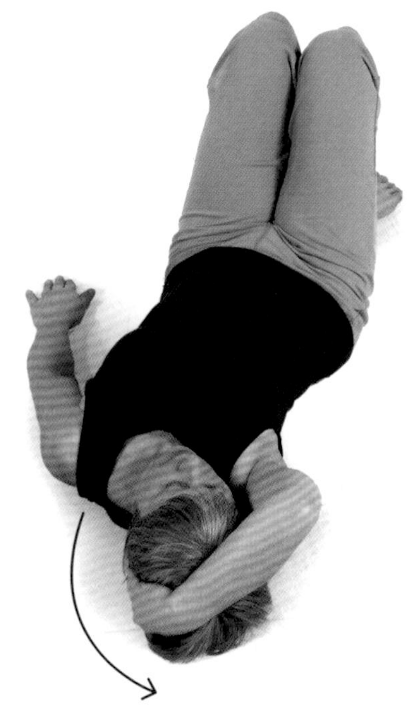

ÉTIREMENT

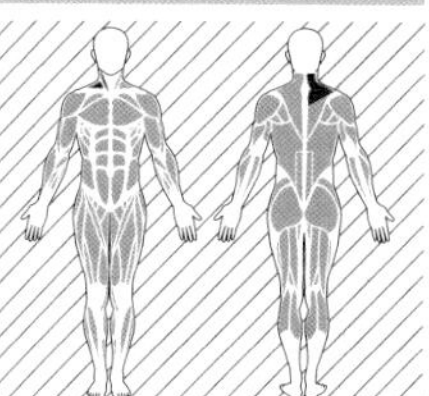

Étirement de la région latérale du cou avec une serviette

OBJECTIF

Étirement général des muscles trapèze supérieur, scalènes et élévateur de la scapula avec un léger abaissement de la tête humérale.

INDICATIONS

› En position debout, tendre une serviette entre le pied et la main du côté cible.
› Rentrer le menton et incliner légèrement la tête vers le côté opposé en glissant lentement la main le long de la cuisse.
› Arrêter le mouvement lorsqu'il y a sensation d'étirement.
› Maintenir la position la tête haute (autograndissement).

ÉVITER de pencher la tête vers l'avant ou l'arrière.

PRESCRIPTION

1-3 x **15-30** secondes

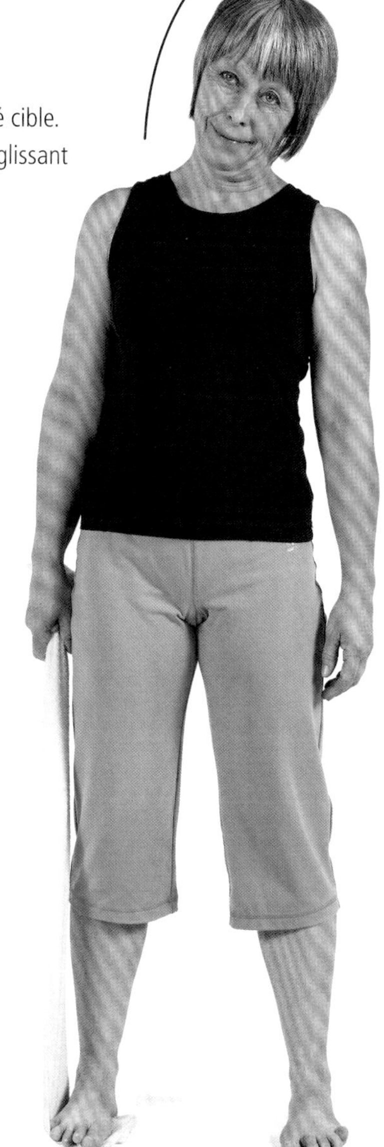

WHIPLASH [SYNDROME D'ACCÉLÉRATION OU DE DÉCÉLÉRATION]

ÉTIREMENT

A

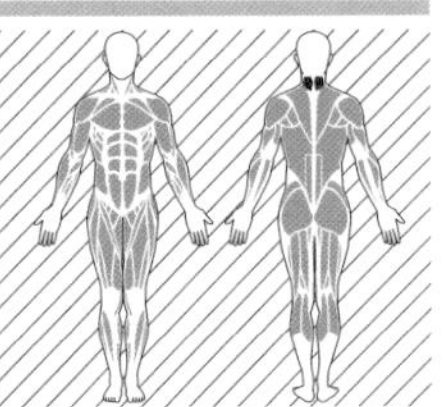

Contracté-relâché des muscles sous-occipitaux

OBJECTIF

Étirement dynamique manuel des muscles de la région cervicale haute au sol.

INDICATIONS

› Couché sur le dos, genoux fléchis.

› Saisir la tête des deux mains, en englobant la base du crâne et la mâchoire.

› Tracter lentement vers le haut et vers l'avant jusqu'à ressentir une sensation d'étirement.

ÉVITER de comprimer la région antérieure ou de tirer trop fort.

PRESCRIPTION

1-3 x **15-30** secondes

PROPRIOCEPTION

B

Exercice oculomoteur

OBJECTIF

Rééducation neuro-proprioceptive du rachis cervical.

INDICATIONS

› Assis sur un ballon.

› Exécuter une composante d'autograndissement en éloignant la tête vers le haut et en ramenant les omoplates vers l'arrière (maintenir le menton rentré en tout temps).

› Fixer un point précis devant soi, puis déplacer lentement le ballon de gauche à droite, aussi loin que possible, sans quitter ce point des yeux (ne pas bouger la tête).

ÉVITER de pencher la tête vers l'avant ou l'arrière.

PRESCRIPTION

1-3 x **5-15** répétitions

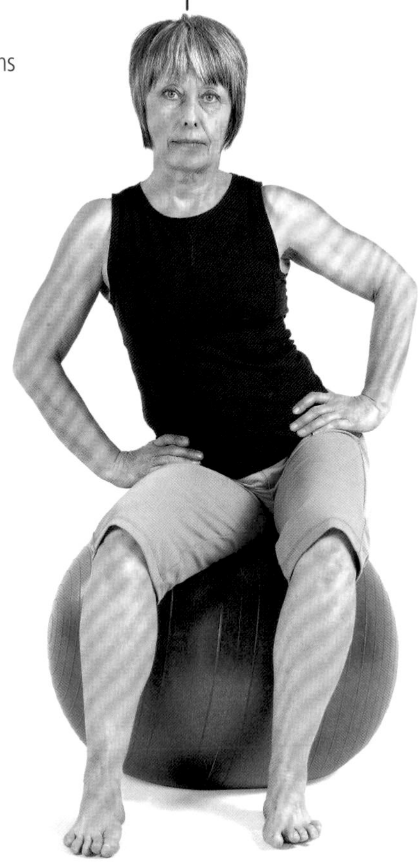

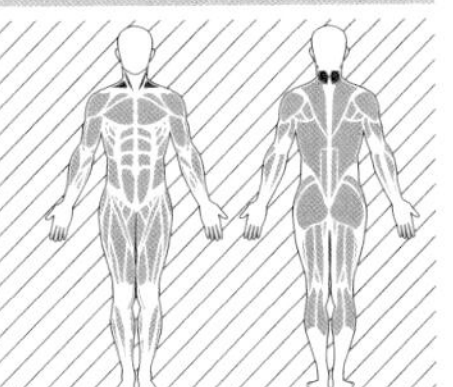

PROPRIOCEPTION

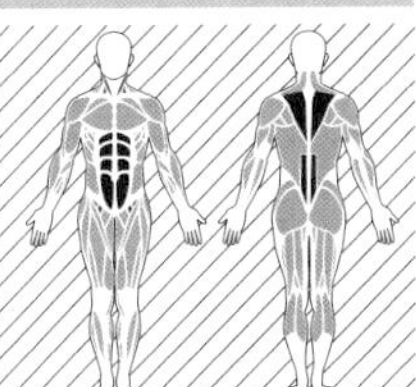

Exercice d'autograndissement en position couchée

OBJECTIF

Renforcement postural des muscles du tronc en situation de décharge.

INDICATIONS

- En position couchée, jambes tendues et bras le long du corps en supination (paumes vers le haut).
- Exécuter une bascule arrière des omoplates en appuyant les épaules fermement au sol.
- Rentrer le menton et exécuter une composante d'autograndissement en éloignant la tête et les talons.
- Redresser la position jusqu'à ressentir une sensation de décompression de la colonne vertébrale.

ÉVITER de compenser en creusant le bas du dos.

PRESCRIPTION

1-3 x **15-30** secondes

WHIPLASH [SYNDROME D'ACCÉLÉRATION OU DE DÉCÉLÉRATION]

Renforcement manuel de la région latérale du cou

OBJECTIF

Renforcement isométrique et postural des muscles stabilisateurs du cou en décharge.

INDICATIONS

› Couché sur le dos.
› Exécuter une composante d'autograndissement en éloignant le bassin de la tête.
› Rentrer le menton et lutter doucement, de côté, contre la résistance appliquée par la main du même côté.
› Maintenir les épaules au sol en tout temps.

ÉVITER de pousser trop fort et de comprimer la région cervicale, ou de perdre la composante d'autograndissement.

PRESCRIPTION

1-3 x **15-30** secondes

RENFORCEMENT

B

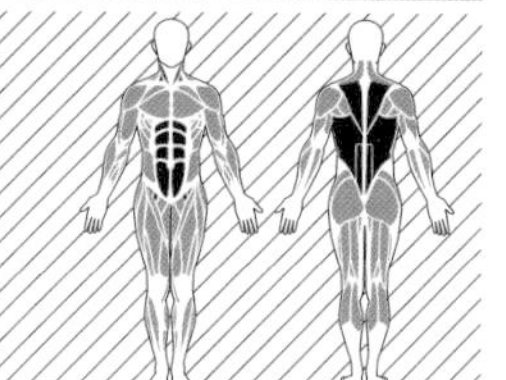

Exercice d'autograndissement en position assise

OBJECTIF

Renforcement postural des muscles du tronc en situation de charge.

INDICATIONS

› En position assise, jambes fléchies avec saisie derrière la cuisse.
› Exécuter une composante d'autograndissement en rentrant le menton tout en éloignant la tête vers le haut.
› Accentuer la bascule arrière ainsi que l'adduction des omoplates en s'aidant de la traction exercée sur les cuisses.
› Redresser la position jusqu'à ressentir une sensation de décompression de la colonne vertébrale.

ÉVITER de projeter la tête vers l'avant lors du mouvement.

PRESCRIPTION

1-3 x **15-30** secondes

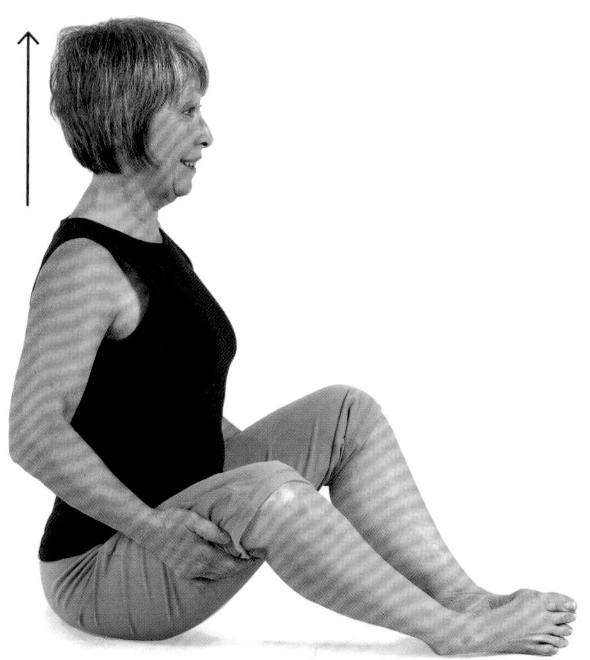

RENFORCEMENT

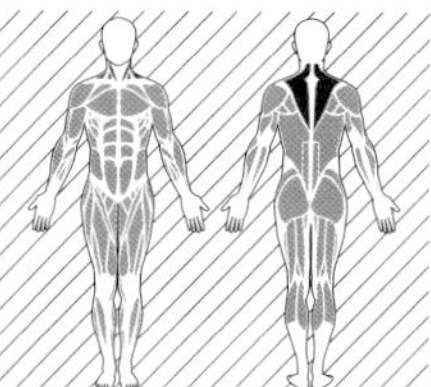

Renforcement manuel du cou avec une serviette

OBJECTIF

Renforcement isométrique et postural des muscles stabilisateurs du cou en situation de charge.

INDICATIONS

› En position assise sur un ballon, saisir la tête à l'aide d'une serviette.
› Exécuter d'abord une composante d'autograndissement en éloignant la tête vers le haut (menton rentré en tout temps) et en exécutant une bascule arrière des omoplates.
› Lutter doucement, de façon contrôlée, contre la résistance.
› Varier l'angle de traction (antérieur, postérieur ou latéral), selon le cas.

ÉVITER de pousser trop fort ou de perdre la composante d'autograndissement.

PRESCRIPTION

1-3 x **15-30** secondes

L'exercice ultime qui soigne… tout: **la marche**

« Le plus grand voyage commence toujours par un petit pas. »

La marche est le sport le plus naturel qui soit. Dès l'âge de un an, l'enfant la découvre. C'est la plus belle expression de vie qu'il aura à poursuivre toute sa vie durant. Accessible à tous, la marche nécessite peu de matériel et l'effort est toujours ajustable à notre volonté et notre état de santé, en intensité et en durée. Elle fait même partie des programmes de réadaptation à l'effort après les infarctus du myocarde ou les greffes cardiaques. La marche se situe dans le niveau d'activité d'endurance qu'on appelle aérobique, c'est-à-dire pratiqué sur un rythme moyen et pour une durée prolongée, sans essoufflement marqué.

Les effets cardiovasculaires

Les bénéfices de la marche pour les appareils cardiovasculaire et pulmonaire sont bien connus. La fréquence cardiaque finit par diminuer au fil des jours d'entraînement. La stabilisation des valeurs de tension artérielle et l'amélioration de la circulation sanguine, notamment dans les membres inférieurs, s'installent avec la régularité. À ce propos, nous vous renvoyons au chapitre sur la douleur. Si on veut améliorer le rôle de l'artère, primordial dans le traitement de l'inflammation et de la douleur physique, il faut augmenter le rythme circulatoire, ce qui créera justement un apport sanguin plus important dans les organes en état d'inflammation. Une meilleure circulation permettra de mieux oxygéner les muscles.

Les bons effets de la marche sur la psychologie

Selon plusieurs études, la marche serait une excellente prévention de la dépression et serait utile pour combattre la dépression légère. La personne qui marche dans un état de détente psychologique vit un moment d'évasion précieux dans ce monde de surchauffe des cerveaux, à l'ère des bombardements des médias sociaux. Un contact avec la nature, des découvertes culturelles ou la visite d'un site peuvent ouvrir à une meilleure connaissance du corps et de ses capacités physiques, en plus de nourrir l'âme.

Les contre-indications de la marche sont surtout les limitations physiques de chacun, par exemple, un problème d'obésité important, d'arthrose de la hanche ou des genoux, d'arthrite ou de malformations de la colonne, des hernies discales, etc. Dans les résistances, il faut mentionner la facilité de ne rien faire… En effet, l'écoute de la télévision l'emporte trop souvent.

Les effets secondaires de la marche ne sont pas à négliger. Les longues promenades, par exemple, peuvent causer des ampoules (phlyctènes). Gare aux chaussures neuves ou mal adaptées ! D'où l'importance d'un bon choix de souliers de marche. De plus, on doit toujours porter des chaussettes pour éviter le frottement des orteils contre la chaussure.

On observe aussi des entorses à la cheville liées à la fatigue ou à la marche en terrain irrégulier. Des problèmes musculaires tels que crampes, courbatures et contractures peuvent aussi apparaître le lendemain, si on ne connaît pas vraiment ses limites. Il est donc important de commencer graduellement à évaluer son rythme de marche, et la meilleure façon d'y arriver est de se procurer un podomètre pour mesurer la distance parcourue.

En général, les spécialistes du système cardiovasculaire estiment qu'il faut faire 10 000 pas, trois fois par semaine. Si vous faites 1000 pas trois fois par semaine et que vous passez à 10 000 tout d'un coup, en une semaine, les courbatures (contractures, crampes et problèmes de chaussures) vous guettent, évidemment. Il faut y aller de façon graduelle et ne pas hésiter à consulter un spécialiste du pied si les chaussures sont mal adaptées. Trop souvent, les gens cessent la marche à cause de cela, alors qu'il suffit simplement de changer de type de chaussures ou parfois de faire évaluer une malformation des pieds qui, si minime soit-elle, peut répartir inadéquatement le poids du corps.

Il faut garder aussi à l'esprit que les genoux sont très sollicités, surtout dans les descentes, et qu'ils peuvent devenir douloureux à la pointe, au niveau du plateau tibial (juste sous la rotule, de chaque côté). Un entraînement des quadriceps peut-être un bon moyen préventif. Si vous désirez faire des randonnées en montagne, sachez que la montée est souvent plus facile pour les genoux que la descente. Par ailleurs, beaucoup de gens oublient les effets du soleil. Or, il ne faut pas négliger ces risques pour la peau. Une protection s'impose. Employez des crèmes solaires, très efficaces, dont l'indice de protection va de 30 à 60, selon le type de peau. Vous devez appliquer régulièrement cette crème, aux deux heures. De plus, des vêtements avec protection solaire et un chapeau à large bord font partie de l'équipement du marcheur.

La recherche

Marcher de deux à trois heures par semaine est aussi bénéfique pour le cœur que la course à pied, selon une étude menée par des chercheurs de l'Université Duke en Caroline-du-Nord. On a étudié 133 personnes volontaires, d'âge moyen, en surpoids et sédentaires, qui présentaient un risque cardiovasculaire. Quatre groupes ont été constitués. Un groupe ne faisait aucun exercice ; un autre marchait 19 km d'un bon pas à vitesse modérée ; le troisième marchait 19 km à vive allure et à petites foulées ; et le dernier groupe parcourait 32 kilomètres à la course. Les chercheurs ont comparé deux critères de forme physique : le temps écoulé jusqu'à l'épuisement et la concentration d'oxygène. Ce dernier critère augmente avec l'intensité des activités et peut être amélioré avec une pratique régulière d'un sport.

Il faudrait donc marcher 20 kilomètres par semaine. Logiquement, les groupes qui ont pratiqué cet exercice ont amélioré leur forme physique. Le Dr Robert Eckel, président de l'American Heart Association, confirme cette évidence : une activité même modérée est préférable à aucune activité. Ce qui est plus intéressant, c'est la comparaison entre les groupes qui avaient parcouru 19 kilomètres à des allures différentes. En l'occurrence, il n'y a pas de différences significatives en ce qui concerne la consommation d'oxygène. Quant au dernier groupe, c'est celui qui a le plus amélioré sa condition physique. Brian Duscha, premier auteur de ce travail publié dans le numéro d'octobre 2009 de la revue *Chest,* note que si vous marchez d'un bon pas une vingtaine de kilomètres par semaine environ, il est scientifiquement prouvé que vous en retirez des bénéfices pour votre santé. Même si cela ne vous fera pas forcément maigrir.

À quelle vitesse faut-il marcher pour avoir un effet santé ?

Une marche santé devrait se faire au rythme de 100 pas par minute, ce qui équivaut à environ 4 km/h, conclut une étude américaine réalisée à l'Université de San Diego. Les chercheurs ont voulu déterminer à quelle vitesse la marche peut être une activité physique modérée, donc santé. Pour ce faire, ils ont évalué la dépense énergétique de près de 100 marcheurs selon leur cadence. Les participants ont marché à différents rythmes sur un tapis roulant. L'intensité de l'activité physique a été mesurée par la consommation d'oxygène et par le rythme cardiaque des sujets, âgés en moyenne de 32 ans. À 100 pas par minute, la dépense énergétique fut trois fois plus élevée qu'au repos. Or, entre trois et six fois la dépense énergétique au repos, les spécialistes considèrent que l'activité physique est modérée. Pour atteindre 30 minutes d'activité par jour, il faut compter 3000 pas sur son podomètre. On peut choisir de faire trois marches de 1000 pas en dix minutes avec les mêmes bénéfices, précisent les chercheurs. Les personnes souffrant d'obésité ou d'embonpoint devraient adopter une cadence plus réduite.

Pratiquer une activité physique modérée réduirait les risques de maladies cardiovasculaires et de diabète, entre autres. Étant donné que la meilleure façon de contrôler le glucose (sucre) est de le faire consommer par les muscles, la marche après le repas du soir est recommandée pour ceux qui veulent prévenir le diabète. D'autres études confirment l'utilité de la marche dans la prévention des cancers du côlon et du sein.

L'attitude au niveau du concept de santé global

L'attitude du marcheur est importante. Il ne faut pas forcer son rythme, ne pas prendre des chemins difficiles, s'organiser pour marcher dans des endroits agréables, et il est illusoire de penser que le fait de piétiner dans les centres commerciaux équivaut à une promenade de santé.

Ce qui est intéressant, c'est de développer une attitude face à la marche, par exemple garer son automobile le plus loin possible de chez soi, descendre du métro une ou deux stations avant la destination. Il faut toujours choisir l'occasion de marcher, comme monter les escaliers au lieu de prendre l'ascenseur. Calorie par calorie, chacun peut apprendre à gérer son poids et son cardiovasculaire pour prendre le volant de sa vie.

Les diabétiques doivent surveiller particulièrement leurs pieds lors de la marche et, plus encore que les autres, se procurer des chaussures confortables pour éviter les blessures, les ampoules et les petites plaies qui pourraient s'infecter et prendre du temps à guérir.

Il est important d'entreprendre la marche tranquillement et d'accélérer par la suite.

D'autres études tendent à nous convaincre que la marche rapide serait un bon exercice pour le cerveau. Par exemple, des chercheurs américains ont étudié des personnes âgées de 60 à 75 ans qui ont pratiqué la marche rapide pendant 45 minutes, trois fois par semaine, et un autre groupe qui pratiquait des exercices de musculation et d'étirement. Résultat : les personnes du premier groupe ont amélioré plus que les autres leur forme physique et leurs fonctions cognitives, notamment la mémoire et la capacité de concentration. La marche pourrait donc devenir, pour les personnes vieillissantes, une excellente activité de prévention des fonctions cognitives et de préservation du cerveau. Évidemment, d'autres études devront préciser les effets de la marche sur le cerveau, mais on peut avancer que les exercices aérobiques améliorent les fonctions cognitives et peuvent même éviter le déclin neurologique chez les personnes âgées.

La marche et l'arthrose

L'arthrose est l'usure des cartilages qui apparaît avec le vieillissement aux extrémités des os et des articulations et qui peut provoquer des inflammations douloureuses. Or, contrairement à ce qu'on pourrait croire, la marche contribue à améliorer la condition des personnes souffrant d'arthrose des genoux et des hanches, leur permettant de prendre une part active au soulagement de leurs symptômes. Bien que l'arthrose ne soit pas strictement une conséquence du vieillissement, sa fréquence va en augmentant quand le cartilage perd ses qualités d'origine, c'est-à-dire souplesse et glissement. Cependant, la marche permet de bouger les articulations et de maintenir cette fonction le plus longtemps possible, dans le meilleur état possible. Donc, dans la prévention de l'arthrose légère, la marche devient un impératif.

À l'autre extrémité de la vie, la marche serait aussi essentielle pour les jeunes qui ont tendance à rester trop souvent immobilisés devant leur ordinateur ou les jeux vidéo. Or, une société qui évolue avec ces technologies sans promouvoir l'exercice sera frappée par des problèmes d'obésité, de diabète et de maladies cardiovasculaires précoces.

Maigrir grâce à la marche

Nous l'avons dit, il est difficile de maigrir quand on marche modérément. Cependant, on compte de plus en plus d'adeptes de la marche rapide. Ce type de marche pourrait avoir un effet intéressant sur la perte de calories et pourrait donc favoriser un certain contrôle du poids. Cela dit, certains marcheurs sont souvent déçus sur le pèse-personne, car si le taux de tissus adipeux a diminué, la masse musculaire a augmenté. Par conséquent, leur poids est resté à peu près le même.

En résumé, devons-nous marcher dix minutes, trois fois par semaine ? Ou trente minutes par jour ? En fait, l'important c'est de marcher et de créer un rythme. Nous favorisons l'utilisation d'un podomètre et des marches de 10000 pas trois fois par semaine, à un rythme modéré à rapide. Il faut éviter les marches sociales avec deux ou trois amis, où l'on discute de politique en cours de route ! Ces promenades sont peu intéressantes pour l'entraînement cardiovasculaire et il est difficile de marcher en groupe quand chaque marcheur a son rythme particulier. Chacun doit trouver son propre rythme en prenant contact avec la nature et en évitant de ruminer ses problèmes. Alors la marche peut devenir une méditation de la vie consciente et contribuer à l'état global de la santé.

Bibliographie

1. Association des pharmaciens des établissements de santé du Québec. *Guide pratique des soins palliatifs – gestion de la douleur et autres symptômes*, Andrée Néron/APES, 2008.
2. Boulanger, Aline *et al.* « DPC et spécialités. Algorithme de traitement de la douleur neuropathique. Recommandations d'un forum québécois sur la douleur neuropathique », *L'actualité médicale – Les cahiers de MedActuel*, vol. 8, n° 12, 7 mai 2008.
3. Borsarello, Jean. *Acupuncture*, Paris, Masson, 1981, p. 166.
4. Charest, Aline. « Traitements d'orthothérapie efficaces contre la lombalgie chronique », *L'actualité médicale*, juin 2000.
5. Cheng, Richard Shing Sou. *Mechanisms of electroacupuncture analgesia as related to endorphins and monoamines; an intricate system is proposed*, University of Toronto, 1980.
6. Collège des médecins du Québec. *Douleur chronique et opioïdes : l'essentiel*, Montréal, le Collège, mai 2009.
7. Conseil du médicament du Québec. *Algorithme d'utilisation des anti-inflammatoires non stéroïdiens (AINS)*, mars 2010.
8. Drouin, Jean. *Guérir sa vie*, Éditions Le Dauphin Blanc, 2006, p. 94.
9. Drouin, Jean. *Vaincre la douleur*, Sélection du Reader's Digest, 1999.
10. Molvig, Dianne. *Guérir la douleur*, livre V, par les éditeurs de *Consumer Guide,* 48 p.
11. Turbide, Michel. « Les douleurs contrées par les molécules aromatiques », *Vitalité Québec*, octobre 2010, pp. 34-37.
12. Valette, Claude, Émile Henri Jarricot et Henri Niboyet. *Gynécologie, obstétrique : Thérapeutique par acupuncture*, Paris, MEDSI, 1981, p. 219.

Sites Web

Association québécoise de la douleur chronique : www.douleurchronique.org
Réseau québécois de recherche sur la douleur : http://www.rqrd.ca

Liste des **mises en garde**

La section suivante explique la signification des pictogrammes représentant les avertissements ou les recommandations qui apparaissent au début de chaque pathologie.

Ce système simple, s'inspirant des panneaux de signalisation, vous permettra de repérer rapidement les principales mises en garde propres à la pathologie en question. Celles-ci sont importantes, car elles peuvent représenter une bonne partie des facteurs extérieurs entourant la pathologie et pouvant être d'une certaine façon responsables de l'entretien de la condition (chronicité).

Ces recommandations représentent en général des situations particulières à éviter, des conseils sur les habitudes de vie saines ou des suggestions pour choisir une activité sportive ou quotidienne.

ÉVITER les situations qui favorisent le maintien en élévation de l'épaule.

- Porter un sac à dos ou un sac à main sur une seule épaule.
- Parler au téléphone longtemps ou fréquemment.
- Le stress.

ÉVITER les positions en appui prolongé.

- Se tenir sur les bras ou sur les coudes en position assise.
- Se coucher directement en appui sur une seule épaule.
- Se tenir en appui sur une jambe ou sur un bras.

ÉVITER le maintien prolongé du membre supérieur en élévation.

- Travailler à la chaîne.
- Travailler à l'étalage.
- Faire de la manutention de longue durée, sans pause.

ÉVITER les positions contraignantes ou aux amplitudes extrêmes.

- Au-delà du niveau des épaules.
- Derrière le corps.
- Autres positions à risque (accroupi, penché, en torsion).

ÉVITER les débalancements ou le port de charges lourdes.

- Transporter une valise ou un sac trop chargé.
- Porter une charge mal équilibrée ou d'un seul côté.
- Déplacer trop d'objets à la fois.

ÉVITER de manipuler des charges loin du corps (centre de gravité).

- Soulever des charges les jambes tendues.
- Manipuler des objets loin du corps.
- Travailler à bout de bras.

ÉVITER les mouvements en torsion.

- Certaines activités sportives (golf, hockey, baseball).
- Transférer des objets d'un point à un autre les pieds fixes.
- Soulever une charge qui n'est pas en face du corps.

ÉVITER les situations pouvant entraîner des contraintes de compression ou d'affaissement.

- Les positions assises relâchées ou sans appui.
- Porter une charge lourde sur les épaules ou le dos.
- Les mauvaises postures en position debout ou accroupie.

ÉVITER les mauvaises positions assises prolongées.

- Les fauteuils trop creux ou trop mous.
- Les positions jambes croisées ou déhanchées.
- Les mauvaises positions en voiture.

MINIMISER l'exposition aux impacts.

- Les sauts ou les chutes.
- Certaines activités sportives (course, corde à danser).
- Les postes de travail exposés aux chocs ou aux vibrations.

ÉVITER les activités soutenues ou prolongées.

- Toutes les activités sportives intenses (soccer, tennis).
- Les activités qui durent plus de 30 minutes.
- La manutention de charges en continu.

ÉVITER les mouvements répétitifs.

- Le travail à l'étalage ou au poste de commis.
- Le travail à l'ordinateur.
- Certaines activités quotidiennes (jardinage, peinture).

ÉVITER les situations qui favorisent l'antéprojection de la tête.

- Dormir avec un oreiller trop rembourré.
- Conduire sans contact avec l'appui-tête.
- Le travail à l'ordinateur ou la lecture.

S'ASSURER d'avoir des chaussures adaptées aux circonstances.

- Certaines activités sportives (course, entraînement).
- Certains postes de travail spécifiques (renfort).
- Certaines activités quotidiennes (port de talons hauts).

ÉVITER les mouvements brusques ou les changements de direction rapides.

- Certaines activités sportives (soccer, tennis).
- Essayer de retenir une charge ou une chute imprévue.
- Essayer de donner un coup rapide ou sec.

ÉVITER les mauvaises postures quotidiennes.

- Attitudes en cyphose ou en enroulement (dos rond).
- Attitudes en antéprojection (avec la tête avancée).
- Attitudes en lordose (dos creux, ventre relâché).

ÉVITER les longues marches sans périodes de repos.

- Certaines activités sportives (randonnée, course).
- Certaines activités quotidiennes (marche, magasinage).
- Les emplois nécessitant de longs déplacements.

ÉVITER les mauvaises positions de travail.

- Travail à l'ordinateur.
- Travail de bureau (écriture, lecture, classement).
- Travail de manutention (livraison, chargement).

ÉVITER l'ankylose et les positions statiques prolongées.

- Le travail à l'ordinateur.
- La conduite de longue durée.
- Le maintien statique et prolongé en position debout.

ÉVITER les pentes ou les dénivellations.

- La randonnée en montagne.
- La marche ou la course sur parcours inégal.
- Le travail sur terrain accidenté.

Table des **matières**

Suivez-nous sur le Web

Consultez nos sites Internet et inscrivez-vous à l'infolettre pour rester informé en tout temps de nos publications et de nos concours en ligne. Et croisez aussi vos auteurs préférés et notre équipe sur nos blogues !

EDITIONS-HOMME.COM
EDITIONS-JOUR.COM
EDITIONS-PETITHOMME.COM
EDITIONS-LAGRIFFE.COM

Achevé d'imprimer au Canada